Stefan Bonner
Anne Weiss

GENERATION DOOF

Wie blöd sind wir eigentlich?

BASTEI LÜBBE TASCHENBUCH
Band 60596

1. bis 6. Auflage: März 2008
7. Auflage: Mai 2008
8. Auflage: Juni 2008
9. + 10. Auflage: Juli 2008
11. + 12. Auflage: August 2008
13. Auflage: September 2008
14. Auflage: November 2008

Das vorliegende Buch beruht auf Tatsachen.
Zum Schutz der Persönlichkeitsrechte wurden
Namen und Details verändert.

Bastei Lübbe Taschenbücher in der Verlagsgruppe Lübbe

Originalausgabe
© 2008 by Verlagsgruppe Lübbe GmbH & Co. KG,
Bergisch Gladbach
Lektorat: Ruggero Leò
Textredaktion: Sibylle Auer
Titelbild: © Glen Wexler/Masterfile
Umschlaggestaltung: Bianca Schönfeld
Autorenfoto: © Rolf Hörner
Satz: Martin Zensheim, Rösrath
Druck und Verarbeitung: CPI – Ebner & Spiegel, Ulm
Printed in Germany
ISBN 978-3-404-60596-5

Sie finden uns im Internet unter
www.luebbe.de
Bitte beachten Sie auch: www.lesejury.de

Der Preis dieses Bandes versteht sich einschließlich
der gesetzlichen Mehrwertsteuer.

INHALT

Der Siegeszug der Dummheit

»Ich weiß nicht weiter, ich weiß nicht, wo wir sind, ich weiß nicht weiter, von hier an blind.«

Wir sind Helden

Im Europa-Park in Rust lief eigentlich alles nach Plan. Wie jedes Jahr im Januar hatte sich die Schickeria zur Kür der Miss Germany versammelt. Mehrere Dutzend junger Mädchen waren mit dem Traum vom schnellen Model-Glück angereist und gaben sich ein Stelldichein vor den Fernsehkameras – ein Schaulaufen der Schönen, das normalerweise für ein paar kurze Berichte im Vorabendprogramm und in der Yellow Press taugt und danach schnell wieder in Vergessenheit gerät.

So sollte es auch an diesem Abend im Jahr 2005 sein. Eigentlich. Doch der Sonderzug aus Pankow hatte besondere Gäste mitgebracht, die der Veranstaltung noch Jahre später zu peinlicher Berühmtheit verhalfen: die Kandidatinnen für den Titel der Miss Ostdeutschland. Vor den laufenden Kameras eines bekannten Boulevardmagazins ließen sie keinen Zweifel daran aufkommen, dass sie zu Recht für ihr schönes Aussehen und den aufrechten Gang gekürt wurden, keinesfalls aber für ihre Intelligenz.

Die Angelegenheit hätte wohl auch keine weitere Beachtung gefunden, wenn Chad Hurley, Steve Chen und Jawed Karim nicht just einen Monat später die Internetplattform YouTube gegründet hätten. Doch seitdem man hier seine Abende mit lustigen Videos über den Unfug fremder Leute zubringen kann, ist der geistige Totalausfall der Ost-Schönheiten zu einem Lieblingsclip vieler Internetsurfer geworden. Er steht stellvertretend für die Blödheit einer ganzen Generation.

Katharina T. aus Berlin-Pankow, an jenem Abend zur Schönsten aus den neuen Bundesländern gekürt, sollte den Fernsehreportern auf einer Deutschlandkarte zeigen, wo Ostdeutschland liegt. Zu viel verlangt. Mit einem entschlossenen Textmarkerstrich teilte sie Deutschland genau in der Mitte längs und schob die Bayern in die neuen Bundesländer ab. Ihre Konkurrentinnen machten es nicht besser. Miss Altmark spaltete Deutschland quer und vergab die vier Himmelsrichtungen so zufällig wie Franziska Reichenbacher die Lottozahlen. Miss Märkisch-Oderland vermutete ihre Heimat Brandenburg recht mittig neben Stuttgart. »Wo ist denn dann Berlin?«, wollte der Reporter wissen. »Na ja.« Sie stutzte. »Irgendwo hier.« Dann machte sie Frankfurt am Main endlich zu dem, was Bonn vor über fünfzig Jahren nach der Gründung der Bundesrepublik geworden war. Der Reporter ließ nicht locker: »Ja, wenn dort Berlin und Brandenburg sind, wo ist denn dann Polen?« Miss Märkisch-Oderland wurde merklich mulmig zumute. »Na ja, das ist ja gleich neben Berlin, also da.« Seitdem wäre Hessen wohl Polen, hätte der nette Reporter nicht beherzt eingegriffen. »Polen ist also mitten in Deutschland?«, hakte er nach. »Nee, nee, das kann ja nicht sein. Das ist doch hier oben«, lächelte Miss Märkisch-Oderland verschmitzt und versenkte unsere östlichen Nachbarn kurz entschlossen in der Nordsee.

Ein Anfall spontaner Blödheit, der nicht ansteckend ist? Ein Einzelfall mangelnder Allgemeinbildung? Leider nicht.

Im selben Jahr trat die ARD anlässlich der Bundestagswahl eine Deutschlandreise an, zwecks Nabelschau der Republik. Auch die Befindlichkeit der jungen Generation schien den Programmmachern am Herzen zu liegen. Hier ein kleiner Auszug aus einem Interview mit einer jungen Dame, schätzungsweise um die achtzehn, blond, hübsch.

»Welche Fächer magst du denn nicht so gern?«, will der Reporter von ihr wissen.

»Geschichte.« Die junge Dame verzieht angewidert das Gesicht. »Kann ich nicht leiden.«

»Hat dich Geschichte denn nie interessiert?«

»Nä«, sagt sie mit Schmollmund und Null-Bock-Stimme. »Mich interessiert eher die Zukunft, und nicht, was vor mir war.«

»Aha.«

»Die machen ihr Ding, und ich mach mein Ding. Diese komischen Römer und so ...«

Dann holt sie kurz Luft und fasst sich ein Herz: »Am Gymnasium zum Beispiel sind die Streber, die absoluten Streber, die auch ganz anders sind als die Hauptschüler. Haben Sie sich die schon mal angeguckt? Die sind auch viel zickiger. Ohne Witz jetzt. Die Realschüler sind die Normalsten, finde ich. Und die Hauptschüler sind die Allercoolsten.«

Der Reporter stellt lieber die nächste Frage: »Was ist denn dein Traumjob?«

»Arbeitslos. Einfach nur so zu Hause ... nee, doch. Megastar mit so richtig viel Kohle haben, ein riesengroßes Haus haben, Autos ...«

»Na ja, Megastar wird man ja nicht so einfach.«

»Schauspielerin zum Beispiel. Das wär cool.«

Dies ist nur ein Beispiel für die Welt der Hirngespinste, in der wir leben. Weil es immer mehr geistige Totalschäden gibt, ist dieses Buch längst überfällig. Grazile Models, deren Gehirn anscheinend so schlank ist wie ihr Körper, und Schüler, die hart auf eine Hartz-IV-Karriere hinarbeiten, sind nur die Ausläufer einer großen Intelligenzschmelze. Die Dummheit geht um in Deutschland. Und eine ganz bestimmte Generation ist davon betroffen.

Natürlich ist Dummheit nicht grundsätzlich verwerflich. Sie ist eine uralte Erfindung und gehört zum menschlichen Dasein einfach dazu. Man muss hierbei zwischen situationsbezogener und genereller Dummheit unterscheiden, denn selbst ein kluger Mensch verhält sich bisweilen dumm. Und nicht zuletzt ist die Dummheit auch immer mitverantwortlich für eine Weiterentwicklung der Spezies. Denn aus der Dummheit lernen wir. Berühmte Beispiele dafür sind Trial and Error bei der Entwicklung erster Flugmaschinen und die zweite Amtszeit von George W. Bush.

Problematisch wird es dann, wenn man stolz darauf ist, Shakespeare und Goethe nicht zu kennen oder den Bundestag für einen deutschen Feiertag zu halten. Und was Hans nicht lernt oder gar nicht lernen will, das kann er auch seinem Sohn Hänschen nicht beibringen. Dumm sind aber nicht nur diejenigen, denen man schon aus zehn Kilometern Entfernung ansieht, dass sie einen Lattenrost vor dem Kopf haben. Die Blödheit hat viele Facetten.

Sie werden in diesem Buch Menschen begegnen, die intelligent scheinen, aber dennoch ständig dumme Dinge tun. Sie werden Abiturienten mit einem Einser-Abschluss treffen, die den Dax nicht vom Dachs unterscheiden können, und erfolgreiche Topverdiener, denen abends nichts Besseres einfällt, als sich das Gehirn von einfältigen Fernsehsendungen pürieren zu lassen. Und Sie werden dummes Verhalten kennenlernen, das uns nirgendwohin führt: Wenn beispielsweise Werbetexter aus Gründen vermeintlicher Modernität englische Sprüche wie »Drive alive« entwerfen und der Kunde versteht, dass er seinen Mitsubishi möglichst lebend fahren soll, haben zwei Dumme aneinander vorbeigeredet. Der Klassiker aller dummen Werbe-Missverständnisse, der Douglas-Claim »Come in and find out«, steht im Zusammenhang mit der landläufigen Übersetzung »Kommen Sie rein und finden Sie wieder raus« inzwischen stellvertretend für Idiotie, bei der das Gegenteil von dem erreicht wird, was eigentlich herauskommen sollte.

Und solche Dummheit finden wir in Deutschland heute in allen Lebensbereichen: Wie wir unsere Kinder erziehen. Wie unser Verhalten in Liebesbeziehungen aussieht. Die Sorte von Unterhaltung, mit der wir unsere karge Freizeit totschlagen. Unser Umgang mit Geld. Unser Job.

Wer wir sind? Ganz einfach: Wir sind die Generation Doof. Wir sind Berufsjugendliche, Schwätzer, Alles-Woller-Nix-Könner. Wir sind besessen von Konsum, lassen uns vom Fernsehen die Welt erklären und lieben die Spaßkultur. Und wir werden immer mehr.

Dies berichten zwei, die es wissen müssen. Wir, die beiden Autoren, sind Experten in Sachen Dummheit. Denn wir stammen aus der Mitte der Generation Doof.

Die eigene Unzulänglichkeit verfolgt uns täglich auf Schritt und Tritt. Zum Beispiel, wenn wir Menschen treffen, die die Abfolge der römischen Kaiser mit verbundenen Augen runterbeten können, die griechische Mythologie nicht nur von der Rückseite einer Cornflakes-Packung kennen und sogar noch wissen, wie man ohne Taschenrechner addiert. Wenn wir mit solchen Leuten reden, lächeln wir freundlich wie Japaner, weil wir nach kurzer Zeit den roten Faden verloren haben. In Momenten wie diesen wissen wir, was die moderne Informationstechnologie mit uns angestellt hat. Was uns tröstet, ist die Gewissheit, dass es uns nicht alleine so ergeht. Halbwissen und Dilettantismus sind die Waffen unserer Generation. Und das Wissen darüber, dass wir nicht so richtig viel wissen und das bloß keinen merken lassen dürfen, kennen wir alle.

Generationen werden seit Generationen gerne beschrieben. Zu den bekannteren Titeln in Romanform gehört ohne Zweifel *Generation X* von Douglas Coupland aus dem Jahr 1991. Er beschrieb ein Gefühl der Desillusionierung gegenüber den Erwartungen früherer Generationen wie Wohlstand und Karriere. Man könnte auch sagen: Die Generation X hatte null Bock auf Spießbürgertum.

Florian Illies setzte sich selbst und seinen Altersgenossen 2001 mit dem Sachbuch *Generation Golf* ein Denkmal. Es gelang dem jungen Journalisten damit, den Kindern der siebziger Jahre ein kuscheliges Gefühl der Gemeinsamkeit zu verkaufen.

Da sich dieses Buch eher an ein männliches Publikum wandte, folgte für das schöne Geschlecht die *Generation Ally* – eine Beschau von shoppingfixierten Frauen, die es wegen der Kult-Fernsehserie *Ally McBeal* witzig fanden, ein bisschen bluna zu sein.

Aber auch die Printmedien und das Fernsehen werfen mit Generationsbegriffen nur so um sich. Ernährungssünder wurden mit dem Begriff »Generation Chips« aufgescheucht. Er sollte die Generation der in den Achtzigern geborenen Kinder bezeichnen, die mit schlechter Ernährung aufgewachsen waren. Außerdem wurde die »Generation Praktikum« bemitleidet, die man auch »Generation Prekär« nannte, weil durch ihren Sklaveneinsatz in deutschen Unternehmen auf einmal Arbeitsplätze in Gefahr schienen. Sie leistete über einen langen Zeitraum alles, ohne Hoffnung, irgendwann einmal auch monetär dafür entlohnt zu werden. Hinzu kamen noch »Generation MTV« und »Generation Internet«. Und das sind nur einige Beispiele dafür, wie der Begriff in den vergangenen Jahren abgenutzt wurde. Mit ein bisschen Glück und Spucke wurde dabei der jeweilige Zeitgeist getroffen.

Die Generation Doof besteht aus all diesen Generationen, und doch ist sie mehr.

Eine Generation umfasst in Jahren das Mittel aus dem Altersabstand von Kindern und Eltern. Es hängt also alles davon ab, in welchem Alter die lieben Eltern sich entscheiden, ihren Wurf ins Rennen zu schicken. Vor dem Jahr 1800 betrug der Abstand einer Generation etwa dreißig Jahre, zwischendurch sank er mal ein bisschen, aber durch die vielen Akademikerinnen und Spätgebärenden sind wir heute etwa wieder bei dreißig Jahren.

Da ist man in der Soziologie auch schon mal etwas großzügiger und rechnet nach Karl Mannheim leger in »Kohorten«, also bestimmten Jahrgängen, die gemeinsame Erfahrungen aufweisen, zum Beispiel die Kriegsjahrgänge, die Achtundsechziger oder die Babyboomer.

Wir sind großzügig. Unsere Generation umfasst rund dreißig

Jahre und wird durch bestimmte doofe Einstellungen, Interessen und Verhaltensweisen geprägt. Es ist die Generation der heute Fünfzehn- bis Fünfundvierzigjährigen. Sie umfasst diejenigen, die heute ihren späten Wurf großziehen (oder kinderlos bleiben), genauso wie die Schüler, Auszubildenden, Studierenden und Praktikanten, die gerade aus dem Hotel Mama ausgezogen sind und sich mit der harten Lebenswirklichkeit jenseits von Playstation und Vollkasko-Mentalität abfinden müssen.

Wir sind die Generation der Unentschlossenen, der ewig Jugendlichen, die nicht erwachsen werden wollen – eine Generation, die alles haben will, und zwar sofort, aber keine Entscheidungen treffen mag.

Das führt dann im besten Fall dazu, dass man eine Stunde vor dem Shampoo-Regal im Supermarkt steht und dann doch mit dem gleichen Haarwaschmittel nach Hause dackelt, das schon Mutti immer gekauft hat.

Im schlechtesten Fall geht es uns wie der Autorin Claudia Rusch: »Ich will fünf Kinder! Und ich hätte so gern eine Familie. Aber ich kann mich nicht entscheiden. Bevor es ernst wurde, bin ich regelmäßig getürmt.«

Sie ist nur eine von vielen, die sich nicht trauen. Dafür treffen wir täglich alle möglichen kleinen Entscheidungen zu unserem Nachteil, die man als dumm bezeichnen kann: *Choose** doof. *Choose* Massen-E-Mail-Versand, weil du glaubst, dass du dann ein Handy von Nokia umsonst bekommst. *Choose* Alcopops und Fertigfraß, *choose* Rechtschreibkorrekturprogramme und Bildungsshows mit Jörg Pilawa im Fernsehen. *Choose* Geschmacksverirrung bei der Kleiderwahl und bauchfrei trotz Rettungsring, *choose* Arschgeweih (und sei es nur als Aufnäher auf der Jeans, wenn du dich nicht traust, ein richtiges Tattoo machen zu lassen), *choose* Marketingsprache, obwohl dich dann keiner mehr versteht. *Choose* schlecht

---

* *choose*, engl. Verb für: auswählen, aussuchen

gemachte Sketchsendungen und *Der Schuh des Manitu*. Oder *choose* Dieter Bohlen statt Thomas Mann.

Was soll aus Deutschland werden, mit einer Generation von Schülern und Studenten, die der deutschen Muttersprache nicht mehr mächtig sind? Wer die Eine-Million-Euro-Frage bei Günther Jauch beantwortet, gilt heute schon als neuer Einstein. »Pimp my car? JA! Pimp my brain? NEIN!«, könnte eine Schülerparole auf Neudeutsch lauten. Werden die, denen heute eine Karriere als Popstar vielversprechender erscheint als eine solide Ausbildung, unsere nächsten Bundeskanzler? Werden immer mehr Nepper, Schlepper oder Bauernfänger sich junger Familien bemächtigen wie in Konstanz, wo ein Wahrsager einer Familie erfolgreich einredete, ihr Vermögen sei mit einem Fluch belegt und er könne sie davon befreien, indem sie ihm ihre Wertsachen vermachten? Ist wirklich eine ganze Generation verloren, und treibt sie haltlos einem ungewissen Ende entgegen?

Nein. Denn die Gegenbewegung ist schon unterwegs, um sich ihre Trophäen in der Arbeitswelt zu holen. Diese Schüler pfeifen auf den Rat ihrer Eltern und holen sich noch während der Schulzeit professionellen Rat bei einem Karriereplaner. Sie stecken voller Ideen, sind pfiffig, gründen Unternehmen, melden Patente an oder entwickeln komplexe Softwareprogramme. Kurz, sie tun das, woran viele ihrer Altersgenossen scheitern: Sie benutzen ihren Kopf.

Die Schere zwischen Clever und Doof geht immer weiter auf. Denn je dümmer die einen sich benehmen, desto mehr planen und entwickeln die anderen. Es gibt sie, die siebenundzwanzigjährigen promovierten Mehrfach-Praktikanten mit Auslandsaufenthalt und sprachlicher Zusatzqualifikation. Sie sind unsere Hoffnung. Müssen wir sie deshalb mögen? Nein.

Vielleicht können die Schlaumeier die tumbe Masse vor einem harten Aufprall bewahren. Aber möglicherweise sind wir gar nicht so blöd, wie es aussieht ... oder etwa doch?

KAPITEL 1

Alles Freizeit, oder was?

Ein Streifzug durch einen normalen Tag der Generation Doof

»Ach ich weiß ja auch nicht,
das Leben, das ist fiese
jeden Tag das Gleiche,
ich glaub', ich krieg' 'ne Krise.«
·Die Doofen

Wir warten am Kölner Hauptbahnhof auf einen Zug. Das ist eigentlich nicht besonders ungewöhnlich. Doch wir sind auf einer Mission.

Es ist kurz vor sechs am Abend, und um uns herum haben die Menschen nichts anderes zu tun, als von der Arbeit nach Hause zu hetzen, von A nach B. Wir haben jedoch etwas Besseres vor; wir wissen, wozu Züge wirklich gut sind: Man kann grandiose Partys darin feiern.

Gastgeber ist heute unser Freund Armin. Die Tour de Force geht von Köln nach Gummersbach und zurück, und zwar so lange, bis alle blau sind.

Die Bahn ist überraschenderweise pünktlich. Wir steigen in Wagen elf ein, den Ort des Geschehens. Als sich die Türen öffnen, kommt uns trotz Rauchverbot ein Luftgemisch aus Gras- und Zigarettenqualm entgegen – eine großzügige Spende an den Schaffner hat diese Extravaganz ermöglicht. Die anderen feiern schon seit einer Stunde, und die kleine Reisegruppe ist bester Stimmung. Aus dem Ghettoblaster, der auf einer Bierkastenpyramide thront, dröhnt Mickie Krauses Evergreen *Zeig doch mal die Möpse*. Ein paar der anwesenden Damen rücken zur Veranschaulichung des Liedtextes ihre beiden besten Argumente in Positur, was die anwesenden Herren zu anerkennenden Ausrufen veranlasst. Ein anderer weiblicher Partygast macht seinem Sweatshirt mit der Aufschrift »Bitch« alle Ehre und zieht gleich komplett blank. Schaut her, ich bin ein Luder.

Als Armin uns entdeckt, kann er vor Freude kaum an sich halten: »AnneunStefan! Schzönssihr dah said!« Er drückt uns zwei Bierpullen in die Hand. Der Zug fährt ab. Wir mischen uns unter die Gäste und plaudern schon Minuten später mit einer jungen Dame, die gerade eine Ausbildung zur Steuerfachgehilfin absolviert und bei uns als Michelle Schmitz vorstellig wird. Michelle ist geschätzte fünfundzwanzig und trägt bauchfrei. Ein Umstand, der uns – als sie sich nach einer weiteren Flasche bückt – den Blick auf das rückwärtige Dekolletee ihrer Jeans gewährt, über dem ein Tribal-Tattoo prangt. Über den Bund der viel zu engen Hose quellen bei dieser Bewegung etliche überschüssige Pfunde.

Als wir Michelle erzählen, dass wir gerade an einem Buch mit dem Titel *Generation Doof* schreiben, tritt ein Leuchten in ihre glasigen Augen.

»Weissich«, meint sie und stößt kurz auf. »Hat mir Aamin schon erzählt. Musstich gleich lachen.«

Das freut uns natürlich, aber wir wollen nun doch wissen, warum sie das so lustig findet.

»Na, ich fandn Titel so komisch«, erklärt sie. »Wie schreibtn ihr das? Doof wie blöd, oder so wie die Seife?«

> *»Schlechtgelaunte Zeitgenossen könnten uns an dieser Stelle Vorhaltungen machen wegen fehlendem Niveau.«* Die Ärzte

Es scheint, als hätten viele Menschen unserer Generation Seife im Kopf. Anders wären die zahlreichen Ausfälle in puncto Bildung, Anstand, Niveau und Auftreten an diesem Abend nicht erklärbar gewesen. Die Idee, ein Buch über die Verfehlungen unserer Generation zu schreiben, ist uns zwar nicht an diesem Abend in der Bahn gekommen, aber Armins kleine Party war ein Zeichen dafür, dass die Zeit reif für unser Buch war.

Wir hatten uns zuvor lange genug darüber gewundert, dass uns jeden Tag Leute in unserem Alter begegnen, die in der Öffentlichkeit hemmungslos feiern, T-Shirts tragen, deren Aufschrift sie nicht übersetzen können, die eintönige Bässe brauchen, um den Rhythmus der Musik zu erkennen oder die wie Michelle so modebewusst durchs Leben gehen, dass ein Jutesack eine echte Verbesserung darstellen würde.

Mangelnde Manieren, ungepflegtes Äußeres, Scheißegal-Haltung oder Turbo-Spaß, all das gehörte schon in früheren Zeiten für eine aufmüpfige Jugend zum guten Ton dazu. »Die Jugend von heute liebt den Luxus, hat schlechte Manieren und verachtet die Autorität«, beschwerte sich immerhin schon Sokrates. Viel scheint sich seit der Antike nicht geändert zu haben. Der Unterschied ist jedoch: Heute sind viele Mittdreißiger stolz, wenn man sie für sechzehn hält. Die lässig-naive Lebenseinstellung hört für uns nicht mit dem Ende der Pubertät auf, sondern ist das Lebensgefühl einer gesamten Generation.

Warum sollte man es verschweigen? Unserer Generation mangelt es massiv und dauerhaft an Charme und Grazie. Wir sind froh darüber, kulturell nicht verbogen zu sein: Luke Skywalker und Darth Vader waren uns schon immer näher als Faust und Mephisto. Wir finden, dass zu viel Wissen das Leben nur unnötig verkompliziert, und leben lieber ohne Hürden und ohne Niveau, denn das verspricht mehr Spaß. Das Leben sollte unserer Meinung nach eher der Juniortüte eines bekannten Fastfood-Dealers gleichen: bunt und poppig, prall gefüllt mit Annehmlichkeiten ohne Nährwerte und immer mit einem kleinen Extra.

Neu ist nicht nur, dass sich gleich eine ganze Generation dumm stellt, sondern auch, dass wir unsere Blödheit so offen und schamlos zur Schau stellen wie noch keine Generation vor uns. Die verschiedenen Erscheinungsformen, Dosierungen und Aggregatzustände der Dummheit begleiten uns im täglichen Leben auf Schritt und Tritt.

Der Alltag, das Gewöhnliche und Allgegenwärtige, eignet sich deshalb hervorragend dazu, um auszuloten, wer wir eigentlich sind. Denn wie jemand seinen Alltag – also die Zeit zwischen Feiertagen und besonderen Ereignissen – gestaltet, sagt viel über seine Werte, seine Lebenseinstellung und seinen Geisteszustand aus. Und so ist es auch bei der Generation Doof: Wie wir uns geben, wie wir uns kleiden oder womit wir unsere Zeit verbringen, verrät, was uns antreibt, was wir von unserem Leben erwarten und wer wir eigentlich sind.

> »Irgendwann war mir klar, dass ich nicht zur
> Müllabfuhr möchte, dass ich Geld verdienen
> möchte, dass ich kein Loser sein möchte.«
> Dieter Bohlen

Begleiten Sie uns also durch das alltägliche Einerlei einer dummen Generation, auf einen Streifzug, der auf Erlebnissen beruht, die sich so tatsächlich zugetragen haben und die jedem aus dem eigenen Leben vertraut sind.

Damit keine Missverständnisse aufkommen: Wir selbst zählen uns zur Generation Doof. Deshalb darf die ein oder andere kleine Anekdote aus unserem eigenen Leben nicht fehlen.

Also: Wie blöd sind wir wirklich?

What You See Is What You Get –
Was doof aussieht, da ist auch doof drin

Morgens, 08:30 Uhr in Deutschland.

Wir haben schon die halbe Strecke zur Arbeit geschafft. Auf dem Weg vom Bahnhof zum Büro machen wir noch kurz am Kiosk Halt, damit der Tag nicht ohne Kalorien beginnt. Der Kiosk, der den bezeichnenden Namen Quickie-Shop trägt, hat sich verkaufstechnisch geschickt neben einer Berufsschule positioniert. Dort ist wie immer eine Schlange schlaksiger Schüler und Schülerinnen mit abenteuerlichem Outfit aufgereiht. Wir stellen uns an.

Vor uns versucht ein junger Mann, beim Verkäufer einige Backwaren zu ordern, deren nähere Bezeichnung ihm sichtlich Schwierigkeiten bereitet. Einen Anhaltspunkt hat der liebe Gott ihm dann doch mit auf den Weg gegeben: die Nationalität der begehrten Nahrung.

»Isch krisch zwei von den Franzosendingan da«, sagt der junge Mann und deutet ungeduldig auf das Brotregal.

Dem Verkäufer bereitet die textimmanente Interpretation der Bestellung Probleme. »Zwei Baguettes?«, fragt er nach.

»Nee, von den krisch isch Durschfall.« Der Typ und seine Posse gackern.

»Wollen Sie stattdessen Quiche? Die ist heute im Angebot.«

»Was? Ej, quischst gleich eins in die Fresse. Zwei von die krumme Dinga da, meinisch.« Noch lacht er.

»Alles klar, zwei Croissants.« Der Verkäufer ist sichtlich erleichtert, und wir rücken schon mal vorsichtshalber ein wenig auf. Aber in diesem Fall gibt es noch kein Happyend.

»Was jetzt? Cross was?! Du Opfer! Gib mia endlisch zwei von den verkackten Franzosenteilen!«

Zwischen dem Verkäufer und dem jungen Mann entbrennt eine lautstarke Diskussion über den angemessenen Umgangston. Es ist

Viertel vor neun. Wir beschließen, unseren Weg dann lieber doch ohne Brötchen fortzusetzen.

09:00 Uhr, ein moderner Büropark.

Auf der Straße vor dem Bürogebäude spricht uns eine gutaussehende junge Frau an.

»Wisst ihr, wo Harald-Schmidt-Straße hier?«, erkundigt sie sich nicht allzu freundlich.

»Die Filmstudios sind in Hürth.«

»Äh, ja.« Sie guckt ratlos. Dann holt sie einen Zettel aus der Tasche. Darauf steht »Helmut-Schmidt-Straße«. Kennen wir nicht. Man kann ja nicht alles kennen.

»Wo müssen Sie denn da hin?«, fragen wir sie.

Die junge Frau nickt begeistert. »Muss isch Bewerbungsgespräch.«

»Aber wo?«

»Bei Helmut-Schmidt-Straße.«

»Ja, ja, schon klar. Bei welcher Firma denn?«

»Name weiß isch nich. Die haben nur gesagt, isch soll bei Harald-Schmidt-Straße kommen.«

Da wir ihr offenbar nicht weiterhelfen können, zieht sie von dannen. Im Gehen räuspert sie sich noch mal kurz und spuckt volle Kanne direkt aufs Trottoir. Wir wundern uns nicht über den geschmacklosen Abschied – wir kennen gepflegtes Danebenbenehmen aus eigener Erfahrung in noch schlimmerer Ausprägung.

Meinem früheren Nachbarn Sven mangelte es in Sachen Benimm und Charakter an allen Ecken und Enden. Bei ihm vereinte sich umfassende Nichtbildung mit ultraschlechtem Geschmack.

Sven rülpste seinem Gastgeber offen ins Gesicht, wenn ihm das Essen gut schmeckte, kratzte sich in aller Öffentlichkeit an Bauch und Gekröse und konnte mit Kunst allenfalls im Zusammenhang mit Kamasutra etwas anfangen. Niki de Saint Phalle hielt er für einen flauschigen französischen Peniswärmer und ließ gerne ohne Scham verlauten, dass er nicht wähle, nicht wisse, über wie viele Bundesländer die Republik verfüge, und keinen blassen Schimmer habe, wie deren Ministerpräsidenten heißen. Lesen hielt er – außer im *Playboy* – für die reinste Zeitverschwendung, genau wie die Nettigkeit »bitte« und ihre Verbalschwestern »danke« und »'tschuldigung«.

Kurz, er benahm sich auf alle erdenklichen Weisen daneben. Das schockierende Ergebnis: Es hat ihm nicht geschadet. Heute ist Sven ein erfolgreicher Internet-Werbefuzzi und hat immer noch keine Ahnung, wie er sich bei offiziellen Anlässen benehmen muss, aber es ist ihm auch scheißegal. Er hat genügend Auftraggeber, und schließlich wollen die ja was von ihm und nicht umgekehrt.

So viel unbändige Freude am eigenen Fehlverhalten hinterließ bleibenden Eindruck. Sven ist jedoch kein Ausnahmefall. Wir von der Generation Doof mischen unser offiziell attestiertes Halbwissen gerne mit ungezwungener Lässigkeit. Und wir sind mit uns durchaus zufrieden. Ich will so prollen, wie ich will – du darfst! Das scheint der Wahlspruch von vielen zu sein. Überraschenderweise kommt man damit offenbar ganz gut durchs Leben, zumindest so lange, wie gestresste Lehrer, überforderte Eltern oder die Öffentlichkeit ein oder beide Augen zudrücken.

> *»Ich bin kein bisschen sozial und auch nicht*
> *kollegial, ich gehe niemals zur Wahl, denn mir*
> *ist alles egal.«*
> Wise Guys

Mulmig wird anscheinend nur den Arbeitgebern, die mit der Generation Doof schon ihre eigenen fragwürdigen Erfahrungen gemacht haben. »Zunehmend Sorgen bereiten uns die vermehrt auftretenden Mängel im Sozialverhalten«, beklagte der Präsident der Handelskammer Hamburg, Karl-Joachim Dreyer im *Hamburger Abendblatt*. Für ihn ist erwiesen, dass mangelnde Umgangsformen den Jugendlichen und jungen Erwachsenen den Job-Einstieg erschweren – und nicht nur das: Ihr schlechtes Benehmen macht auch den Ausbildern, Vorgesetzten und Kollegen die Arbeit nicht gerade leichter. Mit der Einschätzung mag Dreyer durchaus recht haben, wenn man bedenkt, dass viele Berufe noch eine eher spießige Meinung über tadellose Manieren und ein gepflegtes Äußeres haben. Doch auch das Erscheinungsbild ist eine weitere Großbaustelle der Generation Doof:

10:00 Uhr, ein Konferenzraum.

In der wöchentlichen Abteilungskonferenz ist das Wichtigste bereits besprochen. Unser Chef – ein Befürworter von Anzug und Fliege – möchte noch kurz etwas loswerden. Das kurze Aufbegehren der

Mannschaft wegen des defekten Milchaufschäumers an der Kaffeemaschine übergeht er elegant. »Ich werde den Gedanken mitnehmen«, sagt er dazu nur, und die Beschwerden ersticken im Keim. Dann räuspert er sich. »Ich möchte Ihnen nun gerne unsere neue Praktikantin vorstellen, Frau Grützner.«

Die Mannschaft klopft sich wie üblich die Fingerknöchel an den Tischen arthritisch.

»Frau Grützner, vielleicht möchten Sie selbst ein paar Worte ...« Er sieht sich ratlos in der Runde um. Frau Grützner ist nicht auffindbar.

In diesem Moment springt ohne Vorwarnung die Tür auf. Eine junge Dame stürmt mit Handy am Ohr herein. »Ruf dich später wieder an«, bescheidet sie ihrem Gesprächspartner. »Tut mir echt leid«, meint sie dann.

Die Schlipsfreunde starren sie an.

Die Praktikantin trägt eine zerschlissene Cargo-Hose, karierte Chucks und ein knappes schwarzes T-Shirt, das einen unverbauten Blick auf ihren gepiercten Bauchnabel und rückwärtig auf ihr Steißtattoo freigibt. Das komplette Tussiprogramm. Die erste Amtshandlung von Frau Grützner ist es, wieder nach Hause zu fahren und sich auf Weisung des Personalchefs umzukleiden.

> *»Ich finde, für Hüfthosen sollte es einen*
> *Berechtigungsschein geben.«*
>
> Userin akasha in einem Internetforum

Galt die Entblößung geschlechtsteilnaher Körperpartien in früheren Zeiten noch als eindeutiges Balzritual, so gehört sie heute zur Bekleidung unserer Generation mit dazu. Nabelschau hat heute einen anderen, sehr direkten Sinn. Sie soll sexuelle Aktivität und Attraktivität signalisieren, indem sie unter anderem den Blick auf ein kostspieliges Accessoire freigibt: den Steißadler, das klassische Arschgeweih, auch Schlampenstempel oder Tussilenker genannt.

Und die Mode rund um das Hautbild zeigt, dass wir frei sind: bauchfrei, hinternfrei, geschmacksfrei. Ab ins Studio und nix wie drauf mit dem Scheiß auf den Steiß. Heute haben wir schamfrei!

Das weit verbreitete Fehlen eines kleidungsästhetischen Bewusstseins ließe sich vielleicht noch verschmerzen, wenn einem dabei nicht immer wieder ein anderes Manko unserer Generation vor Augen geführt würde. Denn allzu häufig stecken in den knapp geschnittenen Klamotten Figuren, die weder stromlinienförmig sind noch zum Outfit passen – was uns fast zwangsläufig daran erinnert, dass der letzte BigMac noch nicht lange verdaut ist. Zudem ist diese Mode gesundheitsschädlich, aber das haben wir ja schon lange geahnt. Der Hamburger Arzt Prof. Dr. Volker Ragosch warnt vor der Bauchfreiheit: »Bei dieser Kleidung ist die Nierengegend ungeschützt, und dadurch können schmerzhafte Nierenbeckenentzündungen entstehen.« Wer schön sein will, muss leiden, das gilt auch für die Generation Doof. Wie lange dauert es noch, bis wir uns hier den Nabel vom Schönheitschirurgen veredeln lassen, wie dies in den USA schon der Fall ist?

> *»Solche Reizwäsche passt vielleicht in*
> *die Disko oder in die Badeanstalt. (…)*
> *Es gibt Sexbomben an unseren Schulen,*
> *da möchte ich nicht Junglehrer sein.«*
>
> Willi Lemke

Und auch der männliche Teil der Generation Doof bleibt vom Modewahn nicht verschont. Für viele ist die gesunde Bräune immer noch Ehrensache. Ein Kölner Sonnenstudio wirbt sogar mit dem Spruch: »Nur toasten ist billiger!«, um auch Kunden mit kleinem Geldbeutel anzusprechen. Und da viele von uns glauben, dass man sich Schönheit kaufen kann, ist es nicht verwunderlich, dass auch Quellwürste Hüfthosen tragen und Schmalbrüstige sich mit Zuhälterketten schmücken.

12:00 Uhr, Kantine.

Wir essen mit unserem Kollegen und guten Freund Daniel zu Mittag. Er ist Mitte dreißig und lebt alleine.

Heute gibt es wahlweise Schweinebraten aus der Mikrowelle an Bandnudeln und matschigen Erbsen oder einfach Salat. Danni hat sich für den Braten entschieden, wir führen uns das bereits welke Hasenfutter zu. Während er die Nudeln durch die braune Soße schleift, berichtet Daniel von seinen Erlebnissen am vergangenen Abend.

»Leudee, als ich nach Hause gekommen bin, hab ich mir erst mal 'ne Pulle Bier aufgerissen«, erzählt er, »und da lief im Fernsehen so 'ne Kochsendung.« Daniel schlingt ein Stück Braten runter, dessen Konsistenz irgendwo zwischen verdammt gut durch und verkocht anzusiedeln ist. »Ich sach euch«, stellt er dann fest. »Die Köchin in der Sendung gestern war so 'ne verkniffene Lustbremse. Die hat Kürbissuppe, Papaya-Soufflee und noch irgend so 'n Kack zusammengekocht.«

Er macht eine wegwerfende Handbewegung und kramt einen zerknitterten Zettel aus der Jackentasche. »Hier, ich hab mal ein Alternativmenü zusammengestellt.« Daniel schiebt uns den Zettel zu. Vorspeise: Tafelspitz, steht da in enthusiastischen Lettern. Hauptgang: Krustenbraten mit Klößen, Rotweinsauce und Schnitzel, dazu Kartoffeln aus dem Glas mit Rosmarin. Und schließlich die Nachspeise: Buletten mit Ketchup. Daniels Vorstellung von einem bekömmlichen Getränk, das dem Essen schmeichelt, ist natürlich ein Zehnliterfässchen Kölsch, ein sogenanntes Pittermännchen.

Wir lassen den Zettel sinken.

Daniel grinst. »Und als kleiner Gruß aus der Küche hab ich mir gedacht: Rinderrouladen!«

Das Ganze nennt er Männer-Menü. Es passt in die Ernährungsgewohnheiten unserer Generation, denn es handelt sich um ein Fleisch-only-Menü mit unfrischem Alibigemüse. Das Glas mit den Kartoffeln bleibt meistens zu.

Die Junkfood-Konditionierung beginnt schon früh: Im Schulunterricht gehörten Cola-Dose, Schokoriegel und Chipstüte zur Standardausrüstung, Mutter hatte nicht selten die Klinikpackung Milchschnitte im Einkaufswagen, und die Mikrowelle hat unser Leben vielleicht mehr beeinflusst als die Erfindung des Rades oder des Internets. Noch heute greifen wir nach getaner Arbeit gerne ins Tiefkühlfach oder halten lieber gleich beim Energielieferanten Nr.1 mit dem gelben M an. Wer schaut da noch in den Cholesterinspiegel?

Fastfood gehört mit der intensiven MTV-Beschallung, den bunten Aktionstüten und fantasievollen Menünamen zur Partykultur der Generation Doof. Hier isst man ohne Besteck, und Servietten dienen allenfalls zum Naseputzen. Und der Zwischenstopp am Schnellfuttertrog kann ganz einfach bei fast jedem Diskobesuch eingebaut werden – denn wir wissen, dass McDick um vier Uhr morgens auf jeden Fall noch geöffnet hat.

Auch in den eigenen vier Wänden wollen viele von uns die Nahrungszufuhr gerne so simpel wie möglich halten. Kein Wunder, denn die Gefahren, die in der Küche bei der Zubereitung einer selbstgebauten Mahlzeit lauern, sind nicht zu unterschätzen ...

Es gibt für alles ein erstes Mal. Auch für das Pizzabacken im heimischen Ofen. Ich bin vor wenigen Wochen mit meiner Freundin Maja zusammengezogen, und heute Abend bin ich für das Abendessen zuständig. Das Aufwärmen von Tiefgekühltem, die Anwendung von Mikrowellen und die Konsultation örtlicher Fastfood-Dealer sind laut Spielregeln ausgeschlossen. Zu blöd, denn Maja möchte gerne Pizza, und die habe ich bislang immer dann gut gekonnt, wenn der Italiener meines Vertrauens sie gemacht hatte. Aber heute gibt es keine Ausrede.

Ich stehe in der Küche und studiere aufmerksam die Gebrauchsanweisung auf der Verpackung. Eigentlich ganz einfach; ich schaffe es sogar, die tiefgekühlte Teigscheibe mit Tomaten-Schinken-Belag auf das dafür bestimmte Backpapier zu drapieren. Flugs noch den Ofen auf 220 Grad gestellt und die Klappe zugeworfen.

Ich bin stolz auf mich.

Dann gehe ich ins Wohnzimmer, setze mich neben Maja aufs Sofa und gönne mir ein Glas Whisky. Im Fernsehen läuft eine neue Folge der Serie *24*. Verdammt spannend.

Die Zeit vergeht wie im Flug, bis Maja die Nase rümpft.

»Es riecht«, meint sie.

»Ich war's nicht.« Da muss sie sich wohl geirrt haben.

»Nach angebrannter Pizza!«

Mit dem Whisky im Blut lege ich die fünf Meter in die Küche in unter zehn Sekunden zurück. Aus dem Ofen quillt dichter Rauch. Mit beiden Händen greife ich beherzt nach dem verkohlten Ding im Ofen und ziehe es raus. Das Backpapier bleibt an den Heizstäben hängen, die Pizza fliegt in hohem Bogen durch die Küche und die Papierreste im Ofen fangen augenblicklich Feuer.

»Wooow!«, ist das Einzige, was mir dazu einfällt.

Das Feuer will gelöscht werden. Aus dem Augenwinkel heraus bemerke ich das Whiskyglas, das ich auf den Küchentisch gestellt habe.

Flüssigkeit + Feuer = Löschen, funkt es wild durch mein Hirn. Ich kippe das halbvolle Glas reflexartig in den Ofen. Eine riesige Stichflamme schnellt hervor.

In dem Moment betritt Maja die Küche. Sie betrachtet mein rußgeschwärztes Gesicht und das Whiskyglas in meiner Hand. Dann wandert ihr Blick weiter zu der verbrannten Pizza auf dem Küchenfußboden.

Maja schüttelt den Kopf. Dann entfährt ihr ein leises, aber nicht minder bestimmtes »du bescheuerter Vollidiot«.

Explodierende Öfen sind ein Grund dafür, dass Fastfood für die Generation Doof die einzig akzeptable Ernährungs-Annehmlichkeit des 21. Jahrhunderts darstellt. Das Kauen überlassen wir gerne den Getreidemühlenbenutzern und Reformhauskunden. Vorgeformte und warm gemachte Nahrung ist uns vertrauter als Selbstgekochtes. Obwohl Kochshows im Fernsehen sich nicht über mangelnde Zuschauerzahlen beschweren können – Tim Mälzers Sendung *Schmeckt nicht, gibt's nicht* brachte es auf knapp eine Million Möchtegernmitesser – finden nur wenige von uns den direkten Weg vom Fernseher zum Herd. Und wenn sie sich doch einmal dahin verirren, dann wissen viele aus unserer Generation nicht, was sie dort sollen.

So ging es zumindest unserer Freundin Larissa, als sie uns vom ersten Sonntagsfrühstück mit ihrem neuen Freund Mark erzählte: »Der stand plötzlich mit einer Pfanne vor mir und erkundigte sich, wie das mit den Spiegeleiern geht«, erinnerte sie sich lachend.

Mark war damals Anfang dreißig, und er ist mit seiner Kochlegasthenie bis heute kein Einzelfall: Nach wie vor wird nur in etwa einem Drittel deutscher Haushalte selbst gekocht und der Absatz an Fertiggerichten steigt kontinuierlich – von 12,2 Kilo pro Kopf im Jahr 1975 bis zu 37,1 Kilo im Jahr 2005, wie das Deutsche Tiefkühlinstitut angibt. Und wenn wir nichts auftauen, bestellen wir unsere Pizza bei Lieferanten wie *Pizza Boy ... und essen macht Spaß* – als ob es darauf ankäme, dass Teigplatten mit Belag einen Unterhaltungswert besäßen.

Über 40 Prozent der 18- bis 39-Jährigen würden selbst sagen, dass ihre Kochkünste weniger als mittelmäßig sind, das ergab eine Umfrage von TNS Infratest im Auftrag der Internet-Initiative »Die Dosenköche«. An den guten alten Spaghetti mit Tomatensauce versuchen sich über 50 Prozent der unter 40-Jährigen gar nicht, sondern greifen auf Fertigzutaten zurück. Rezepte aus Fernsehshows werden außerdem selten nachgekocht, wie eine Umfrage des Fernsehmagazins *TV-Guide* 2007 ergab: Bei 69 Prozent der Deutschen kommt niemals ein Showgericht auf den Teller. Der Ernährungsbericht 2004 legt Zeugnis davon ab, dass wir selten zu Hause mit anderen essen: Der Normalbürger isst mittags 13 Minuten lang mit anderen Personen. Da bleibt keine Zeit für ein umfangreiches Menü.

Appetit holen wir uns im Fernsehen, gegessen wird allerdings nicht zu Hause, das erscheint uns zu öde. »Mälzer ist wie Jamie Oliver ein Popstar, der genau auf der Wellenlänge surft, auf der die MTV-Generation sich wohlfühlt«, schreibt Stephan Clauss, Gastrokritiker des Magazins *Der Feinschmecker*.

Anders gesagt: Essen muss Spaß machen oder schick aussehen, sonst herrscht Ebbe auf den heimischen Tellern der Generation Doof. Auch ein einfaches Zimtbrötchen muss einen Namen haben, der uns anmacht – Woppi, Wupsi, Wuppi. Das klingt ähnlich niedlich wie unser Lieblingseis, das schon in der Kindheit eine Produktbezeichnung wie »Flutschfinger« trug. Ein so ernstes Getränk wie ein Milchkaffee mit Aroma sollte daher heute mindestens ein Upgrade zum Chai Latte macchiato erfahren.

Chinesisch, türkisch, amerikanisch – egal! Wir essen am liebsten auswärts und bestellen dabei Dinge, die wir nicht mal richtig aussprechen können und die sensationell ungesund und kalorienreich sind. Man ist, was man isst, aber die wahren Nährwerte sind ohne aushängende Kalorientabelle nicht so einfach zu erkennen. Allerdings sind selbst Scheingesundernährer nicht vor Trendfallen gefeit.

13:00 Uhr, im Ami-Café.

Nach dem Abhängen in der Kantine mit Daniel haben wir uns einen kleinen Verdauungsspaziergang zwecks Frischluftzufuhr verdient. Auf dem Weg besteht die Möglichkeit, sich mit Kaffee zu versorgen. Wir betreten ein trendiges amerikanisches Kaffeerösterdomizil.

Eine junge Dame steht vor der Theke und überlegt, was sie nehmen soll. Sie trägt figurbetonte Kleidung und wäre ein Aushängeschild für jede Diätberatung. Die grün beschürzte Bedienung hinter dem Tresen wird schon leicht nervös, denn andere Kunden scharren bereits mit den Füßen. Dem Mädchen ist anzusehen, dass sie die Gefährlichkeit der einzelnen Kalorienbomben gegeneinander abwägt. Ihr Blick hängt lange sehnsuchtsvoll an der Schokoladentorte.

Dann schüttelt sie kaum merklich den Kopf und sagt: »Einen Latte macchiato und eine Rosinenschnecke. Aber den Kaffee mit fettarmer Milch, bitte.«

Die Bedienung lächelt und reicht das Gewünschte. Sie weiß, dass die Rosinenschnecke laut Kalorientabelle dreihundert Kalorien mehr enthält als das Stück Schokotorte, das sich viele ihrer weiblichen Gäste verkneifen und stattdessen vermeintlich weniger gehaltvolle Teilchen bestellen. So erfüllend kann ein Verkaufsjob sein.

Die Begegnungen der ersten Tageshälfte haben vor allem eines gezeigt: Etikette ist etwas, das unsere Generation allenfalls vom Marmeladenglas her kennt. Was Manieren, Erscheinungsbild oder Ernährung angeht, liebt die Generation Doof es geschmacksfrei. Korrektes Auftreten? Das zählt für uns ebenso wenig wie angemessene Kleidung. In puncto Essen sind wir beim Wunschspeiseplan eines Fünfzehnjährigen stehen geblieben. Woran liegt es, dass uns scheinbar grundlegende Eigenschaften abgehen, die man einem normal intelligenten und vernunftbegabten Menschen zuschreiben würde?

Hotpants mit achtzig – Warum wir nicht erwachsen werden wollen

Erinnern wir uns noch einmal kurz an Annes Nachbarn Sven, der niemanden über die windigen Nebenprodukte seiner Verdauung im Unklaren ließ, die Meinung anderer für einen schlechten Scherz hielt und heute dennoch als Werbe-Fachmann arbeitet. Wir haben ihn vor Kurzem zufällig beim Mittagessen in einem Düsseldorfer Café getroffen. Er trug ein leicht fleckiges Beinkleid, das ihm die Ausstrahlung eines gerade pubertierenden Hip-Hoppers verlieh, lässige Turnschuhe und ein T-Shirt, auf dem in roten Lettern die Aufschrift stand: »Hirn hat der Herr genug vom Himmel geworfen. Er hat bloß nicht getroffen.« Sven erzählte unumwunden, dass er sich bei einem Wirtschaftsmagazin beworben hatte, um deren Internetpräsenz auf die Beine zu stellen. Außer ihm selbst hatten sich einige Agenturen um den Auftrag beworben. Die Konkurrenz trug allerdings Anzug und Krawatte, genau wie die potenziellen Kunden der Wirtschaftsgazette. »Die hatten alle einen Stock im Arsch«, schilderte Sven seinen Eindruck von Bewerberschar und Bossen.

Vielleicht lag es an seiner eher unkonventionellen Ausdrucksweise, aber vielleicht auch daran, dass es feste Kleiderregeln zu geben schien: Sven musste ohne den Auftrag von dannen ziehen. Die Schlipsträger waren nicht nur gut vorbereitet, sondern hatten ihm mit ihrem Dress ein K.o. vor der ersten Runde verpasst. Klar, man kann immer mal danebenliegen. Doch Svens ausgeprägte Modeschwäche ist kein Einzelschicksal, sondern ein Systemfehler unserer Generation.

Die Außenseite eines Menschen ist das Titelblatt des Inneren, sagt ein persisches Sprichwort. Wieder ein Beweis dafür, dass man Perser nicht unter den Teppich kehren sollte. Die Generation Doof will sich jung und frei fühlen, und so sehen viele von uns auch aus. Jede Kritik an unserer Wohlfühlkleidung begreifen wir als Angriff.

»Alles, was Spaß macht, hält jung.« Curd Jürgens

Wir tragen die Zeichen der Jugendkultur an unserem Körper, egal wie alt wir in Wahrheit sind. Anzug und Krawatte, das Businesskostüm für die erfolgreiche Frau, gepflegte Hemden oder gebügelte

35

Blusen sind für viele von uns genauso attraktiv wie *Musikantenstadl* und Leberwurstbrote. Und das gilt nicht nur für den unteren Altersrand der Generation Doof, nämlich die Fünfzehn- bis Zwanzigjährigen, sondern auch für die älteren Exemplare, die Dreißig- bis Vierzigjährigen. Zerrissene, ausgebeulte Jeans und ausgelatschte Turnschuhe sind im Theater, beim Schwiegermutterbesuch und beim Vorstellungsgespräch in den Augen vieler Doofer durchaus passend und ein Zeichen von großer Eigenständigkeit und Individualität.

Die Kleidung reiht sich damit in unser gesamtes Verhalten ein. Wer uns aufgrund unseres Benehmens, unserer Sprache und unserer Umgangsformen einem bestimmten Lebensabschnitt zuordnen möchte, für den wird die Einordnung zum Ratespiel. Der Unterschied zwischen einem Fünfundzwanzigjährigen und einem Fünfunddreißigjährigen? Allerhöchstens ein paar Fältchen um die Augen. Und auch die kann man wegspritzen, wenn man das nötige Kleingeld besitzt. Sichtbar älter werden – das muss man heute nicht mehr unbedingt.

Was in den sechziger Jahren eine handfeste Rebellion der Jugend gegen das spießige Establishment gewesen wäre, ist heute permanenter und langfristiger Jugendwahn einer gesamten Generation. Die Kleidung, die wir tragen, die Musik, die wir hören, oder die Produkte, die wir kaufen, versprechen die Ausdehnung des Jugendalters in die Unendlichkeit. Erwachsenwerden geht für uns mit Feinrippunterhosen, Blasentee und langweiliger Lebenseinstellung einher. Indem wir die Jugendlichkeit künstlich aufrechterhalten, versuchen wir die Pflicht abzuschütteln, durch aktive Wissensaufnahme eine eigene Meinung zu entwickeln und Verantwortung für unser Leben zu übernehmen.

> *»Die Zahl derer, die durch zu viele Informationen nicht mehr informiert sind, wächst.«*
>
> Rudolf Augstein

Das vielleicht plakativste Beispiel für diesen freiwilligen Verzicht auf Verantwortung ist die Aufgabe des politischen Interesses. Schon die Stimmabgabe bei Wahlen erscheint vielen Angehörigen der Generation Doof wie ein ungeliebter Vertreib der Zeit, die man doch viel sinnvoller nützen könnte. Politisch aktiv zu sein, darin sehen viele von uns keinen Sinn. »Ich kann ja doch nichts verändern«, zitiert Janine, Bankkauffrau aus Köln und laut eigenen Angaben seit drei Jahren neunundzwanzig Jahre alt, den Klassiker aller Nichtwähler-Ausreden. Die Unlust am gesellschaftlichen Engagement beginnt schon früh: Laut Shell-Studie aus dem Jahr 2006 sind viele Jugendliche skeptisch, was eine mögliche politische Betätigung angeht. Selbstbeteiligung ist noch abgesagter als Jacko nach seinem Kinderschänder-Prozess. Deshalb sagen wir zwar gern: »Wir sind Papst«, nicht aber: »Wir sind wählen gegangen.«

Und auch, was ehrenamtliche Tätigkeiten angeht, sind wir lustlos. Laut SPIEGEL beklagen immer mehr Kommunen das geringe Interesse für ehrenamtliche Arbeit, vor allem unter Jüngeren. »Null Bock‹, ›keine Zeit‹, ›hab schon was vor‹ – Ausreden gibt's immer«, heißt es in dem Artikel über Jugend und freiwilliges Engagement. Die Shell-Studie stellt außerdem fest, dass vor allem Jugendliche »aus den unteren Bildungsschichten« sich weniger sozial aktiv engagieren, gerade dann, wenn ihre Hauptfreizeitbeschäftigungen »Fernsehen, Computerspielen oder auch Nichtstun und Rumhängen« sind. Damit ist der Tag bereits ganz ausgefüllt.

Die Werbe- und Marktforschung der ARD entwirft in ihrer Broschüre *Das umworbene Fünftel. Mediennutzung, Konsum und Einstellungen junger Zielgruppen* unter anderem das Szenario, dass Jugendkultur zu einem Trend wird, dem alle nachfolgen – obwohl oder gerade weil es in einer überalterten Gesellschaft in Deutschland zunehmend weniger »echte« Jugendliche geben wird. So wird Jungbleiben zum Mainstream-Traum. Und dies betrifft, wie wir wissen, nicht nur die Generation Doof: Im Anti-Aging-Wahn starten Sechzigjährige zum Marathonlauf, kramt Oma die Leggins raus und spritzen sich Tausende Botox unter die lappige Pelle. Sie alle haben dabei eines mit der Generation Doof gemein: Sie sind nicht nur auf der Jagd nach immerwährender Gesundheit. Jugend ist für sie gleichbedeutend mit einem Leben ohne Sorgen. Jugend verheißt Spaß.

Für die Generation Doof ist Spaß ein Ziel erster Güte. Auf der Suche nach diesem Glück ist uns jedes Mittel recht: Junge Menschen kippen sich am helllichten Tag ungezügelt Alkohol in den Schlund, während halb Deutschland bei einem Kaffeebohnendiscounter Funktionswäsche kauft, die eigentlich nicht mehr kann als andere Wäsche auch.

Das Leben ist ein Trinkspiel. Wie sich die Generation Doof das Einerlei schönsäuft

18:00 Uhr, auf dem Heimweg im Bus.

Wir kommen gerade von der Arbeit. Der Bus in die Kölner City ist wie üblich um diese Uhrzeit gut gefüllt. Draußen scheint es Frühling zu werden. Man sieht es an der bunten Kleidung der Fahrgäste und an den ausschlagenden Bäumen. Trotzdem erfüllt den Bus kein Frühlingsduft, sondern nur gequirlter Sauerstoffmief. Irgendwo dröhnt Bassgewummer aus einem Kopfhörer. Der dumpfe Rhythmus vermischt sich mit dem neuesten Chart-Hit, den eine junge Dame für alle hörbar mit ihrem Handy-MP3-Player zum Besten gibt.

Busfahren ist heutzutage anstrengend und bisweilen auch gefährlich. Haltestellenszenarios gleichen Nahkampfszenen: Der Bus kommt ruckelnd zum Stehen. Die Türen öffnen sich. Die Einsteiger drängen rein. Die Aussteiger drängen raus. Keiner gibt klein bei. Wie sich das Chaos irgendwann auflöst, muss erst noch wissenschaftlich untersucht werden.

Auf die Drängelbank ganz hinten im Bus fläzen sich ein paar

junge Leute, die vermutlich gerade erst volljährig geworden sind. Ihr Vorrat an alkoholischen Getränken würde jedem Stadtpenner ein Lächeln aufs Gesicht zaubern. Und so grinst auch eine der Damen übers ganze Gesicht. »Eh, dasnenntia Voaglühn«, lallt sie, »isbinja songleich voll.«

Die Herren der Flaschen prosten sich derweil anerkennend zu und tauschen sich über den Stand der Entleerung aus. »Krass, Alda, dasis jes schon deine fümfte«, meint der eine.

Das Ziel des Spiels ist leicht zu erraten: Die Reisegruppe will die Kneipen und Clubs der Stadt unsicher machen. Damit es dort nicht so teuer wird, füllen sie ihren Pegel schon vorab auf. Billiger knallt besser.

Als wir aussteigen, hat die Truppe ihr Bewusstsein schon beträchtlich erweitert. Die fröhlichen Gesellen verlassen unter Gelächter und Gegröle hinter uns den Bus.

Begegnungen mit alkoholisierten Partysquads kann man wochentags wie wochenends in jeder deutschen Stadt haben. Das vielleicht extremste Beispiel ist wohl die Hamburger Reeperbahn, die sich von der sündigen Amüsiermeile zum Open-Air-In-Club für Jung und Pseudo-Jung gewandelt hat. Jeden Freitag und Samstag überflutet eine Masse von betrunkenen Jugendlichen den Kiez, die als Kundschaft für die professionellen Liebesdamen nicht taugt, sondern nur auf Spaß aus ist. Und der buchstabiert sich für viele wie das Wort Promille. Vor Kurzem hat sich hier ein sechzehnjähriger Berliner mit zweiundfünfzig Gläsern Tequila ins Koma gesüffelt.

Und so erklärt sich auch der geläufigste Name für den hochprozentigen Freizeitsport der Generation Doof: Komasaufen. Das Trendwort für unsere Freunde aus dem Internetzeitalter ist Flatratesaufen. Ob Koma oder Flatrate – wenn jemand an einem einzigen Abend so viel Fusel in sich hineinschüttet, dass dabei eine nette Alkoholvergiftung rausspringt, ist das auf jeden Fall beachtlich ... dämlich.

»Wo soll das alles enden?«, fragen Die Ärzte in ihrem Song *Junge*, dessen Text neben Drogenkonsum auch alle übrigen Vorwürfe enthält, die manche der Generation Doof immer wieder machen. Wo das alles enden soll, kann man sich auch angesichts der jugendlichen Vorglüher im Bus und anderer Totalausfälle fragen. Die Antwort ist für uns Autoren deshalb nicht leicht, weil wir als etwas älterer Teil der Generation Doof früher selbst zu oft und zu tief ins Glas geschaut haben. Damals hieß das zwar noch Kampftrinken, aber Namen sind schließlich Schall und Rauch.

Eine Bekannte namens Sandra hatte sich damals schon einen Namen gemacht, weil sie wiederholt mit zu viel Alkohol im Blut als Gast auf der Ausnüchterungsstation der örtlichen Kliniken gelandet war. Sandra war damals noch eine Ausnahmeerscheinung, und ihre Eltern zerbrachen sich besorgt die Köpfe darüber, was aus ihrem Sonnenschein bloß werden sollte. Das hat die Zeit gezeigt: Sandra hat es im Krankenhaus offensichtlich so gut gefallen, dass sie für immer dableiben wollte. Darum arbeitet sie inzwischen selbst als Ärztin in der Notaufnahme, wo an jedem Wochenende junge Frauen und Männer eingeliefert werden, die den Hals nicht voll genug bekommen. Der Unterschied zu ihren eigenen Vergiftungsübungen ist, dass die Betrunkenen immer jünger zu werden scheinen.

»Zu Karneval gibt es eine Menge Alkoholleichen«, erzählt Sandra. »Dabei hätten die meisten bloß Früchtepunsch und Kindersekt trinken dürfen.« Karneval ist zwar eine Ausnahmesituation, aber auch fern der tollen Tage ergibt sich eine erschreckende Bilanz: Während wir bei unserem ersten handfesten Rausch zumindest schon annähernd volljährig waren, ist das Einstiegsalter heute erheblich niedriger. An der Spitze liegen – vielleicht dank der Säuferrampe Reeperbahn – die Hamburger: Schon mit durchschnittlich dreizehn Jahren fangen Jugendliche hier mit dem Trinken an, wie eine Studie des Hamburger Büros für Suchtprävention ergab. Bundesweit gönnt sich ein Viertel aller Jugendlichen mindestens einmal im Monat einen saftigen Vollrausch. Ihre Zahl ist gestiegen von 9 500 eingelieferten jugendlichen Alkoholsündern im Jahr 2000 auf 19 400 im Jahr 2005. Auf mehr als das Doppelte!

Doch was ist der Grund für den Griff zur Bierdose, zu Alcopops oder Wodka-Red-Bull? Trinken unterliegt nicht nur mehr denn je dem Gruppenzwang, sondern es verspricht wohl genau den Spaß, den wir im tristen Alltag suchen. Alkohol scheint das Leben ein wenig leichter und einfacher zu machen. Schoten und Anekdoten werden gleich mitgeliefert. »Mann, ich war so breit!«, das ist oft ein idealer Auftakt, um seine Härte und Lässigkeit unter Beweis zu stellen. Und Rausch hat einen entscheidenden Vorteil: Man muss sich nicht lange anstrengen, bis man ein Gefühl der Zufriedenheit erreicht.

> *»Vergnügen bringt das Leben, wenn die Weisheit fehlt.«*
> Sophokles

Für das positive Image von Alkohol ist teilweise immer aggressivere Werbung verantwortlich. E-Cards, eigene Websites, Fanshops im Internet oder Gewinnspiele sind keine Seltenheit, wenn es um Alcopops & Co. geht, beispielsweise bei den Getränken »Bibop« der Köstritzer Brauerei und »Mixery« der Karlsberger Brauerei. Hier wird das Partyfeeling mit dem Produkt geliefert, denn oft wird auf Feiern oder Konzerte hingewiesen. Patrick von Braunmühl vom Bundesverband der Verbraucherzentralen kritisiert: »Auf den Internetseiten der beiden Getränke wird auf vielfältige Art und Weise versucht, Jugendliche anzusprechen und zum Alkoholkonsum zu verführen.« Wenn uns die Werbung ein neues Getränk auf Alkoholbasis als buntes Lebensgefühl verkauft, greifen viele daher gerne zu.

So gesehen ist der Alkoholrausch der Generation Doof vielleicht zum Teil das Ergebnis geschickten Productplacements und findiger Werbekampagnen. Wer säuft, der versteht was vom Feiern, der genießt das Leben. Spaßbremse sucks, Spaßmacher rules.

Hinter all dem steckt der Glaube, dass man Spaß und Glück kaufen kann. Ein Versprechen, das uns jeden Tag von Litfaßsäulen und Internetbannern, aus Werbespots und Radioreklame anspringt, lautet: Konsum macht glücklich. Und wer viel kauft und immer die neuesten Gadgets besitzt, der führt ein erfülltes Leben. Die Generation Doof glaubt nur zu gerne an diese Verheißung. Das Geheimnis des Konsumglaubens: Selbstwert wird über Besitz definiert. Dies ist nur eine Strategie der Generation Doof, um den Alltag erlebnisreicher zu gestalten.

Ich kaufe, also bin ich –
Shoppingtrip ins Glück

18:30 Uhr, eine Einkaufsstraße.

Wir sind heute Abend noch zum Geburtstag bei Latoya und Maik eingeladen, einem Pärchen, das wir als ausgemachte Tchibonisten kennen. Beide sind Mitte dreißig und können nicht an dem Billigkaffeeröster vorbeigehen, ohne die »neue Welt«, die sich ihnen jede Woche bietet, entdecken zu wollen. Und was sie einmal entdeckt haben, das tragen sie auch gerne nach Hause. Daunenheimschuhe, elektrische Salzmühlen mit Beleuchtung, Dörr-Automaten mit stapelbaren Aufsätzen und Hundetragetaschen mit herausnehmbarem Plüschfutter – vor Latoya und Maik ist nichts sicher. Seit sie zusammenwohnen, immerhin schon acht Jahre, hat sich ein ganzes Bataillon von Spielzeugen der Überflussgesellschaft angesammelt, die sie wahlweise nie oder nur alle paar Jahre einmal benutzen.

Da versteht es sich von selbst, dass wir auf der Suche nach einem Mitbringsel für die beiden auch in einem solchen Laden gelandet sind. Doch was schenkt man jemandem, der hier Stammkunde ist? Wir überlegen zunächst, ob wir Latoya den Wellness-Pullover oder die Wellness-Leggins mitbringen, aber die hat sie bestimmt schon.

Uns fällt der Nicki-Hausanzug ein, in dem sie einmal unbedacht die Tür öffnete. Besser nicht zu viel fluffige Freizeitkleidung.

Nach einigen Viertelstunden orientierungsloser Suche zwischen all den Sinnlosigkeiten entscheiden wir uns schweren Herzens für den kleinen Regenbrunnen mit Farbwechsellampe und Naturklängen. Maik bekommt den Luft-Ionisator für die erholsame Nacht.

Falls die beiden unsere Geschenke schon hätten, wäre das auch kein Problem. Zum Glück gibt es eine Tchibo-Filiale in ihrer Nähe, für den Umtausch … und wöchentlich eine neue Welt.

> »Denn die Menschen ohne Seele mögen
> Dinge ohne Seele, mögen Plastik.« Jan Delay

Tchibo ist einer der Großlieferanten für den bürgerlichen Konsumtraum. Besonders die Generation Doof hungert danach: Konsum ist neben Alkohol eine weitere Strategie, die viele von uns anwenden, um den Alltag angenehmer zu gestalten.

Auch wenn wir längst nicht so viel Geld haben, wie wir ausgeben könnten, hindert uns dies nicht am Erwerb nutzlosen Tands. Die Bedürfnisbefriedigung steht für die Generation Doof im Vordergrund, und dabei shoppen wir auch Dinge, die kein Bewohner einer einsamen Insel je auf seine Liste fürs Überlebensnotwendige schreiben würde. Erwiesen ist, dass wir beim Einkauf mit EC- oder Kreditkarte mehr ausgeben als bei der Bargeldzahlung. Und inzwischen verwenden schon viele das einfache Plastikgeld. Ausgiebiges Shopping wird zur Ersatzbefriedigung, vor allem nach der Arbeit auf dem Weg zum heimischen Kokon. Dabei kommen uns die längeren Ladenöffnungszeiten sehr entgegen. Einkaufserkenntnis Nummer eins lautet dabei: Shopping macht glücklich, Shopping bis 22.00 Uhr macht glücklicher.

Und in unserem Kaufrausch erfüllen wir uns jeden Wunsch sofort. »Ich verdien doch jetzt Geld, da will ich nicht mehr warten«, sprach unsere Freundin Sofie und griff nach der neuen CD der Fantastischen Vier. Sie zählte gleich noch ein paar Gründe auf, warum sie sich in diesem Monat noch eine dritte CD kaufe: viel Stress im Büro, der Streit mit ihrem Freund und dass es diesen Freitag in der Kantine keine Fischstäbchen geben würde.

Da wir es gewohnt sind, uns jeden Wunsch sofort zu erfüllen, und sei er auch noch so nichtig, haben wir das Warten verlernt. Vorfreude hat keinen Platz mehr im Denken der Generation Doof. Wir agieren selbst im fortgeschrittenen Alter wie Kinder an der Quengelkasse. Alles muss gleich und sofort passieren, auf Geschenke oder Güter wollen wir nicht mehr warten. Der Harry-Potter-Wahn in Buchhandlungen mit Erstverkaufstagspartys nachts um zwölf ist das Paradebeispiel. Dasselbe gilt für das neueste Computerspiel, das man sich schon vor Weihnachten leistet, die neue Nase, die man sich gönnt, weil einem die alte zum Hals heraushängt, oder für die zehnte Jeans, die wir unbedingt heute noch brauchen, auch wenn wir sie unglücklicherweise in der Flaute zwischen zwei Gehaltsschecks entdeckt haben. Sogar Spezialitäten sind oft keine mehr und werden deswegen schal. Wenn ich Chorizo und Manchego bei Extra an der Frischtheke bekomme, warum soll ich dann noch nach Spanien fahren? Die Welt ist ein Dorf – die Globalisierung macht der eigenen Bedürfnisbefriedigung Beine.

Darauf fußt die nächste Strategie der Generation Doof zur Spaßbefriedigung. Für schlappe achthundert Euro können wir uns eine intelligente Fernbedienung zulegen, die all unsere Geräte inklusive des Heimkinos steuert. Navigationssysteme führen dazu, dass wir gar nicht mehr wissen, wie man einen Atlas benutzt.

Was sagen Sie? Da schlägt man doch das Handy über dem Kopf zusammen? Richtig. Die mobilen Telefone können auch immer mehr und sind nicht nur als Fotoapparat und Videokamera, sondern auch als MP3-Player zu gebrauchen – dabei nutzen die wenigsten Käufer diese Funktionen, wie die Markt- und Meinungsforscher von TNS Infratest in der Studie *Global Tech Insight 2006* herausgefunden haben.

Dennoch reißen wir uns um die modernsten Gadgets und sind ständig neidisch auf die neuesten Spielzeuge der anderen, denn die elektronischen Begleiter sind unsere Statussymbole, wenn es zum Porsche Cabrio nicht gereicht hat. Sie bieten darüber hinaus genügend Möglichkeiten, die Zeit zu überbrücken, in der wir uns sonst erschreckenderweise mit uns selbst befassen müssten. Wie paralysierend das Leben mit elektronischen Anästhetika sein kann, erleben wir auf der Geburtstagsfeier von Maik und Latoya.

20:00 Uhr, ein Mehrfamilienhaus in Köln-Sülz.

Beim zweiten Klingeln öffnet Latoya die Tür. Wir sind spät dran. In der Küche haben sich die anderen Gäste schon über das Buffet hergemacht, im Hintergrund wummert trendige Musik.

Unsere mitgebrachte Flasche Wein wandert postwendend auf den Geschenketisch, neben das aufblasbare Kajak, das Shiatsu-Massagegerät und die Universal-Fernbedienung. Dies sind typische Fälle von Wohlstandsschrott: einmal benutzen und dann ab in den Schrank. Latoya führt uns ins Wohnzimmer, wo ein paar Gäste es sich bereits auf dem Sofa gemütlich gemacht haben und auf dem riesigen LCD-Fernseher Fußball schauen. Der Sound kommt natürlich über eine 5.1-Surround-Anlage, die sich Maik selbst zum Geburtstag geschenkt hat.

Er hat noch eine Überraschung. Sein neustes Spielzeug. »Euch wird gleich der Nudelsalat aus dem Gesicht fallen«, verspricht er und bringt die Fußballgucker zum Rasen, indem er einfach abschaltet. Mit ein paar Handgriffen schließt er eine weiße Kiste an den Fernseher an. Wir ahnen allmählich, was uns dräut – es sieht ganz danach aus, als hätte Latoya ihrem Maik die neue XBox 360 geschenkt. Das Ding war schon lange sein Traum, denn man kann es nicht nur als Daddelbox verwenden, sondern gleichzeitig auch als DVD- und CD-Player. Dazu kann es noch Fotos zeigen, mit dem Computer kommunizieren und vieles mehr. Kurz: Es ist Maiks Rundumglücklichgerät.

Maik betätigt den Powerknopf auf dem Gamepad. Auf dem Fernseher ist jetzt der Trailer zum neuesten Pixar-Animationsfilm zu sehen. Während Maik uns noch auf die »hammergeile Auflösung« hinweist, bekommt einer der Fußballfreaks auf dem Sofa einen Lachflash, weil er das kurze Filmchen so witzig findet. Wir sehen uns das Pixelspektakel daraufhin fünf Mal hintereinander an.

Es ist nicht die letzte elektronische Folter, die auf uns lauert. Als Nächstes packt Maik ein neues Verprügelspiel aus, das man mit mehreren spielen kann. Zufällig hat er vier Gamepads da. Der Rest des Abends ist schnell erzählt. Die Gäste haben sich abwechselnd virtuell in die Fresse geschlagen, bis irgendwann zu später Stunde noch Latoyas Lieblingscousine auftauchte und Maik das Spiel *Guitar Hero* samt Zubehör schenkte. Weiter ging es bis spät in die Nacht. Wir wurden zu Helden an Plastikgitarren.

Ob es normal ist, dass sich ausgewachsene Menschen ganze Abende mit Kinderspielzeug beschäftigen, wollen wir in einem späteren Kapitel klären. An dem Abend bei Maik und Latoya beschäftigte uns insgeheim etwas ganz anderes. Wer so viel Wohlfühltechnologie besitzt, der verbringt bestimmt eine Menge Zeit zu Hause. Von Latoya wussten wir, dass sie mehrere Lieblingssoaps hat, und Maik ist oft mit seinen technischen Kameraden beschäftigt. Aber wie würde das Beziehungsleben im Jahr eins nach der neuen XBox aussehen?

Heute wissen wir mehr. Maik hat mittlerweile den Kampf ums Wohnzimmer gewonnen. Er spielt abends jetzt immer ungestört XBox, und Latoya sucht das Schlafzimmer auf, wo Maik – ganz Gentleman – ihr einen Zweitflachfernseher an die Wand gepappt hat. So gelingt es den beiden, möglichst viel Freizeit in einer Wohnung zu verbringen, ohne sich dabei allzu oft über den Weg zu laufen.

Die beiden folgen einem Trend, den unsere gesamte Generation genießt: Cocooning. Der Ganzjahreswinterschlaf im eigenen Heim hat inzwischen vielleicht genauso viele Anhänger gefunden wie Aerobic – nur dass es die Cocooner nicht in den Trainingsraum zieht, sondern in den Schutz der eigenen vier Wände. Internet und Fernsehen sei Dank sind wir mühelos vom Sofa aus mit der gesamten Welt verbunden. Und das reicht ja auch in den meisten Fällen.

> *»Ich wollte eine Auszeit, weil ich dachte, ich*
> *müsste lernen, auch die Stille auszuhalten.*
> *Aber dann war es so still um mich, dass ich*
> *Existenzängste hatte.«* Minh-Khai Phan-Thi

Ob allein oder im Paarmodus, wir bleiben gerne mit der Puppe im heimischen Kokon und verbringen Abende oder auch mal das ganze Wochenende daheim, um von der Welt Abstand zu bekommen. »In erster Linie erhoffen sich echte Cocooner weniger Stress, mehr Sicherheit, mehr Kontrolle«, schreibt das Portal 4Managers. Und Prof. Dr. Gert Gutjahr vom Institut für Marktpsychologie in Mannheim erklärt, was in echten Cocoonern vorgeht: »Wenn Sie sich selbst wie eine Schildkröte fühlen, die außer Haus nur vorsichtig unter ihrem Panzer hervorlugt, dann wissen Sie, dass auch Sie von Cocooning ergriffen sind.«

Das Konzept Cocooning ist nicht neu erfunden worden. Die englische Marktforscherin Faith Popcorn verwandte den Begriff schon in den Achtzigern. Dennoch gab es nach den Anschlägen vom 11. September 2001 eine Renaissance des Rückzugs in die eigenen vier Wände. Ganz gleich ob Pizzabringdienst, Heimtrainerversand oder Wellness-Produkte fürs Eigenheim – wir konsumieren auch mehr von dem, was uns zu Hause hält.

Hauptzutat für Cocooning ist jedoch nach wie vor das Fernsehen. Es ist Entspannung, Unterhaltung und Spaß in einem. »Für uns ist das Leben der reinste Urlaub«, heißt es in der Eigenwerbung von RTL II. Der Sender weckt damit eine der Ursehnsüchte der Generation Doof: sich ständig erholt und unterhalten fühlen. Wir werden berieselt und konsumieren, statt etwas von uns zu geben. Nutze den Tag? Ach was! Nutze das TV! Larissa Schmidt, dreißig Jahre, hat den Fernseher schon in den Keller verbannt, holt ihn aber jedes Mal wieder herauf, wenn sie sich nach der Arbeit besonders gestresst und ausgelaugt fühlt. »Dann komme ich nach Hause und hab das Gefühl: jetzt noch vor der Glotze abhängen, was Ungesundes essen und dann ins Bett. Dann fühl ich mich gut.« Wie Larissa fühlen sich viele, und Fernsehen ist nur eine Möglichkeit, sich von der Welt zurückzuziehen.

> *»Es könnt' alles so einfach sein –*
> *isses aber nicht.«*　　Die Fantastischen Vier

Die Glotze ist damit vor allem ein Medium der Einsamkeit, ein Zweck, den Gadgets wie Palm, MP3-Player und Co. auf andere Weise erfüllen. Sie bieten die Möglichkeit, sich auch außerhalb der eigenen Wohnung von der Umwelt abzukapseln, indem man sich mit ihnen beschäftigt. Mit Ohrstöpsel und MP3-Player bauen wir uns einen ganz privaten Musiktunnel von der Wohnung zur Arbeit oder umgekehrt. Auch Handys überbrücken die Langeweile: Während kurzer Wartezeiten verbinden sie uns mit jemand Vertrautem. Das Zweiergespräch wird zum Hort der Einsamkeit für den, der unterwegs ist. Und der andere fühlt sich oft als Mittel zum Zweck. Wellnessmüll, unbedarftes Spielvergnügen und Promillespaß zeigen: Mit unserer Generation stimmt etwas nicht. Ein Teil von uns verabschiedet sich still und langsam von der Außenwelt ins Private, während andere als ewig Junggebliebene von Party zu Party tollen. Alkohol ist in großen wie in übergroßen Mengen der Freund von vielen. Benehmen und Etikette leiden dagegen unter Schwindsucht. Wir kleiden uns, wie es uns gefällt. Engagement oder gar eine eigene Meinung sind nicht unser Ding. Diese unbeteiligte Haltung ist vielleicht einfacher, dafür aber umso schlechter für unser Image: Von der ZEIT wurden unsere Jahrgänge unlängst als Generation abgekanzelt, »die Gründe hat zu rebellieren, aber nicht will.« Erst wenn wir erkannt haben, warum das so ist, können wir daran etwas ändern.

Einer der Hauptgründe, warum unsere Generation als doof wahrgenommen wird, liegt in unserer mangelhaften Bildung. Denn wir sind zum echten Rebellentum schlecht ausgerüstet, obwohl wir etwas vom Nörgeln verstehen. Wer rebellieren will, wer sich engagieren und aktiv leben will, wer eine eigene Meinung vertritt, der muss Hintergründe kennen und Geschehnisse einordnen können. Doch nicht nur Schiller, Shakespeare and friends locken schon lange keinen mehr hinter dem Ofen hervor. Lagerlöf halten wir für ein Regal beim schwedischen Möbelhaus und Nam June Paik für ein appetitliches Süppchen beim Koreaner um die Ecke. Viel heftiger interessieren wir uns für die nagelneue Villa der dauerbekifften Britney.

> »Wenn die Sonne der Kultur niedrig steht,
> werfen selbst Zwerge lange Schatten.«
>
> Karl Kraus

Schon in der Schule ist vieles nicht so, wie es sein sollte. Alles hätte so schön im Dunkeln bleiben können. Doch seit PISA steht die Bildung der Deutschen wie ein Grottenolm im Hellen. Sind wir zu blöd, um schlau zu werden?

KAPITEL 2

Bildung – Dahinter steckt nicht immer ein kluger Kopf

»*Bildung ist das, was übrig bleibt, wenn man alles, was man in der Schule gelernt hat, vergisst.*«

Albert Einstein

Spätestens seit der Fernsehserie *Rom* wissen passionierte Fernseh-gucker wie wir, dass das Römische Reich im Grunde eine riesige antike Spaßgesellschaft war. Toll trieben es die alten Römer, tanz-ten volltrunken und wild kopulierend durch den Tag. Und wenn doch einmal Langeweile drohte, verprügelten sie eben irgendein Barbarenvolk oder gingen zum Gladiatorenabschlachten in die Are-na – eine Art Vorläufer von *Einer wird gewinnen.* Millionen Men-schen lebten für damalige Verhältnisse jahrhundertelang in Frieden und Ordnung. Dumm, dass gerade dieser Wohlstand den Römern zum Verhängnis wurde und ihnen buchstäblich zu Kopf stieg, um den mühsam angeschafften Verstand gleich wieder zu neutralisie-ren. Zum Beispiel Kaiser Nero: Er hielt sich selbst eher für einen Künstler und Intellektuellen als für einen Staatsmann. Das Zepter schwang er dermaßen untalentiert, dass er am Ende seine eigene Hauptstadt abfackeln musste, um davon abzulenken, dass er auf der Lyra so schlecht war wie einer der heutigen DSDS-Aspiranten, die es nicht einmal in den Recall schaffen.

Unter der Fuchtel solcher politischer Windeier beendeten die Römer ihre kulturellen Höhenflüge und ließen sich dumm, deka-dent und zufrieden von anderen Kulturen den Rang ablaufen.

Uns droht ein ähnliches Schicksal.

Intelligenz und Bildung der Deutschen sind auf Talfahrt, und das bereits seit Jahren. Die Generation Doof übernimmt langsam, aber sicher das Ruder.

Intelligenzforscher wie Siegfried Lehrl von der Universität Erlangen haben herausgefunden, dass der durchschnittliche IQ seit ersten Tests Anfang des vergangenen Jahrhunderts kontinuierlich anstieg – im Durchschnitt um drei Punkte, zwischen 1954 und 1981 sogar um siebzehn Punkte. Irgendwann danach ereignete sich allerdings ein Bildungs-GAU. Denn mittlerweile steigt der Intelligenzquotient nicht mehr, sondern er sinkt – seit Ende der neunziger Jahre beständig um zwei Punkte pro Jahr. Wenn es so weitergeht, werden wir also irgendwann wieder mit Feuersteinen aufeinanderklopfen, damit uns die Erleuchtung kommt.

Intelligenz und Bildung sind natürlich nicht dasselbe. Man kann über eine gewisse Grundbildung verfügen, ohne dass sonderlich viel Licht im Oberstübchen brennt, und intelligent sein, ohne je ein Buch aufgeschlagen zu haben. Doch bei der Generation Doof kommt eins zum anderen: Was unsere Bildung angeht, hapert es nicht nur an der Hardware, sondern auch an der Software ganz gewaltig. Vor allem Allgemeinwissen ist heute etwas, das man bekanntlich haben sollte – doch gemeinerweise wissen wir praktisch gar nichts.

Dafür gibt es einen guten Grund: Freude am Wissenserwerb hatten wir Doofen nämlich noch nie. Schule hat uns nur in den Pausen Spaß gemacht, Nietzsche und Hölderlin waren uns scheißegal, und beim Gedanken an lebenslanges Lernen würden wir lieber gleich in Rente gehen. Was Oma noch weiß, wird die Gute wohl leider auch mit ins Grab nehmen, denn was man früher wissen musste, lernt heute keiner mehr. Rechnen konnten und wollten wir nie, denn dafür gibt es ja schließlich Taschenrechner. Und seit der gefühlten einhundertsten Rechtschreibreform dürfen wir auch endlich so schreiben, wie wir wollen, nur versteht uns seitdem leider niemand mehr. Grundsätzlich kann man doch jetzt so schreiben, wie man spricht, oder? Und das hört sich bei jedem von uns anders an. Durch Mund-zu-Mund-Propaganda haben sich zwei weitere großartige Missverständnisse festgesetzt: *ß wird grundsätzlich zu ss,* und *Kommata kann ich so setzen, wie ich lustig bin.* Damit gelingt es auch dem Letzten, seinen Satz so zu verhunzen, dass man, Jahre, braucht, um zu, entschlüsseln, was, gemeint ist.

Lehrerbildungsseminar an einer großen deutschen Uni.
Die Seminarteilnehmer sollen einen Fragebogen ausfüllen, in dem sie Angaben über die Schulform machen sollen, in der sie gerne unterrichten möchten.

Einer der Seminarteilnehmer runzelt die Stirn. »Wie schreibt man denn ›Gynasion‹?«, will er wissen.

»Ach«, darauf der Dozent, »schreiben Sie doch besser gleich Realschule.«

Doch Rechtschreibung ist nur die halbe Miete. Peinlich wird es dann, wenn uns der Name »Odysseus« nur an den großen Grillteller beim Griechen erinnert. Aber sind wir deshalb wirklich blöd? Nur, weil wir nicht wissen, von welchem Land Kinshasa die Hauptstadt ist, dass die Schlacht von Austerlitz nichts mit einem chaotischen Fischessen zu tun hatte, oder weil wir Werther nur noch als echtes Karamellbonbon kennen, das den netten Opa aus der Werbung an seine lang zurückliegende Kindheit erinnert?

Nicht unbedingt. Denn reines Faktenwissen benötigt man im Leben selten, dafür eher Abstraktionsvermögen und einen gesunden Menschenverstand. Und wenn man doch einmal etwas wissen muss, sollte es dann nicht eher etwas sein, das unsere moderne Welt bewegt, statt der auswendig gelernten, angestaubten Klassiker?

Wir sind doch nicht blöd:
Was man heute wirklich wissen muss

Vielleicht denken Sie, Sie bildeten die goldene Ausnahme und gehörten nicht zur Generation Doof? Halten Sie sich für den letzten FAZ-Leser im Land der BILDungsbürger oder den letzten Geistesblitz unter lauter mentalen Energiesparlampen?

Dann beantworten Sie doch einmal die folgenden Fragen, ohne ein Lexikon, Wikipedia oder den Publikumsjoker zu benutzen: Wissen Sie, wie der erste Bundespräsident Deutschlands hieß? Kennen Sie drei der längsten Flüsse Deutschlands, und wissen Sie, durch welche Bundesländer diese fließen? Könnten Sie erklären, wie in Deutschland ein Gesetz verabschiedet wird und welche Instanzen es durchläuft? Oder noch einfacher: Wer ist unser derzeitiger Verkehrsminister?

Wissen Sie nicht?

Nun ja, wir auch nicht.

Herzlichen Glückwunsch, Sie gehören wie wir zur Generation Doof.[*] Wir wissen nichts – aber das weiß wenigstens eine ganze Nation.

Wer zur Generation Doof gehört, geht ständig mit der Furcht durchs Leben, hoffentlich von niemandem des Blödsinns überführt zu werden. Manche – und das ist besonders gefährlich – sind sogar stolz drauf, etwas nicht zu wissen.

Über unser Unwissen stolpern wir in diversen Schulprüfungen, bei denen wir immer Gefahr laufen, über den nicht gelernten Unterrichtsstoff befragt zu werden, ebenso wie in der Magisterprüfung in Geschichte, wenn sich der Prof darüber wundert, warum wir

---

[*] Falls Sie es doch gewusst haben, schwören Sie bei der Richtigkeit Ihrer Steuererklärung, dass Sie nicht gepfuscht haben. Sollten Sie das guten Gewissens tun können, dürfen Sie ruhig weiterlesen und sich über uns Doofe amüsieren!

Watergate für die Wildwasserbahn im Disneyland halten. Situationen des beruflichen Alltags werden zu bösen Fallen, wenn beispielsweise der Chef fragt, um wieviel Prozent wir die Umsatzrendite steigern könnten. Wir möchten dann immer auf dem Absatz kehrtmachen oder möglichst tief hinter dem Schreibtisch versinken. Und aus dem geistigen Off erklingt in solchen Momenten eine Stimme, die flüstert: »Lass den jetzt bloß nicht merken, was für ein Vollidiot du in Wirklichkeit bist!«

Jedes Mal, wenn wir in so eine peinliche Situation geraten, uns mal wieder der Angstschweiß in die Unterhose läuft und wir Probleme mit der Peristaltik bekommen, wundern wir uns insgeheim gleichzeitig darüber, wie viele Dinge wir nicht wissen, die wir zu wissen glaubten oder von denen wir zumindest wissen, dass man sie wissen sollte. Man kann sich natürlich mit dem auf Sokrates beruhenden Gedanken trösten, dass einer, der weiß, dass er nichts weiß, mehr weiß als einer, der nicht weiß, dass er nichts weiß. Aber Hand aufs Herz: Es wäre schon praktisch, wenn man zum Beispiel eine Ahnung davon hätte, wie man bei Gericht Klage einreicht, ohne gleich horrende Anwaltshonorare zahlen zu müssen.

> *»Wer keine Ahnung hat,*
> *einfach mal die Fresse halten.«* Dieter Nuhr

Manchmal sind es völlig banale Dinge, über die man nicht so genau Bescheid weiß. Eine Mitschülerin fragte uns in der Suchtpräventionsstunde einmal, wer denn eigentlich dieser Mario Hana sei, von dem der Lehrer gerade redete. Ein anderes Mal wollten wir uns mit Freunden zum Urlaub auf La Palma treffen. Dort angekommen, riefen sie uns an und fragten, wo wir denn seien, sie stünden schon eine ganze Weile am Flughafen – in Palma de Mallorca. Manche wollten auch nach Skandinavien und landeten in Finnland. Es gibt solche Situationen, in denen man besser wüsste, dass UNO nicht bloß ein Kartenspiel ist. Dass Polkappen nicht nur an der Autobatterie zu finden sind. Dass man aus einem Ganzen nicht zwei Drittel machen kann. Dass der Kuchen einfällt oder explodiert, wenn man keinen Schimmer davon hat, wie viele Milliliter in einen Viertelliter reingehen. Oder dass es nicht gut ankommt, wenn man auf die Frage, wer den Bundeskanzler wählt, laut »Ich!« ruft.

> *»Ob nun Shakespeare oder Goethe, die sind mir doch scheißegal!«*
> Alte deutsche Volksweisheit nach Zlatko und Jürgen

Mit unserer Allgemeinbildung gehen wir um wie Darth Vader mit der Caritas – sie geht ihm am gepanzerten Arsch vorbei. Unsere Eltern und Großeltern verfügen da oft noch über ein umfassenderes Wissen als wir – allerdings eines, das wir lächelnd als überflüssig abtun. Jeder kennt wohl den Satz, den er dutzende Male von Eltern, Großeltern und Lehrern gehört hat: »Als wir in deinem Alter waren, wussten wir so was.« Aber heißt das automatisch, dass wir das Gleiche wissen müssen wie sie?

Tatsächlich können unsere Eltern noch heute häufig Schillers Balladen auswendig zitieren, Oma kann textsicher und aus voller Kehle deutsche Volksweisen mitgrölen, und unser Geschichtslehrer erging sich in Lobreden auf Kaiser Franz.

Wir dachten derweil unwillkürlich an Beckenbauer und ertappten uns dabei, wie wir uns in der Berliner Guggenheim-Ausstellung – nach fünf Bieren vor dem Eingang schon leicht matschig in der Birne – darüber wunderten, warum plötzlich alles so surrealistisch aussah. Oder wir fragen uns, ob Paul Klee nicht der Kommissar im letzten Tatort war. Vielleicht erinnern Sie sich noch an den Kandidaten bei *Wer wird Millionär?*, der die Redensart »Klappe zu, Affe tot« nicht kannte? Dem ging es nicht viel besser als uns, wobei man in diesem Fall Milde walten lassen muss. Gerade Redensarten und Sprichwörter ändern sich heute so schnell, wie Sonya Kraus das Outfit bei *Talktalktalk* wechselt.

Weisheiten und Sprichwörter von gestern – und wie sie heute heißen

Was Hänschen nicht lernt, lernt Hans nimmermehr.
Was Hänschen nicht lernt, schlägt Hans bei Wikipedia nach.

Was du heute kannst besorgen, das verschiebe nicht auf morgen.
Was nicht bis gestern fertig geworden ist, kann auch morgen nicht besonders dringend sein.

Wer den Pfennig nicht ehrt, ist des Talers nicht wert.
»Geiz ist geil!«

Alter schützt vor Torheit nicht.
Jugend auch nicht.

Arbeit ist das halbe Leben.
Die andere Hälfte ist aber viel schöner, nehmen wir doch die.

Der dümmste Bauer hat die dicksten Kartoffeln.
Der blödeste Prolet hat das dickste Auto.

Deutsche Sprache, schwere Sprache.
Deutsch Sprach, krass Sprach, Alda!

Dumm bleibt dumm, da helfen keine Pillen.
Stimmt. Hoffen wir auf die Gentechnik.

Wenn man diese Grundregeln beherrscht, kann nicht mehr viel schiefgehen, oder? Mitnichten. Echtes Wissen ist nicht nur für den Hauptgewinn in einer Bildungsshow wichtig, sondern hat auch einen praktischen Nutzen. In einem Internetforum beschreibt ein Lehrer, auf welche Kenntnisse es heute anscheinend wirklich ankommt: »Es gibt in meiner Klasse zahllose Jugendliche, die mehr Automarken einschließlich aller technischen Details auswendig hersagen können als ein Autoverkäufer mit zehn Jahren Berufserfahrung. Die aber bei Englischvokabeln keine drei Stück pro Tag schaffen.«

Das, was einen interessiert, kann man sich eben besser merken. Und in diesem Fall ist das Wissen außerdem von zentraler Bedeutung für das Überleben der Art, denn offenbar handelt es sich um eine Form des modernen Darwinismus: Über ein solches Wissen muss man verfügen, um im 21. Jahrhundert in einer Gruppe hoffnungsfroher Jungproleten als Alphatierchen anerkannt zu werden, daraufhin die schärfste Schnitte abzuräumen und so für den Fortbestand der Art zu sorgen.

Welche Art von Wissen man von uns verlangen darf, zeigen Zeitschriftenrätsel: Sie testen unsere für das Überleben in der Zivilisation notwendigen Kenntnisse hart und unerbittlich. Die Zeitschrift BUNTE fragt beispielsweise: »Wie lautet die handelsübliche Abkürzung für Tiefkühlkost?«, oder stellt uns vor das geniale Rätsel »Kenne ich diesen Buchstaben?«, bei dem jede Woche ein anderes Consumer-Kunststückchen abverlangt wird, beispielsweise bei der kniffligen Frage, zu welcher Fastfood-Kette ein großes »M« mit geschwungenen Bögen in der Farbe Gelb gehört. Das ist Allgemeinbildung! Da fühlt man sich doch sofort viel schlauer, weil man die Frage beantworten konnte, ohne nachzudenken.

Mal im Ernst: Das moderne Leben stellt Anforderungen an uns, die sich heute grundlegend von dem unterscheiden, womit uns Mutter schon im Kindergartenalter belästigt hat. Man muss heutzutage wissen, wie man in Word die Rechtschreibprüfung aktiviert, wie man einen Browser konfiguriert, ob der neue DVD-Player schon das neue DivX-Format abspielt, wie die verfluchten Ticketautomaten der Deutschen Bahn funktionieren, wie man per automatischer Weiterschaltung im Callcenter auch wirklich zum Kundendienst gelangt und nicht nach einem endlos scheinenden Nummerneingabe-Marathon verzweifelt aufgibt und das schnurlose Telefon aus dem Fenster wirft, oder wie man den vollautomatischen Induktionsschleifenherd mit Touchpad-Funktion programmiert.

Statt Goethes und Schillers Werken sollte man mindestens ein halbes Dutzend PIN-Nummern, ein weiteres Dutzend Passwörter und nach Möglichkeit ebenso viele Handytarife auswendig parat haben. Erst, wenn man solche Dinge weiß, ist man wirklich im Heute angekommen. Wir wissen also nicht unbedingt weniger als unsere Vorfahren. Wir verfügen lediglich über ein anderes, zeitgemäßeres Wissen.

Und damit ist ein Gameboy der Generation Doof nicht grundsätzlich dümmer als der väterliche Playboy. Er hat allerdings zwei grundlegende Probleme: In der Schule musste er oft völlig sinnloses Zeug lernen. Zum Beispiel, wo der feine Unterschied zwischen Tundra und borealer Taiga liegt, obwohl er weder das eine noch das andere je mit eigenen Augen sehen wird, oder wie die zweite binomische Formel lautet. Damit kann unser Gameboy zwar eines Tages ganz schick Professor werden, wenn er alles richtig macht. Für das tägliche Leben und den Berufsalltag bringt ihm das ganze angelernte Faktenwissen allerdings herzlich wenig. Wichtiger wäre es, wenn auf seiner Hauptspeicherplatine anwendbares Wissen parat stünde, Wissen, das ihm die Macht verleiht, mit neuen Situationen umzugehen, seine Kenntnisse gezielt einzusetzen und sich dadurch neues Wissen anzueignen. Denn das ist das zweite Kardinalproblem: Wissen ist heute unendlich. Das gesamte Wissen der Welt verdoppelt sich inzwischen alle fünf bis zehn Jahre. Man muss bloß einmal in eine Bibliothek gehen oder ein paar Stunden im Internet surfen, um die Umrisse des Wissensgebirgsmassivs zu erkennen, dem man sich gegenübersieht.

Es wäre also vermessen, alles wissen zu wollen. Einer der tröstenden Sätze, die unsere Lehrer immer parat hatten, wenn wir mal wieder an einer Aufgabe verzweifelten, war: »Man muss nicht alles wissen, man muss nur wissen, wo es steht.« Solange man zusätzlich über einen gesunden Menschenverstand verfügt, mag das stimmen. Aber wenn man zu doof ist, sich den richtigen Spickzettel auszusuchen, dann hat man Pech gehabt.

Denn ganz so einfach ist heute auch die Wahl der richtigen Informationsquelle nicht mehr. Es ist schon nicht einfach, zu wissen, wo etwas steht und ob die Quelle verlässlich ist. In dem Maß, in dem die Fülle verfügbaren Wissens wächst, verkürzt sich zudem auch dessen Halbwertzeit. Die Abfolge neuer Erkenntnisse wird immer schneller. Was heute noch aktuell und neu ist, kann morgen schon so alt sein wie die Handytarife von letzter Woche.

Gleichzeitig erschweren Datenmüll und ungerechtfertigtes Besserwissertum im Netz die Suche. Wir müssen täglich versuchen, der Informationsflut Herr zu werden, die über uns hereinbricht – und über Wasser halten können sich nur diejenigen, die ihr Wissen spezialisieren und in einem eingegrenzten Bereich zu Experten werden.

Die wahllose Aneignung von enzyklopädischem Wissen ist nicht mehr entscheidend. Der Umgang mit Wissen ist heute wichtiger als der Fundus, den man davon in seinem Kopf beherbergt. Wer wirklich im Bilde sein will, muss in der Lage sein, sich aus dem unbegrenzten Wissensmeer jene Puzzleteile herauszufischen und zusammenzusetzen, die ein stimmiges Gesamtbild ergeben und nicht bloß einen unscharfen Bildsalat. Dabei ist dann allerdings ein scharfer Verstand gefragt, den man bei der Generation Doof oft vergebens sucht.

Wie gut oder schlecht es um die Fähigkeiten und Kenntnisse der Wissens-User bestellt ist, hat die PISA-Studie gezeigt. Denn PISA testet nicht nur faktisches Wissen, sondern auch logisches Denkvermögen. Und gerade in dieser Hinsicht tut sich in Deutschland ein schwarzes Loch auf.

Gleich zweimal schickte die OECD der Bundesregierung einen blauen Brief für ihre im weltweiten Vergleich hinterherhinkenden Schüler. Beim jüngsten Test landete Deutschland abgeschlagen im Mittelfeld, weit hinter den Gewinnern.

Wir Autoren wagten daraufhin den Selbsttest, um dem Mysterium auf die Schliche zu kommen. Kann man PISA können? Wir waren zuversichtlich, denn immerhin haben wir es schwarz auf weiß, dass wir alle Stationen einer ordnungsgemäßen Schul- und Studienkarriere durchlaufen haben.

Doch auch mit dem Abizeugnis in der Tasche stellten wir fest, dass wir mindestens zwei Drittel der gestellten Fragen aus dem Stegreif nicht hätten beantworten können. Vor allem bei Mathematik und in den Naturwissenschaften gingen wir geistig in die Hocke. Eine Beispielaufgabe zeigte anhand eines Diagramms, »wie die Geschwindigkeit eines Rennwagens während seiner zweiten Runde auf einer drei Kilometer langen flachen Rennstrecke variiert«. Die PISA-Tester wollten wissen, »wie groß die ungefähre Entfernung von der Startlinie bis zum Beginn des längsten geraden Abschnitts der Rennstrecke« sei und was wir »über die Geschwindigkeit des Wagens zwischen den Markierungen von 2,6 km und 2,8 km« sagen könnten. Neben den Fragen waren fünf Rennstrecken aufgezeichnet, und wir sollten nun auch noch bestimmen, auf welcher Strecke der Wagen unterwegs war.

Wir mussten passen, und das, obwohl wir uns für schnelle Autos durchaus begeistern können.

Dass wir den PISA-Fragen nicht gewachsen waren, wurmte uns schon ein wenig. Uns beschlich der Verdacht, dass die Lehrer uns Deppen das Abitur- und Magisterzeugnis nur überreicht hatten, um uns endlich loszuwerden, und weil es sonst mangels intelligenten Nachwuchses überhaupt keine Akademiker mehr in Deutschland gäbe – was der Wirklichkeit leider sehr nahekommt.

Dem Letzten geht das Licht aus –
Wie unsere Elite schrumpft

Wenn die deutsche Jugend beim Bildungshürdenlauf weiter so schlecht abschneidet, kann uns nur noch Input von außen aus der Misere helfen. Nach dem Import billiger Kleider aus Taiwan und leckerer Billigbäckerei-Brötchen aus Polen möchten wir vorschlagen, in Zukunft auch das Know-how für unsere Schulen im Ausland zu besorgen: Busladungen skandinavischer Bildungsraketen würden dann heimlich ins Land gekarrt und gegen die heimischen Dumm-Dumm-Geschosse ausgetauscht, damit sie die kniffligen PISA-Aufgaben lösen.

Dies scheint an den Hochschulen schon Realität zu sein. Viele der Hochschulabsolventen in Deutschland sind Importe; mittlerweile kommt schon jeder fünfte Studienanfänger aus einem anderen Land. Im Gegenzug zieht es viele der letzten verbliebenen cleveren Deutschen in die Ferne. Jeder siebte deutsche Studienabsolvent wandert beispielsweise in die USA aus, und das, obwohl Greencards ungefähr so schwer zu bekommen sind wie eine Privataudienz beim Papst.

> »Entweder man macht Karriere, oder man
> geht den Bach runter.«
> Bruce Willis

Es sind die so genannten Besten der Besten, die sich auf und davon machen. Man bietet ihnen im Ausland die Aussicht auf eine glänzende Karriere jenseits von Hartz IV, Neiddebatten und deutschen Bedenkenträgern. »Die Leute hier packen die Probleme an, es ist nicht alles so negativ wie zu Hause. Besonders gefällt mir, dass man seine Ideen umsetzen kann«, erklärt Nicole, eine Deutsche, die nach ihrem Studienabschluss seit zwei Jahren bei einer australischen Telekommunikationsfirma arbeitet.

Sie ist nur eine von vielen. Bildungsexperten sehen angesichts dieses »Brain Drain« bereits die zukünftige Elite Deutschlands schwinden. Kein Wunder, dass man hierzulande noch flugs ein paar Elite-Unis aus dem Boden stampft, indem man der einen oder anderen völlig überlaufenen Massenuni das Prädikat »besonders wertvoll« aufdrückt. Wo sich gestern noch unzählige Studenten in engen Hörsälen drängen mussten und von ihren Professoren eher als notwendiges Übel zwischen zwei Forschungssemestern im Ausland betrachtet wurden, könnte schon bald ein Kampf um die letzten verbliebenen Intelligenten entbrennen. Wird dann der Rektor die obligatorische Willkommensrede für die Erstsemester mit den Worten: »Liebe Hinterbliebene, liebe Zurückgebliebene, schön, dass Sie noch da sind ...« beginnen?

Der Wert des Studenten an sich könnte in Zukunft exorbitant steigen, und vielleicht gäbe es dann sogar Prämien fürs Studieren in Deutschland: kostenlose Geburtstagsfeiern in der Mensa, wo dann Dreisterne-Koch Dieter Müller am Herd steht; ein Sektfrühstück mit dem Dekan, den man früher in seinem ganzen Studentenleben nicht zu Gesicht bekam; oder ein Bonusheft mit exklusiven Prämien für die Teilnahme an Vorlesungen – vorstellbar ist alles, was glücklich macht, nur bitte keine Flugmeilen!

Der Aufwand wäre gerechtfertigt. Denn im internationalen Vergleich bildet Deutschland wenige Akademiker aus: Schließen hierzulande einundzwanzig Prozent eines Jahrgangs ein Studium ab, sind es im Durchschnitt der OECD-Länder fünfunddreißig Prozent. Eine geringere Akademikerquote als in Deutschland gibt es nur noch in der Tschechischen Republik, in Österreich und in der Türkei.

Es herrscht Akademikernotstand. Innovation fehlt, Mittelmaß macht sich breit. Gerade die Zwanzig- bis Dreißigjährigen, die eigentlich in absehbarer Zeit das Ruder übernehmen sollten, sind in einem beklagenswerten Zustand: Rund zwanzig Prozent sind ausbildungsresistent und haben daher keinen vernünftigen Beruf erlernt. Weitere zehn Prozent haben keinen einfachen Hauptschulabschluss, und dreißig Prozent sind Studienabbrecher. Die fünf Millionen deutschen Uni-Absolventen mit Hochschulabschluss oder sogar Promotion scheinen auf den ersten Blick zwar viel. Doch ihre Zahl wird von fast fünfmal mehr Menschen ohne Schul- oder Berufabschluss mühelos auf Grasnarbenniveau planiert.

Die Wurzel der Unbildung wird oft in der Schule gesucht. Schlagzeilen wie »Deutsche Schüler verdummen« entlocken uns nur noch ein müdes Lächeln, so oft haben wir sie schon gelesen. Aber Moment mal – müsste es laut Gleichstellungsgesetz nicht eigentlich heißen: »Deutsche Schülerinnen und Schüler verdummen«? Leider nein. Es ist schon ganz richtig, die holde Weiblichkeit ein wenig außen vor zu lassen. Denn besonders schlecht kommen beim Intelligenz-TÜV Männer und Jungen weg. Viele Lehrkräfte bemängeln, dass es den Jungen oft an positiven männlichen Rollenvorbildern mangelt, von denen sie lernen können. Lehrer, pardon, Lehrerin ist zunehmend ein Frauenberuf – an wem also sollen sich Jungen orientieren? Die Motivation zum Lernen und der Wunsch, jemandem nachzueifern, fehlen ihnen. Susanne Weichert, Lehrerin an einer Hamburger Realschule, glaubt deshalb, dass die Machos auf die Liste der bedrohten Arten gehören: »Die Jungen lernen nicht mehr, wie man sich durchsetzt. Typisch männliche Tugenden verkommen. Jungs sind heute oft totale Softies. Und das ist nicht immer gut.« Wer weiß, vielleicht schreibt bald ein Nachrichtensprecher ein Buch mit dem Titel *Das Adam-Prinzip – Männer zurück an die Werkbank!*, um dem männlichen Werteverfall Einhalt zu gebieten und Männer wieder zu echten Männern zu machen.

> *» Wie soll auch eine Generation von Männern,*
> *die hauptsächlich von Müttern, Kindergärtne-*
> *rinnen und Lehrerinnen umsorgt und erzogen*
> *wurde, Frauen glücklich machen?«*

Joachim Masannek, Autor von *Wilde Kerle*

Mit der Studie *Bildung in Deutschland* fanden die Kultusminister und das Bildungsministerium dann auch heraus, dass es heute an den meisten Gymnasien und Hochschulen mehr junge Frauen als Männer gibt. Weibliche Schulabgänger erreichen nicht nur bessere Schul- und Studienabschlüsse; auch ist der Anteil der Frauen, die die Schule unverrichteter Dinge ohne Abschluss wieder verlassen, nur halb so groß wie bei den Männern. Kein gutes Zeugnis für den deutschen Stehpinkler-Nachwuchs. Da können wir also nur auf die French-Nails-Fraktion hoffen. Vor allem in den technischen Berufen, traditionell eher männliches Terrain, bleibt uns nichts anderes übrig, als darauf zu vertrauen, dass es genügend technikversessene Cargohosenträgerinnen gibt, die Deutschland mit Innovationen wie solarbetriebenen Epiliergeräten an die Weltspitze zurückführen. Warum nur bietet diese Vorstellung so geringen Trost?

Wahrscheinlich, weil auch die besten Frauen lieber ins Ausland flüchten, anstatt sich hierzulande mit testosterongefüllten Windbeuteln und Magerlöhnen abzuplagen. Das sind die schlauen Frauen, die mit Geld umgehen können.

Die Generation Doof hingegen hat von Geld keine Ahnung – und da stehen Frauen den Männern in nichts nach.

Kopf oder Zahl:
Wer nichts im Kopf hat, zahlt drauf

Was hat Geld überhaupt mit Dummheit zu tun? Ganz einfach: alles und nichts. Geld ist das beste Beispiel dafür, wie wenig man über die elementaren Dinge des Lebens wissen kann und wie teuer man oft dafür bezahlen muss.

Mit Geld kann man im Leben so ziemlich alles erreichen – das glaubt zumindest die Generation Doof, selbst wenn wir keinen Cent in der Tasche haben. Aber damit diese Weisheit stimmt, müsste man mit Geld umgehen können, und damit haben wir große Probleme.

Es ist bitter, doch man muss es nicht beschönigen: Die Enkel der Sparfüchse und Pfennigfuchser aus den fünfziger und sechziger Jahren sind zu blöd zum Rechnen. Der Taschenrechner ist unser bester Freund, und was die globale Wirtschaft im Innersten zusammenhält, ist uns von jeher ein Rätsel.

> *»Als ich klein war, glaubte ich, Geld sei das*
> *Wichtigste im Leben. Heute, da ich alt bin,*
> *weiß ich: Es stimmt.«*　　　　Oscar Wilde

Das Wirtschaftsmagazin *plusminus* strahlte Anfang 2006 einen Beitrag zur gerade erfolgten Mehrwertsteuererhöhung von sechzehn auf neunzehn Prozent aus. Die Reporter hatten sich in den deutschen Konsumtempeln umgetan, um zu erfahren, wie hoch die »gefühlte« Preissteigerung nach dem Befinden der Bundesbürger ausfiel. Ihr erstes Opfer war ein etwa dreißigjähriger Mann, der gerade eine Packung Waschmittel gekauft hatte. Da die Befragung anonym war, nennen wir ihn einfach mal Herr Proper. Vor der Steuererhöhung hatte die Packung 3,95 Euro gekostet. Die Frage war nun: »Ohne auf das Preisschild zu sehen – was schätzen Sie, um wie viel Euro ist Ihr Waschmittel teurer geworden?« – »Na, mindestens zwei Euro«, antwortete Herr Proper im Brustton der Überzeugung. Aber knapp daneben ist eben auch vorbei. In Wirklichkeit war das Waschmittel lediglich um 0,12 Euro teurer geworden.

Dass viele von uns nicht rechnen können und uns der Daumen zum Drüberpeilen oft die Sicht raubt, weil er zu dick ist, zeigt sich auch bei der Schnäppchenjagd, einem beliebten deutschen Hobby. Für den Beobachter gilt: Das Schöne an dieser Disziplin ist, dass sie wie kaum eine andere Auskunft über elementare Bildung und Lebensschläue des Probanden gibt. Und wir können das Ergebnis ruhig vorwegnehmen: Selbst beim Geheiligt-sei-was-billig-ist stellen wir uns ziemlich dämlich an.

Nehmen wir noch einmal das Beispiel Mehrwertsteuer: Die Erhöhung der unfreiwilligen Abgabe zog den Schnäppchenjägern das Geld aus der Tasche. Im Januar 2007 lockten große Kaufhäuser und Medienmärkte mit Rabattaktionen (»Wir schenken Ihnen die Mehrwertsteuer«). Wer große Anschaffungen nicht bereits im Dezember des Vorjahres getätigt hatte, schlug noch einmal zu. Die vermeintlichen Sparfüchse strömten zuhauf in die Läden und wieder hinaus, beladen mit Flachbildfernsehern, Computern und Stereoanlagen. Später mussten dann viele feststellen, dass man sie gehörig über den Löffel balbiert hatte. Die meisten Händler hatten ihre Preise still und clever bereits im Jahr zuvor erhöht. Das hatten die meisten Käufer aber nicht mitbekommen, geschweige denn, dass sie überhaupt kapierten, welche Logik dahintersteckte. Dumm gelaufen. Dieses Verfahren von Augenwischerei ist inzwischen so verbreitet, dass es bereits einen Namen hat: Mondpreise.

Herr Proper & Co. sind mit ihrer Rechenschwäche und dem mangelnden Verständnis für wirtschaftliche Zusammenhänge nicht alleine. Die Künste der Mathematik wie auch die Geheimnisse der Wirtschaft sind im sogenannten Land der Dichter und Denker vielen ein völliges Rätsel. Und damit sind nicht nur all jene Schüler gemeint, die ihre Matheprüfung im Abi mit null Punkten versiebt haben, weil sie an einer Rechenaufgabe scheiterten. Auch uns Erwachsenen sind Zahlen so unsympathisch, dass wir kaum etwas mit ihnen zu tun haben wollen.

Weil wir keine Ahnung davon haben, zahlen wir oft drauf, wenn es um die liebe Barschaft geht. Laut Statistischem Bundesamt sind 3,1 Millionen deutsche Haushalte überschuldet, also jeder zwölfte.

Gläubiger sind allerdings nicht immer die Banken, wie man vermuten mag, sondern mindestens ebenso oft Versandhäuser oder Telefongesellschaften. Eigentlich kein Wunder, kann man doch mittlerweile bei jedem Mediendiscounter an der Ecke den neuesten Flachbildfernseher auf Pump kaufen, ohne sich vorher beraten lassen zu müssen, ob man die Finanzierung überhaupt tragen kann. Auch im Langzeittrend stehen die deutschen Schnäppchenjäger nicht gut da: 1990 lag die Zahl der privaten Bankrotte noch bei 4 541, fünfzehn Jahre später waren es dagegen knapp 100 000. Überhaupt ist seit Einführung der Privatinsolvenz im Jahr 2002 die Zahl der privaten Pleiten förmlich explodiert, von knapp 17 000 im Jahr 2001 auf rund 47 000 im darauffolgenden Jahr.

Doof verschuldet sich, ohne nachzudenken.

Wer keine Ahnung vom Umgang mit Geld hat, der kann auch nicht für sein finanzielles Wohl sorgen. Der Grund für diese Unwissenheit: Niemand interessiert sich mehr für die Hintergründe. Was Boulevardpresse und Privatfernsehen nicht niveaugerecht vorkauen und was nicht mit einem Mausklick so einfach abrufbar ist wie die Tabellen der Call-by-Call-Anbieter findet keine Beachtung. Und wer es nicht gewohnt ist, sich ein Thema zu erarbeiten, und lieber seine Informationen kurz, knapp und zusammenhanglos im Fernsehen oder im Internet besorgt, der ist nicht mehr in der Lage, den großen Gesamtzusammenhang herzustellen. Das wäre ja an sich noch nicht so schlimm, aber das Fatale ist, dass wir selbst felsenfest davon überzeugt sind, genug zu wissen.

> *»Bildung kommt von Bildschirm und nicht*
> *von Buch, sonst hieße es ja Buchung.«*
> Dieter Hildebrandt

Unsere feiste Selbstgerechtigkeit und die damit verbundene geistige Dürre sind Indizien dafür, dass Bildung zur Einbahnstraße geworden ist – und dass wir in die falsche Richtung fahren. Es reicht also nicht, über ein Bildungsangebot zu verfügen, wenn es niemand anschaut und richtig anwendet. Die Quellen, aus denen wir unser Wissen speisen können, finden bei der Generation Doof immer weniger Anklang. Vor allem Wirtschafts- und Geldmagazine sind im Fernsehprogramm auf späten Programmplätzen zur Randgruppeninformation verkommen, genau wie viele andere Bildungsprogramme.

Auch die Bertelsmann-Stiftung fand am Beispiel der privaten Alterssicherung in ihrem Vorsorgereport heraus, dass den Deutschen bereits die Beschäftigung mit dem Thema Geld zuwider ist: Nicht einmal jeder zweite der Befragten kannte die Details eines Bausparvertrags, wusste, was im Fall einer Berufsunfähigkeit auf ihn zukommt, oder kümmerte sich um das Kleingedruckte in seinen Kreditverträgen.

Und das im ehemaligen Wirtschaftswunderland, dem vermeintlichen Hort cleverer Geizkragen! Doch das Desinteresse unserer Generation sitzt tief, weil es bereits früh beginnt: In vielen Familien ist Geld allenfalls ein Randthema. Aus falscher Pietät oder wegen blanken Unwissens legen viele den Begriff »Bankgeheimnis« leider völlig falsch aus. Warum Opa sein Geld einmal im Monat zur Bank bringt, welche Zinsen er auf dem Sparbuch dafür bekommt und wie der Ansparplan aussieht, das hält er mindestens ebenso geheim wie die Alliierten das Datum für die Landung in der Normandie. Vater versteckt seine Fondspapiere noch besser als seine Pornosammlung, und wann und warum man irgendwann einmal anfangen sollte, fürs Alter vorzusorgen, darüber haben wir erst später vor zu reden. Viel später. Beim Sex hat sich die Aufklärung bezahlt gemacht; beim Thema Geld packt uns seltsamerweise übermäßige Scham.

Besonders Jugendliche tappen daher mangels besseren Wissens schnell in die Schuldenfalle. In einer Studie für den STERN fand das Institut für Jugendforschung heraus, dass Jugendliche heute so viel Geld zur Verfügung haben wie noch nie – Dreizehn- bis Vierundzwanzigjährige können jährlich im Schnitt 5 656 Euro ausgeben. Allerdings sind sie offenbar nur schlecht in der Lage, mit ihrer Barschaft umgehen. Jeder Zehnte steht bei Freunden, Bekannten oder Banken durchschnittlich mit 1 551 Euro in der Kreide. Das Geld geht drauf für Klamotten, Fastfood, Spiele, Musik und Filme oder Urlaub. Kostentreiber Nummer eins aber ist das Handy: rund 250 000 junge Erwachsene haben einen Eintrag bei der Schufa – wegen Telefonschulden.

Die Sorglosigkeit im Umgang mit dem Mobiltelefon beginnt früh. Silke, die bei einem großen Konzern arbeitet, der Klingeltöne verscherbelt, erklärt: »Manchmal rufen Eltern bei unserem Kundenservice an, die sich aufgebracht darüber beschweren, dass ihr Kind hundert Klingeltöne heruntergeladen hat. Sie vergessen dabei, wer ihm das Handy gegeben hat, und dass das Kind beim Kauf dreimal bestätigen muss, dass es den Ton auch wirklich haben möchte, der 2,99 Euro kostet.« Das Einschätzungsvermögen, ob etwas teuer ist und ob man sich das wirklich leisten kann, fehlt hier völlig. Erst mal beschweren und die Verantwortung von sich weisen, das kann in keinem Fall schaden.

Doch das wäre der Clou an der Intelligenz: Kinder und Jugendliche sollten bereits von den Eltern oder in der Schulzeit lernen, was sie wissen müssen, um später ihren PC und vielleicht auch noch das eine oder andere Programm dafür bezahlen zu können. Sie sollten lernen, sich selbstständig Gedanken zu machen und sich ein gesundes Urteilsvermögen zuzulegen, damit sich die bösen Überraschungen in Grenzen halten.

Die Generation Doof hat sich in dieser Hinsicht zu lange in Sicherheit gewiegt. Wir sind die Wohlstandskinder, die erste Nachkriegsgeneration, der es nie an etwas gefehlt hat. Im Gegenteil, alles war immer im Überfluss vorhanden: Strom kam aus der Steckdose, Sprudel aus dem Kasten, und wenn mal etwas kaputtging, gab es gleich Ersatz. Das Geld bekamen Mutti und Vati doch immer von den netten, hilfsbereiten Menschen in der Bank, und arbeiten gehen, das machten die doch eher zum Spaß, oder etwa nicht?

All diese Erkenntnisse haben wir verinnerlicht. Doch es wäre gut, wenn wir den Umgang mit Geld etwas ernster nehmen würden. Es kann nicht schaden, das Geld, das wir inzwischen selbst verdienen, für besondere Notfälle anzulegen. Aber das ist der Generation Doof schon deswegen nicht möglich, weil in unserem Leben ein »Notfall« den nächsten zu jagen scheint: das neue WAP-fähige Handy mit Acht-Pixel-Kamera und Fernsehkarte, das der beste Freund schon hat; der Flachbildschirm, der die Augen schont; die Extensions, die man dringend braucht, weil in dieser Saison wieder lange Haare in sind; die Laserbehandlung, um endlich das Arschgeweih loszuwerden, und, und, und. Der ganze Spaß kostet Geld, und es kommt uns ungeheuer dringlich vor, unsere Bedürfnisse sofort zu befriedigen.

Dank zielgruppengerechten Werbebombardements steigen unsere Ansprüche und Begehrlichkeiten mit jedem Tag. Schon bei Kindern drehen sich die täglichen Gespräche auf dem Schulhof um immer extremere Konsumwünsche, egal, ob es um Turnschuhe, Markenklamotten, das neue Nintendo DS oder aktuelle Computerspiele geht. Mama und Papa versuchen den Kleinen jeden Wunsch zu erfüllen, selbst wenn es das finanzielle Budget sprengt.

Bei geburtenschwachen Jahrgängen ist es durchaus verständlich, wenn den wenigen Kindern mehr monetäre Aufmerksamkeit zuteilwird. Wie man wirtschaftet und mit Geld umgeht, lernt der Nachwuchs auf diese Weise aber nicht. Durch den selbstverständlichen Überfluss entsteht eine Anspruchshaltung, die sich im späteren Leben verheerend auswirken kann. Haben wollen, sagt diese Haltung, und zwar sofort! Im späteren Erwachsenendasein bekommt man immense Probleme, wenn man sich wegen seines finanziellen Unwissens die eigenen großen Wünsche und Träume nicht mehr erfüllen kann. Dann macht sich Konsumfrust breit.

»Das Geld ist nicht weg, es gehört jetzt nur
jemand anderem.« André Kostolany

Sicher könnte man diesen Frust verhindern, wenn in der Familie von Anfang an mehr über Geld gesprochen würde. Aber die Verantwortung schieben die Eltern weg, und auch die Schulen übernehmen diesen Part nicht. Im Gespräch mit den Autoren bestätigten diverse Pädagogen, dass Finanzen und Wirtschaft im Lehrplan deutscher Schulen eher die zweite oder dritte Luftgitarre spielen. Das grundlegende Problem ist für Lehrer oft das völlige Desinteresse der Schüler an diesen Themen.

»Wenn ich über Wirtschaft und Geld rede, sehe ich in den Gesichtern, dass immer mindestens zwei Drittel der Kinder abschalten«, erklärt Sabine K., Lehrerin an einem Gymnasium in Hessen. Für sie ist klar: Wenn die Eltern ihren Kindern von Anfang an die Wichtigkeit finanzieller Entscheidungen erklären würden, dann hätte das Thema einen anderen Stellenwert.

Aber solange sich nichts an der finanziellen Bildung in deutschen Schulen und vor allem in den Familien ändert, besteht die Gefahr, dass sich große Teile der Generation Doof vorzeitig in die »neue Unterschicht« verabschieden oder sich, statt einem Job nachzugehen, seelisch schon einmal auf ein Leben mit Hartz IV oder auf Altersarmut vorbereiten können.

Das reale Leben und die Fähigkeit, sich darin zurechtzufinden, müssen wieder ernster genommen werden als das scheinbar verbriefte Recht auf die Erfüllung aller Konsumwünsche oder die Lebensflucht in virtuelle Internetwelten wie *Second Life.* Auch Videospiele wie *Die Sims*, die Simulation einer Familie, in der man seine Spielfigur optisch nach eigenem Wunsch gestaltet und sich dann ohne weiteren Kraftaufwand daranmacht, das eigene Luxusheim zu bauen, sind für das Gespür, das man für Lebensanstrengung besitzen sollte, nicht gerade hilfreich. Wozu soll man anpacken oder überhaupt aufstehen, wenn alles mit ein bisschen Daumenwackeln vom Fernsehsessel aus zu erreichen ist? Natürlich muss auch im Spiel Geld verdient werden, aber der Aufwand dafür steht in keinem Verhältnis zur Anstrengung im wirklichen Leben. Da wundert es kaum noch, wenn die Nachbarstochter nach dem Abi und den ersten Absagen auf Bewerbungen heulend zusammenbricht, weil der Besitz des ersehnten Dreier-Cabrio in unerreichbare Ferne gerückt zu sein scheint.

Vielleicht würde es schon helfen, wenn einmal monatlich in Schulen und Familien mit den Kindern über Geld gesprochen würde. Zumindest würde uns das wohl John D. Rockefeller raten, der einmal gesagt hat, es sei »besser, einen Tag im Monat über sein Geld nachzudenken, als einen ganzen Monat dafür zu arbeiten«. Und der Mann kannte sich nun wirklich mit Geld aus.

Die Wiege der Dummheit: Warum unsere Bildung schlecht ist

Wer trägt die Schuld an der mangelhaften Ausbildung und Lebenstüchtigkeit der Generation Doof? Sind es tatsächlich Eltern und Schulen? Oder hat der Unwille, Verantwortung für sein Leben zu übernehmen, etwas mit der gesellschaftlichen Stimmung, dem Zeitgeist, zu tun? »Phlegma ist das Ergebnis der Verhältnisse, die wir heute schon haben«, hat dm-Gründer Götz Werner gesagt, und er hatte recht, denn wir fühlen uns durch unser Umfeld in unserer Entwicklung gehemmt und machen gerne die »Umstände« in Deutschland für unser Verhalten verantwortlich. Wir machen uns damit zum Opfer, weil wir uns ohnmächtig fühlen, und so handeln wir auch. Doch man darf nicht unterschätzen, dass diese Unmündigkeit auch gefördert wird.

DIE ZEIT beschrieb Anfang 2007 auf anschauliche Weise unsere Hilflosigkeit angesichts der komplizierten Finanzwelt: »In Sachen Geld ergeht es uns wie Analphabeten auf dem Bahnhof. Solange es Lautsprecherdurchsagen gibt und Schaffner uns den Weg weisen, finden wir auch den richtigen Zug – selbst wenn wir die Schilder nicht lesen können. Was aber, wenn die Lautsprecheranlage ausfällt? Wenn uns der Schaffner zum falschen Gleis schickt?«

In deutschen Schulen und Familien, dort, wo die Wirtschaftskapitäne, Familienväter, Mütter und Bundeskanzler von morgen groß werden, scheint die Lautsprecheranlage schon seit Langem ausgefallen zu sein. Und die Schaffner, in diesem Fall die Lehrer und Erziehenden, wissen oft selbst nicht mehr, wohin die Reise geht. »Was soll ich denen noch beibringen?«, stöhnt eine Gesamtschullehrerin im Internetforum. »Die wollen doch gar nichts lernen!«

Erinnern wir uns noch mal an Herrn Proper, der keinerlei Gespür für die Erhöhung der Mehrwertsteuer hatte und dem das Gefühl für Relationen abhandengekommen war. Er war Anfang dreißig und einer der älteren Vertreter der Generation Doof. Damit gehört er zu den Prototypen, der Version 1.0 des dummen Nachwuchses.

Wie wir Autoren ist er in den achtziger und neunziger Jahren aufgewachsen, hat mit mehr oder weniger großem Löffel aus jenem Bildungssystem geschöpft, das den Grundstein für die bis heute andauernde Einfältigkeit gelegt hat. Die achtziger Jahre waren das Jahrzehnt, in dem die Dummen laufen lernten. Zu dieser Zeit wurde der Weg für die Generation Doof bereitet, indem Menschen wie wir die eigene Bildungskarriere in den Sand setzten, weil viele von uns davon überzeugt waren, gar nichts lernen zu müssen.

Dumm geboren, konsequent geblieben und stolz darauf. Manche von uns haben ihr Abitur eher durch Zufall geschafft. Und den Pink-Floyd-Klassiker *We Don't Need No Education* haben viele nicht nur gerne gehört, sondern auch sehr ernst genommen.

Unsere Verweigerungshaltung hat uns manchmal sogar unverdiente Lorbeeren eingebracht – und unseren Eltern so manche peinliche Minute beschert:

»Stefan, ich weiß noch, wie ich dich zwei Wochen vor dem Abi auf einer Party getroffen habe«, sagt Jan, nippt an seinem Kölsch und grinst. »Ich war total im Stress. Aber du hast das ziemlich locker gesehen. Als ich dich gefragt hab, wie weit du mit Mathe bist, hast du gemeint, du fängst morgen erst an zu lernen. Das fand ich echt cool.«

Bisher ist der Abend eigentlich wie erwartet verlaufen – Stufentreffen zur Feier des zehnjährigen Abiturs. Manche sehen immer noch aus wie zwanzig; die Punks und Chaoten von damals sind heute brave Beamte bei der Gemeinde; die Mädels, mit denen ich zusammen gewesen bin, haben jemand anderen geheiratet und Kinder bekommen, und mancher vielversprechende Ex-Einserkandidat lebt heute von Hartz IV. Von einem Drittel der Leute habe ich die Namen vergessen, ein weiteres Drittel der Anwesenden kommt mir so fremd vor, als hätte ich nie mit ihnen die Schulbank gedrückt. Die Gespräche drehen sich um das Übliche: Was machst du heute so? Mein Haus, mein Auto, mein Schaukelpferd.

Doch dann habe ich Jan getroffen, und er hat mich an diese böse Sache erinnert: Mathematik. Das mit dem Rechnen. Ich hatte immer eine Fünf.

Jan spült noch einen Schluck Bier runter. »Ich hab bis heute nicht verstanden, wie du so das Abi geschafft hast …«

Ehrlich gesagt: Ich auch nicht.

»Sag, mal, ist denn die Geschichte mit der Mathe-Prüfung tatsächlich wahr?«

Muss er danach fragen? Ich hatte gehofft, dass sich mittlerweile niemand mehr daran erinnert.

Jan schaut mich eisern an und wartet auf eine Antwort.

»Nun ja«, stammele ich und erröte – mir ist das Ganze inzwischen ziemlich peinlich.

»Du sollst in die Prüfung gegangen sein und gesagt haben, dass du es gar nicht kannst. Und dann bist du wohl wieder nach Hause gegangen.«

Stimmt. So ähnlich ist das gewesen. Ich hatte in drei von vier Prüfungsfächern genügend Punkte gesammelt, um das Abitur zu bestehen. Die letzte Prüfung, Mathe mündlich, sollte mein großer Coup werden, den ich von langer Hand vorbereitet hatte. Schule und Lehrer nervten mich seit dreizehn Jahren mit den immer gleichen langweiligen Themen. Jetzt endlich konnte ich ihnen zeigen, wie sehr mir die Penne zum Hals raushing. Die übrigen Prüfungsnoten würden dafür sorgen, dass ich mein Abi trotzdem bekam.

Die Verweigerungstaktik kostete mich nur ein Lächeln – bis ich den Prüfungsraum betrat. Vor mir erblickte ich nicht nur wie erwartet meinen Mathematiklehrer, sondern dort saßen völlig unerwartet einige Ehrengäste: zwei Elternvertreter, der Lehrer, der Schuldirektor und der Herr Bürgermeister persönlich.

Nachdem ich bei der Aufgabe, den Graphen X zu zeichnen, ein Strichmännchen mit Sonnenbrille und Krone an die Tafel gemalt hatte, durfte ich den Raum verlassen. Nach der Notenverkündung verabschiedete mich der Direktor dann auf dem Parkplatz mit der tröstenden Formel »6x = 0«.

Mein Auftritt machte schnell die Runde. Am nächsten Morgen schon wurde meine Mutter beim Bäcker mit der Geschichte von diesem Abiturienten empfangen, der bei der Prüfung eine glatte Sechs in Mathe kassiert hatte. Das beweise doch mal wieder, wie dumm und frech die heutige Jugend sei. Und die lasse man dann auch noch das Abitur bestehen! Hätte es früher nicht gegeben, so was. Mutter musste zähneknirschend eingestehen, dass das ihr Sohn gewesen war. Ich entschloss mich zu einem Studium im Ausland – und freute mich insgeheim, dass ich trotz der Grundschullehrer, die mich für die Hauptschule empfohlen hatten, das Abitur gemacht hatte.

Solche und ähnliche Anekdoten können die meisten von uns erzählen. Angesichts unserer Kapriolen sahen viele das bestätigt, was sie insgeheim schon immer geahnt hatten: Hier wuchs eine ziemlich dumme Brut heran, die sich nicht mehr die Bohne für die Segnungen und Erkenntnisse des Abendlands interessierte.

Einer dieser weitsichtigen Mahner war Johannes Gross, einer der Väter der deutschen Wirtschaftspresse. In seinem Buch *Die Deutschen* schrieb er bereits 1967: »Die Deutschen haben, seit es Intellektuelle gibt, einen großen Reichtum an ihnen besessen, aber sie haben den Reichtum nicht genutzt.« Vielleicht hat er dabei ja auch das eine oder andere Mal an den dummen Nachwuchs gedacht, der damals peu à peu das Licht der Welt erblickte. Jetzt ist es zu spät, dem ungenutzten Hirnschmalz nachzutrauern. Dabei haben sich unsere Lehrer und Eltern in den neunziger Jahren alle Mühe gegeben, aus uns Schöngeister und/oder achtenswerte Mitglieder der Gesellschaft zu machen. Die harten Fakten des Lebens – Geld, laufende Kosten, Versicherungen, Steuern – spielten nur am Rande eine Rolle. Schöne alte Wohlstandswelt. Keine Probleme, keine Sorgen. Der Schock kam zwischen unserem zwanzigsten und dreißigsten Lebensjahr, als wir einen Job finden mussten und nicht so richtig darauf vorbereitet waren, dass man uns nicht fürs Schwadronieren und Schöntun bezahlen würde. Klar, es hatte auf der Schule sogenannte »Berufsorientierungsveranstaltungen« gegeben. Aber mal davon abgesehen, dass uns das Wort schon viel zu lang war, um es zu Ende zu lesen, flüchteten wir vor solchen Terminen lieber zu McDonald's. Da gab es warmes, weiches Essen, und das hauseigene Werbeblättchen informierte uns über die neuesten Stars.

Die Schule kam uns immer wie eine Art Freiheitsberaubung vor. Wir wurden den ganzen Tag mit Schöngeistigem und den hohen Erkenntnissen der Naturwissenschaften gefüttert, ohne dass wir überhaupt wussten, wozu. Wir lernten viel über die Zellteilung bei Amöben und Pantoffeltierchen; wir stellten uns die Gretchenfrage und versuchten in Mathematik Funktionen und Gleichungen zu diversifizieren, die wir dann in Graphen umwandelten, die man sogar spiegeln und strecken konnte. Warum ein Brötchen dreißig Cent, damals noch zehn Pfennig, kostete, erzählte uns allerdings niemand. Dafür haben wir beim Brötchenessen dann statt der Tabelle im Börsenteil der Zeitung lieber die aktuelle Tabellensituation der Bundesliga analysiert. Daher können wir heute in der Kneipe prima darüber fachsimpeln, ob der 1. FC Woauchimmer die drei Millionen Euro nicht besser für den Stürmer Mehmet Köpfinseck ausgegeben hätte, anstatt Tony Ballaballa zu holen. Was derweil so in der Weltwirtschaft abgeht, erscheint uns zuweilen immer noch wie eine Geheimwissenschaft.

> *»Ich ließ mir meine Bildung nie durch die*
> *Schule beeinträchtigen.«* Mark Twain

Bildung ist in Deutschland auch Jahre nach dem ersten PISA-Test und den Prototypen der Generation Doof noch immer eine Großbaustelle, auf der die Arbeit niedergelegt wurde. Besonders schmerzhaft ist es, dass sich deutsche Schüler mit den Folgen von Bildung so schwertun: Die wenigen, die überhaupt begriffen haben, wie man mit Wissen umgeht und Dinge erlernt, können das Gelernte nicht anwenden. Das ist zumindest die Schlussfolgerung derjenigen, die ganz oben auf dem schiefen Turm stehen und die Lage überschauen: Deutsche Schüler haben große Probleme mit anspruchsvollen Aufgaben, bei denen es ums Reflektieren, Bewerten und Anwenden von erlangtem Wissen geht. Einfach um das, was Bildung so wertvoll macht.

Dass wir heute als regelrechte Bildungszombies durchs Leben wanken, daran scheint vor allem der Staat schuld zu sein. Nach dem PISA-Schock brach wilder Aktionismus aus. Die Länder verdonnerten ihre Lehrer zu kostspieligen und zeitintensiven Fortbildungsmaßnahmen oder führten das Zentralabitur in solcher Windeseile ein, dass uns allen der Kopf schwirrte. Bis heute wissen weder Schüler noch Lehrer genau, wie das Ganze eigentlich funktionieren soll. Hier hat man kostbare Zeit und Geld verplempert – beides wäre besser für eine sinnvolle Restrukturierung des Bildungssystems verwendet worden. Denn noch immer ist was faul im Bildungsstaat. Ein sinnvoller Unterricht ist an deutschen Schulen oft nicht möglich, weil schlicht die Ressourcen fehlen, in erster Linie die heute so gern zitierte *Manpower*, die Lehrer. An deutschen Grundschulen kommen auf eine Lehrkraft durchschnittlich zwanzig Schüler. Zum Vergleich: In Dänemark sind es nur zehn. An den weiterführenden Schulen sieht es in den Sekundarbereichen I und II nicht besser aus: Von der fünften bis zur zehnten Klasse kommen sechzehn Schüler auf einen Lehrer – Länder aus der europäischen Bildungs-Champions-League wie Finnland begnügen sich mit zehn bis elf Zöglingen. Selbst in den Klassen elf bis dreizehn befasst sich bei uns ein Lehrer dann immerhin noch mit vierzehn Schülern.

Kein Wunder, dass die meisten deutschen Lehrer ihren Beruf für »eher anstrengend und belastend« halten. Allein für den Lärmpegel, der in den Klassen herrscht, sollten Lehrkräfte Schmerzensgeld erhalten: Bis zu fünfundachtzig Dezibel werden in deutschen Klassenräumen gemessen, das sind nur fünf Dezibel weniger, als ein schwerer Lkw verursacht.

Wer übermäßig gestresst oder nur mäßig motiviert ist, erbringt in den seltensten Fällen Glanzleistungen. Das gilt für Schüler, aber eben auch für Lehrer. Deren langweiliger Unterricht ist laut PISA wiederum für den geistigen Blindflug deutscher Schüler verantwortlich. Die Folgen der personellen Schieflage sind auch an deutschen Universitäten nicht zu übersehen. Der Deutsche Philologenverband hat festgestellt, dass durch die übermäßige Belastung der Professoren Abschlussarbeiten nur noch oberflächlich korrigiert und begutachtet werden. Resultat sind Einheitsnoten, die oft viel zu gut ausfallen. »An den Hochschulen verstärkt sich die Tendenz zu einer undifferenzierten Massenvergabe von Bestnoten«, kritisiert Heinz-Peter Meidinger, Vorsitzender des Philologenverbands.

Auf Doof gesagt: Die schmeißen einfach ein paar Noten in die Luft und schauen mal, welcher Student sie auffängt. »Inflation der Kuschelnoten«, titelte der SPIEGEL treffend; »Noten ohne Wert«, schrieb die ZEIT.

Für spätere Arbeitgeber ist aus den Zensuren oft überhaupt nicht mehr ersichtlich, was ein Student wirklich geleistet hat. Schul- und Studienabschlüsse werden faktisch entwertet und taugen bald weniger als eine Jobgarantie bei der Telekom.

Fremd ist uns eine solche Praxis auch aus eigener Erfahrung nicht. Immer wieder haben wir uns während unseres Schüler- und Studentenlebens über Traumzensuren für durchschnittliche Leistungen gewundert – und natürlich gefreut. Da hatten wir also doch mehr auf dem Kasten, als wir eigentlich glaubten!

> *Ich hatte acht Jahre Latein, bayrisches Hardcore-Mörder-Latinum. Ich kann nicht mal fluchen auf lateinisch. Wie gerne hätte ich damals zu meinem Lateinlehrer gesagt: ›Yo teacher, fuck you!‹ – Aber wie auf Lateinisch? ›Tu magister esse popare?‹*
>
> Michael Mittermeier

Ein Beispiel dafür war das Fach Sozialwissenschaften in der Schule, ein recht buntes Potpourri aus Politik und Wirtschaft, einmal umgerührt und mit einer Prise Volkskunde und Sozialwissenschaften verfeinert. Eigentlich eine gute Mischung. Wir unterhielten uns oft über die Maastrichtkriterien, lernten, wie die Europäische Union zustande kam und was der Unterschied zwischen Kolchosen und Sowchosen ist. Am Ende waren dann immer alle zufrieden, weil unser Lehrer, Herr Kasupke, bekennender Spätachtundsechziger und Birkenstockträger, nur Zweien und Dreien vergab. Das machte die ganze Sache auch für ihn ein wenig erträglicher. Die fröhliche, unbeschwerte Notentombola sagte allerdings selten etwas über den erfolgreich gelernten Unterrichtsstoff aus.

Sommer 1990, SoWi-Unterricht, sechste Stunde, Raum 501.

Herr Kasupke, von seinen Schülern so respektlos wie liebevoll »Suppi« genannt, schlurft gemächlich in den Klassenraum. In der Hand hält er eine ausgeblichene Jutetasche, aus der grüngelbe Flüssigkeit rinnt. Die Apfelsaftpackung ist mal wieder geplatzt. Das bemerkt der Lehrkörper erst, als er die Tasche mit Schwung aufs Lehrerpult setzt und der Saft mit einem gedämpften Schmatzen in die erste Reihe schwappt – wo umgehend der kollektive Aufschrei »Mensch Suppi, du Vollidiot!« ertönt.

»Ach, tut mir leid, Kinder, das hab ich nich gesehn«, meint »Suppi« und macht sich erst mal ans Aufwischen.

Wir nutzen die kleine Verzögerung für einen netten Plausch mit unseren Tischnachbarn. Die Jungs neben mir debattieren weiter über den neuen Schwarzenegger-Film. Martin hat die ungeschnittene Fassung gesehen und weiß zu berichten, dass Arni dem Bösewicht am Ende des Filmes noch die Arme ausreißt und nicht nur den Kopf abschraubt, wie in der deutschen Fassung.

Herr Kasupke ist fertig.

Es geht los.

»So, Kinder. Dann erzählt mir doch mal schnell, was wir letzte Stunde gemacht haben.«

»Das wissen wir nicht mehr.«

»Gut, ich auch nicht. Fangen wir also heute mit einem neuen Thema an. Auf dem Lehrplan steht, dass wir uns ein wenig mit Wirtschaft beschäftigen müssen. Da ihr ja alle mal arbeiten gehen wollt, dachte ich, wir reden heute über die Organisation von Firmen. Kennt sich da schon jemand aus?«

Schweigen. Lisa zeigt mir unter der Bank einen Versandhauskatalog, bei dem man »Perücken nach Art der Hollywoodstars« bestellen kann.

»Keiner? Gut, dann erzähl ich euch was über das Verhältnis von Arbeitgeber und Arbeitnehmer.«

Da meldet sich Peter. Kein Wunder, denken wir, der vögelt seit drei Wochen Kasupkes Tochter und weiß seitdem alles über Verhältnisse.

»Arbeitnehmer, das sind unsere Eltern. Also alle, die in Firmen arbeiten gehen«, sagt Peter mit einem breiten Grinsen.

Herr Kasupke tritt leicht vom einen Fuß auf den anderen und streicht sich nachdenklich durch das schüttere Haar. »Nein, Peter, das ist so nicht ganz richtig. Passt auf, es ist eigentlich ganz einfach. Die Begriffe sagen uns ja schon, wie sich das im Grunde verhält. Also: Arbeitgeber, das sind die, die ihre Arbeitskraft einem anderen geben und dafür Geld bekommen. Und der Boss ist dann der Arbeitnehmer, denn der nimmt ja Arbeit in Empfang.«

Ja, Sie haben richtig gelesen. Solches und Ähnliches haben wir fürs Leben gelernt. Auch jüngere Angehörige der Generation Doof schreiben sich in Internetforen den Frust vom Leib: »Hatten heute Politik. Da weiß ich nich viel, drum ists immer lustig zuzuhören – auch wenn manches nach Propaganda klingt.«

Auch uns Älteren kam der Politikunterricht zuweilen blödsinnig vor. In der ersten Doppelstunde verteilte unsere Lehrerin in der achten Klasse Kopien aus der TAZ, die sie abonniert hatte, wie sie ständig betonte. Die wurden dann erst gelesen und in der zweiten Doppelstunde diskutiert. Wilde Weltverschwörungstheorien waren an der Tagesordnung, ohne dass die Lehrerin eingegriffen hätte. Das wahre Unheil ereilte uns jedoch aufgrund des mangelhaften Erdkundeunterrichts, als es im Familienurlaub nicht wie sonst üblich nach Mallorca gehen sollte, sondern nach Málaga. Das kannten wir eigentlich nur vom italienischen Eisladen um die Ecke und vermuteten die Insel daher auch in der Nähe von Italien. In späteren Jahren hätten wir das ganz einfach bei Waikikipedia nachgeschlagen.

Es hat lange gedauert, bis wir uns von den Schädigungen durch das deutsche Schulsystem erholt hatten, unter denen die Ausläufer der Generation Doof noch immer leiden. Als Berufsanfänger haben wir uns jedenfalls noch so manches Mal mit unseren Chefs darüber gestritten, wer hier wem was gibt und nimmt.

> *»Ein Mann, der nie zur Schule gegangen ist,*
> *kann von einem Güterwaggon stehlen. Hat er*
> *aber einen Universitätsabschluss, kann er die*
> *ganze Eisenbahn stehlen.«* Theodore Roosevelt

Der gute alte »Teddy« Roosevelt würde sich heute wohl darüber wundern, dass bei der Nennung seines Namens so manchem Uni-Absolventen Fragezeichen in den Augen stehen. Und er würde ebenfalls die Stirn runzeln, wenn er wüsste, dass dieser junge Mensch mit seinem universitären Wissen allenfalls ein lauwarmes Würstchen, ganz sicher aber keine Eisenbahn klauen könnte. Und die schöne Anekdote, dass der plüschige Teddybär nach dem Ex-Präsidenten benannt ist, weil dieser auf der Jagd einmal einem Bären das Leben schenkte, kennen heute nur noch die wenigsten Schüler.

Wer sollte dieses Zusatzwissen auch weitergeben, sind die Lehrer von heute doch oft völlig damit überfordert, schon den normalen Lehrplan an das Kind oder den Teenager zu bringen. Schuld an der latenten Missbildung durch deutsche Schulen und an den Fehlschaltungen in den Köpfen der Generation Doof sind somit letztendlich alle: Im trauten Heim versteht man Erziehung heute eher als verwalterische Tätigkeit und produziert so Schulbankdrücker und Langzeitstudenten, die sich für alles andere als für den Lehrstoff interessieren – und an den Kabinettstischen sitzt man das Problem lieber in gemütlichen Ledersesseln aus und eiert um Lösungen herum.

Unter Artenschutz müssten allerdings jene fallen, die jeden Tag vorne an der Tafel stehen. Und wenn Doofe wie wir so etwas sagen, erhält das ein besonderes Gewicht. Immerhin gehören wir zu einer Generation, die reihenweise Lehrer zur Verzweiflung brachte. Ein Musiklehrer an unserer Schule griff angesichts der Schwachsinnsattacken seiner Schüler zur Flasche, bis er nur noch drei Wörter sagen konnte: »Machsse mir nocheinss?« Am Ende trank er nämlich jeden Abend zwanzig Bier in der Kneipe. Lehrer der Generation Doof zu sein, heißt also vor allem eines: einen guten Grund zur Kapitulation zu haben.

Lehrer werden ist nicht schwer,
Lehrer sein dagegen sehr

Stell dir vor, es ist Schule, und die Lehrer haben keine Lust. Es scheint fast so, als sei es uns, den Angehörigen der Generation Doof, die in den Achtzigern *Hurra, hurra, die Schule brennt* mitgesungen haben, mittlerweile gelungen, dem Lehrkörper seinen Job madig zu machen. Vielleicht waren daran auch Werke wie Lotte Kühns *Lehrerhasser-Buch* schuld, die der lehrenden Zunft ein denkbar schlechtes Image verpassten und den Eltern und Schülern ein verbrieftes Recht auf Besserwisserei gaben.

Vielen Lehrern ist es mittlerweile peinlich, offen zu ihrem Beruf zu stehen. »Auf Partys vermeide ich es meistens, jemandem zu verraten, was ich mache«, gesteht uns eine Lehrerin. »Jeder ist ja selbst mal zur Schule gegangen und meint, er wüsste darum genau, was einen guten oder schlechten Lehrer ausmacht.« Noch immer gilt das Lehramt als gut bezahlter Halbtagsjob. Dass es für diejenigen Lehrer, die sich in der anderen Hälfte der Arbeitszeit auf den Unterricht vorbereiten sollen, aber immer schwieriger wird, die stetig wachsenden Anforderungen von Lehrplänen, Eltern und Schülern zu erfüllen, wird weitgehend ausgeblendet.

> *»Lehrer ist kein Beruf, sondern eine Diagnose.«*
> Der SPIEGEL

Eines sei festgehalten: Lehrer sind nicht die Retter der Nation und können nicht rausreißen, was andere versiebt haben. Petra Sahler ist Lehrerin an einem Gymnasium in Freiburg und hat einen Gutteil an verpassten Bildungschancen gesehen. Die Schuld trägt ihren Erfahrungen nach nicht ausschließlich die Schule. »Das Grundproblem ist, dass die Erziehungsverantwortung von den Eltern immer häufiger auf die Lehrer abgeschoben wird«, sagt sie. »Bei dreißig Kindern in einer Klasse kann aber niemand von uns erwarten, dass wir Einzelerziehung leisten.« Keine gute Voraussetzung für einen Job, der ein ähnlich hohes Stresspotenzial in sich birgt wie der Aktienhandel auf dem Börsenparkett.

Dass man als Lehrer heute auch die verfehlte Erziehung im Elternhaus wieder glattbügeln muss, ist für viele nur ein zusätzliches Problem in einer großen Schultüte voller Schwierigkeiten. Die meisten Lehrer haben schon vollauf damit zu tun, ihrer eigentlichen Aufgabe gerecht zu werden, denn die Wissensvermittlung, wie sie seit über hundert Jahren an Schulen praktiziert wird, ist oft nicht mehr ohne Weiteres möglich.

Dank medialer Dauerberieselung, Konsumterror und unterhaltungselektronischer Ablenkungsfaktoren – dazu gehören Spielzeuge wie iPod, Handy oder ferngesteuerte Styropor-Flieger – flippen Schüler immer öfter aus und können sich nicht mehr konzentrieren. ADS sei hier nur als Stichwort genannt. Grundsätzlich vermissen Lehrer heute bei so manchem Schüler die Fähigkeit, komplexe Zusammenhänge zu erkennen oder gar größere Probleme zu lösen.

Manche Mutter ruft nun sicherlich empört aus, dass das kein Wunder sei. Schließlich würden die Kinder ja in der Schule völlig überfordert und in ihrer Einzigartigkeit nicht ernst genommen. Der kleine Philipp oder die süße Carina seien nach der Schule oft so fertig, dass sie die Katzenklappe nicht mehr vom Briefschlitz unterscheiden könnten. Stimmt das? Wollen die Lehrer zu viel von ihren Schülern – oder unterfordern sie die Kinder?

Eines steht zumindest fest: Die geistigen Fähigkeiten der Generation Doof schrumpfen immer weiter auf Bröckchengröße. Das Hirn des Durchschnittsschülers scheint weniger Kapazitäten zu besitzen als ein alter Commodore 64. Gedächtnisforscher haben herausgefunden, dass der geistige Arbeitsspeicher eines Schülers nur zu zwanzig Prozent vom Lehrer gefüllt wird, weitere zwanzig Prozent werden vom Sitznachbarn beansprucht. Die restlichen sechzig Prozent dösen im Stand-by-Modus vor sich hin.

Wie soll man da noch Wissen vermitteln, und das in inzwischen maximal zwölf Jahren, Ehrenrunden nicht mitgerechnet? Ohnehin gleicht das Lernen an deutschen Schulen und Unis kurzfristiger Saisonarbeit. Der vermittelte Stoff wird für die nächste Klassenarbeit oder Klausur gepaukt, danach verschwindet er auf Nimmerwiedersehen im Nirwana MTV-verstrahlter Gehirnwindungen.

Wer das weiß und sich dennoch vor die Aufgabe gestellt sieht, möglichst viel Wissen in Schülerköpfe zu zwängen, verzweifelt schnell. Vor allem dann, wenn man sich davor fürchten muss, dass die Benotung der mangelhaften Ergebnisse Unwillen erregt.

Petra Sahler berichtet von einem besonders krassen Fall: Nachdem eine Kollegin einem Schüler eine Fünf in Deutsch verpasst hatte, wurde sie tags darauf beim Spaziergang von dessen Vater im Auto verfolgt. Der fuhr mehrere Male mit Vollgas auf sie zu und kam stets erst in letzter Sekunde mit einer Vollbremsung vor ihr zum Stehen. Dann stieg er aus und drohte ihr, demnächst nicht mehr zu bremsen, wenn sie seinem Sohn noch mal eine solche Note verpassen würde. Angesichts von Rütli-Schülern und Amokläufern ist es nicht verwunderlich, dass auch Petra Sahler es mit der Angst zu tun bekam.

> *It's a fucked up world, a fucked up place*
> *everybody's judged by their fucked up face,*
> *fucked up dreams, fucked up life,*
> *a fucked up kid with a fucked up knife,*
> *fucked up moms and fucked up dads.*
>
> Limp Bizkit

Auf elterliche Unterstützung kann heute kein Lehrer mehr bauen. Viele Pädagogen sehen sich ihrer Aufgabe nicht mehr gewachsen, fühlen sich ausgebrannt und überfordert. Lehrer sind zur Zielscheibe der Verachtung geworden, obwohl dieser Beruf vor wenigen Generationen noch zu den Tätigkeiten mit dem höchsten Sozialprestige gehörte.

Dass es jetzt ganz anders aussieht, zeigt der Eintrag eines Schülers in einem Webforum: »Wir hatten bis vor Kurzem eine unfähige Referendarin an unserer Schule. Die konnte nichts. In einer Stunde hat sie DREI Versuchslampen zerschrottet, weil sie eine zu hohe Voltzahl eingestellt hatte. Natürlich hat sie erst mal uns die Schuld in die Schuhe geschoben, obwohl wir ihr gesagt hatten, dass es vielleicht zu viel Volt sind. Vor ein paar Wochen hatte sie dann Prüfungsstunde mit ner 13. Stufe. In der Stunde hat sie die ganze Zeit versucht, ein Experiment zu zeigen. Hat sie aber nicht hinbekommen. Deshalb ist sie heulend rausgelaufen und hat gesagt: ›IHR SEHT MICH HIER NIE WIEDER!!!!‹«

Ob der junge Mann mit seinem gnadenlosen Urteil recht hatte oder nicht: Es sind in der Tat häufig die Referendare, die der Alltagsschock unvorbereitet trifft. In den Uniseminaren herrschte gerade noch eine kuschelige Atmosphäre; die Konfrontation mit der Realität kommt daher ziemlich überraschend. Völlig hilflos habe er oft vor dreißig Teens gestanden, gab uns ein Nachwuchslehrer zu Protokoll. So ist es nicht weiter verwunderlich, dass sich die Motivation der angehenden Pauker bald auf die Pausen und den Feierabend konzentriert.

Viel zu häufig entscheiden sich ohnehin die Falschen für diesen Beruf. Das denkt auch Ex-Gymnasiallehrerin und Buchautorin Marga Bayerwaltes, die sich darüber ärgert, dass das Lehrerzimmer »zu einem Auffangbecken für Studienversager, Mittelmäßige, kurz gesagt für Doofe, Faule und Kranke« geworden sei.

Aber anstatt diese Menschen auszubuhen, freuen wir uns doch lieber, dass überhaupt noch jemand den Mut aufbringt, diesen Job zu machen. Wenn wir die wenigen demotivieren, die sich der wichtigen Aufgabe annehmen, unserem Nachwuchs etwas beizubringen, dann sieht die Zukunft nicht nur triste, sondern auch doof aus.

Stellen Sie sich spaßeshalber einmal vor, es gäbe tatsächlich genügend qualifizierte Lehrer, die mit Freude ihrer Arbeit nachgingen, und Schüler, die nichts lieber täten, als den ganzen Tag zu lernen. Wäre das nicht ein Traum?

Es wird auch immer ein Traum bleiben. Denn abgesehen davon, dass es so etwas nie gegeben hat und nie geben wird, fehlen ganz einfach die finanziellen Mittel, um eine solche Utopie Wirklichkeit werden zu lassen. Das Kernproblem der deutschen Bildungslandschaft bleibt ihre chronische Unterfinanzierung. Ohne eine solide finanzielle Grundlage fehlen schlicht die Ressourcen für ein Bildungssystem, das deutsche Schüler an die Hand nimmt und fit für die Zukunft macht. Und die Angehörigen der Generation Doof sind die Leidtragenden. Nachdem wir keinen Ausweg sehen, scheint uns nur noch die Flucht in Spott und Verweigerungshaltung zu bleiben.

Laut dem OECD-Bericht *Bildung auf einen Blick* aus dem Jahr 2006 investiert Deutschland weniger in Bildung als die meisten anderen Industrieländer. Länder wie Island geben beispielsweise acht Prozent ihres Bruttoinlandsprodukts für Bildung aus, bei uns sind es lediglich 5,3 Prozent. Das führt zu einem Bildungsflickenteppich: Schulstunden werden ersatzlos gestrichen, Vertretungslehrer gibt es in den meisten Fällen nicht, Unterrichtsmaterialien sind veraltet. Wer darin Chancen für eine qualitativ hochwertige Ausbildung sieht, glaubt auch, dass der Klimawandel ein neuer Gag aus Steven Spielbergs Trickkiste ist. Deutschland sucht die Supergeneration? Mit diesen Mitteln jedenfalls nicht.

Besonders schlecht stehen im internationalen Vergleich die deutschen Universitäten da. Die leidigen Studiengebühren brachten zwar nach langem Ringen und diversen Studentenprotesten endlich Geld in die Kassen der Länder. Doch schon bald nach der Einführung wurden Anfang 2007 die ersten Fälle bekannt, in denen die Mittel verschwendet wurden. Die Uni Düsseldorf ließ mit den Studiengebühren Marketingkonzepte erstellen, um mehr Studenten anzulocken, und auch die RWTH Aachen ließ Imagebroschüren drucken. An der Fachhochschule Hannover schaffte man einen DVD-Player zum günstigen Preis von über achthundert Euro an (privat begnügt man sich ja eher mit handelsüblichen Geräten für rund fünfzig Euro). Die FH Hildesheim und die Uni Dortmund stopften mit den Einnahmen aus den Studiengebühren ihre Haushaltslöcher.

Aber es muss doch noch kreativere Möglichkeiten geben, wie man das Studiengeld zum baufälligen Unifenster hinauswerfen kann? Wir denken da an T-Shirts für alle mit dem Aufdruck »Elitestudent« oder »Alles Schlampen außer dem Dekan«, an Fitnesstrainer aus den USA für die neuen Sportarten »Handyweitwurf« und »Extrembügeln«, betreutes Videogucken für Erstsemester oder Diskussionsrunden zu den Themen »Die Auswirkung von Star Trek auf die intellektuelle Leistungsfähigkeit von Kostümverleihbesitzern«, »Hochschulsport – gut gedopt ist halb gewonnen« oder »Raumkrümmung durch Alkohol«.

Zur Not könnte man mit dem Geld aber auch höhere Gehälter für die Dozenten finanzieren, denn diese müssen sich zurzeit noch mit kärglichen fünfzehn Euro pro Semesterwochenstunde begnügen. Wenn sie mehr Geld fürs Bespaßen der Studenten erhielten, müssten sie ihr Dasein nicht zusätzlich mit Zweit- und Drittjobs finanzieren. Der Geldmangel ist weder der Inspiration noch der Motivation oder der Aufrechterhaltung eines gesunden Body-Mass-Index dienlich. Wenn die finanziellen Mittel jedoch schon im ersten Anlauf in den falschen Ecken landen, macht es einen komischen Eindruck, wenn so mir nichts, dir nichts ein paar Unis zu Eliteuniversitäten gekürt werden. Daran sind zwar Forschungsgelder gekoppelt, aber die reichen meist nicht einmal aus, um Bohnen für die neue Espressomaschine des Rektors zu kaufen.

Aber selbst wenn die auf diese Weise entstandenen Eliten eines Tages ihre Aufgabe erfüllen sollten, würde sich nichts daran ändern, dass die Kluft zwischen brillanten Geistern und dumpfer

Masse in Deutschland immer größer wird. Erkleckliche Summen fließen in die Förderung einer kleinen Elite, damit dieser subatomare Prozentsatz der Bevölkerung später unseren Ruf in der Welt retten kann. Ohne die nötigen finanziellen Mittel für eine qualitativ hochwertige Ausbildung, die einer breiten Basis und damit auch der Generation Doof zuteilwird, wird das Gros der deutschen Schüler jedoch auch in Zukunft allenfalls Mittelmaß sein. Dann könnten wir geistig bald vor dem Kollaps stehen. Erst wenn das Bildungsfernsehen tot, die letzte Rohkost verdaut ist und nur noch Wohlstandsspeckrollen unter bauchfreien T-Shirts blitzen, werden wir feststellen, dass man die Uhr der Verblödung nicht mehr zurückdrehen kann.

Allemagne: Zero Points?

Die Generation Doof und ihre Bildung – was bleibt unterm Strich? Sind wir tatsächlich bloß ein Haufen von Bildungsversagern, Halbstudierten, Nichtskönnern, Leistungsverweigerern und Langzeitpraktikanten, die nichts auf die Reihe bekommen? Hat Großmutter etwa recht, wenn sie bekümmert den Kopf schüttelt und jammert: »Kind, was soll bloß mal aus dir werden?«

Nun, selbst wir Autoren, die wir uns zur Generation Doof zählen, haben auf unergründlichen und oft zufälligen Wegen am Ende doch noch einen Job ergattert – trotz Mut zur Bildungslücke, Massenuni und erschöpfendem Praktikamarathon.

Dabei haben wir mitunter sogar unseren Spaß gehabt, obwohl wir weiterhin ständig damit beschäftigt sind, Wissenslücken zu schließen und Versäumtes nachzuholen. Ist das ein Fluch, der auf unserer Generation lastet? Oder ist das etwa das viel beschworene lebenslange Lernen?

Eine Fähigkeit haben wir uns jedenfalls alle angeeignet: Wir sind Meister im »So tun, als ob«, denn dann merkt keiner, was wir nicht wissen. Frei nach dem Motto: »Einer, der nichts weiß und weiß, dass er nichts weiß, aber das gut verbergen kann, weiß mehr als der andere, der nicht weiß, dass der eine nichts weiß.« Oder so.

Denn die, von denen man sieht, dass sie nichts wissen und nichts kapieren, sind nur die Spitze des Eisbergs.

Was uns, die Autoren, angeht, sind wir durchaus zufrieden, dass wir trotz unserer Dummheit unser Glück gefunden haben. Es gibt aber auch die, die wirklich was draufhaben. Sie sind die Ausnahmen von der dummen Regel, die schlauen Zwillingsschwestern und -brüder der Generation Doof. Ihnen gehört hoffentlich die Zukunft.

Dazu zählen junge Leute wie Moritz Schulze, achtzehn Jahre alt und schon Vorstandsvorsitzender seines eigenen Unternehmens. Mit Freunden aus seiner Klasse am Braunschweiger Wilhelm-Gymnasium hat er *Know it* gegründet, einen Freizeitguide für Sechzehn- bis Fünfundzwanzigjährige. Prämiert ist das Konzept auch schon: *Know it* wurde im Jahr 2006 als beste Schülerfirma Europas ausgezeichnet. Und Geld verdienen lässt sich mit der Idee ebenfalls: Schon nach kurzer Zeit finanzierte sich »Know it« über Werbeeinnahmen, und die Junioren konnten einen Betriebsausflug nach Spanien machen.

Nun kann man natürlich nicht von jedem jungen Erwachsenen erwarten, dass er gleich seine eigene Firma gründet und damit steinreich wird. Wo kämen wir denn dann hin, mit lauter jungen Neureichen … Aber träumen darf man schon. Es gibt immerhin genügend »normale« Hoffnungsträger, wie man auf der Berliner »Nacht der Talente« jedes Jahr feststellen kann: junge Manga-Zeichnerinnen, die es mit der internationalen Konkurrenz aufnehmen können, Schüler, die Radioaktivität in Lebensmitteln nachweisen, oder begabte Nachwuchsschlagzeuger.

Dass es förderungswürdigen Nachwuchs gibt, belegen Projekte wie die Berliner Agentur Campusmondi, eine Karriereberatung, die bereits Elftklässlern hilft, den optimalen Start in die Berufslaufbahn zu erwischen. Ein Projekt, das Eigeninitiative fördert, anstatt sie nur vorzugaukeln wie die nicht sonderlich beliebte »Du bist Deutschland«-Kampagne.

Bildung zu fördern ist eine Sache, es scheint jedoch auch en vogue zu sein, sich Bildung zu kaufen. Privatschulen werden immer beliebter. Und der Griff in die Geldbörse könnte eine Lösung sein.

Verantwortlich für den Run auf Privatschulen ist das PISA-Fiasko. Der Bundesverband Deutscher Privatschulen gibt an, dass bereits knapp sieben Prozent der deutschen Schüler an einer der 2700 nicht staatlichen Lehranstalten büffeln, Tendenz steigend. Allein in Hessen stieg im vergangenen Jahr die Zahl der Schüler in privaten Bildungseinrichtungen laut Statistischem Bundesamt um mehr als drei Prozent.

Eltern, die ihre Kinder auf eine Privatschule schicken, finden, dass dort stärker auf die Fragen des Lebens eingegangen wird als auf einer staatlichen Schule. Allerdings kann sich nicht jeder die Premium-Ausbildung leisten, und es gibt nur wenige Stipendiaten.

Doch auch für Otto Normalbildungsverbraucher sieht es nicht ganz so schlecht aus. Ein Bremer Rektor bringt seinen Zöglingen in einem neuen Schulfach »Umgang, Benehmen und Verhalten« bei; die hessische Landesregierung wirbt mit einer Unterrichtsgarantie ohne Stundenausfall; bundesweit erprobt man Fremdsprachen-lernen ab der dritten Grundschulklasse; und die Uni Tübingen bietet eine »Kinder-Uni« an, in der schon die Kleinsten den Spaß am Lernen entdecken können.

> »Ihr seid gar nicht so dumm, wie ihr ausseht.«
> Muhammad Ali 1963 zu den Beatles

Es tut sich was in Doofistan. Sollte unsere Generation also neidisch sein, weil es für die, die nach uns kommen, bergauf zu gehen scheint? Nein, denn die Gefahr ist noch nicht gebannt. Intelligenzforschern zufolge klafft in unserer Gesellschaft bereits ein ebenso tiefer Abgrund zwischen Schlau und Dumm wie zwischen Arm und Reich –

und beides hängt kausal zusammen. Während die Hochintelligenten und Begüterten ihr Level halten oder sogar ausbauen können, fallen niedrigere soziale Schichten weit zurück. Kindern aus finanziell bessergestellten Familien gelingt es wesentlich leichter, eine vielversprechende Bildungskarriere zu absolvieren. In sozial schwachen Familien scheinen sich dagegen die Probleme und damit oft auch Unfähigkeit und Wissensmangel zu vererben. Hohe Intelligenz bedeutet Wohlstand, geringe leider nur ein schlechtes Einkommen.

Wirklich dramatisch wird es, wenn sich die Probleme in der Folgegeneration fortsetzen. Denn man könnte der trügerischen Hoffnung erliegen, in der deutschen Gesellschaft werde es den Erwachsenen von morgen gelingen, aus der finanziellen und geistigen Armut auszubrechen und im besten Fall eine höhere Bewusstseinsstufe zu erreichen. Wird die Welt nicht zwangsläufig gerechter – durch Sozialgesetzgebung und Weiterentwicklung der Art?

Nö, Pech gehabt. Die PISA-Studien haben nicht nur festgestellt, dass die deutschen Schüler doof sind. Es gibt auch kein anderes europäisches Bildungssystem, das so wenige Möglichkeiten bietet, vom geistigen Tellerwäscher zum Millionär aufzusteigen. Wer heute arm geboren wird, bleibt meist auch arm. Wer dumm ist, bleibt meist auch dumm. Wer arm und dumm ist … Nun ja, Sie ahnen es schon. Hinzu kommt, dass Intelligenz, oder eben Dummheit, erblich sind. Sechzig bis achtzig Prozent hängen angeblich von den Genen ab, den Rest bestimmt die Umwelt.

Damit sich Lernen lohnt, müssen Schul- und Universitätsabschlüsse wieder einen Wert bekommen – mehr Praxis, weniger Nasepopeln. Wir müssen einsehen, dass Bildung mehr ist als das Papier des Abschlusszeugnisses, und dass sie uns hilft, uns zu verändern und das Leben aus einem anderen Blickwinkel zu betrachten. Bisher sind die meistgeliebten Idole nicht Manager, Forscher oder Nobelpreisträger, sondern Sportler, Sänger oder Schauspieler. Mit der richtigen Ausbildung und ein bisschen Glück und Spucke könnte sich das bald ändern.

Falls nicht, können wir vielleicht noch zu Lebzeiten den Untergang des Abendlands erleben. Dann ergeht es uns tatsächlich wie den Römern, die Orgien feierten, Wein aus Schläuchen soffen und sich nach dem Mahl erbrachen, um befreit weiterfressen zu können, während ihr eigener Kaiser ihnen die Stadt abfackelte und ihre Legionen von germanischen Unholden vermöbelt wurden. MTV, RTL, Gameboy und Playstation sei Dank werden die Generation Doof und ihr Nachwuchs dann zu willenlosen Konsumenten degenerieren, von denen jeder die geistige Aufnahmekapazität eines nassen Schwamms besitzt.

Es ist endlich an der Zeit, dass sich Deutschland nicht nur zu seiner Bildungsschwäche bekennt, sondern auch danach handelt. Nix Elitenförderung, bevor wir nicht den Rechtschreibreformversagern und Bildungsschlusslichtern das Händchen gereicht haben.

Umgekehrt gilt dies auch für die Bildungsverweigerer, Spaßfetischisten, Wissensbremser und Bücherfaultiere: Wir müssen Verantwortung für unser Leben übernehmen, den Unterschied zwischen Spaß und Freude endlich kapieren und das Hemd der Bescheidenheit über unsere Wohlstandsplauze ziehen.

Mit dem entsprechenden Bildungspolster wird es uns auch gelingen, einen Arbeitgeber davon zu überzeugen, dass er uns getrost einstellen kann – und wir müssen uns endlich keine beschönigenden Formeln mehr ausdenken, wenn es um unsere mangelhafte Qualifikation geht. Wir brauchen dann auch keine Ratgeber in Zeitschriften mehr, die uns sagen, was als Notlüge im Vorstellungsgespräch erlaubt ist und was nicht.

Wir, die Angehörigen der Generation Doof, machen im Beruf so weiter, wie wir in der Schule angefangen haben: Kommste heut nich, kommste morgen. Und was du heute kannst besorgen, das verschiebe ruhig auf morgen. Trotzdem haben wir im besten Fall den einen oder anderen Posten ergattert. Aber dort benehmen wir uns tierisch daneben: entweder wie ein Faultier, ein Platzhirsch oder Elefant inmitten von Großmutters Lieblingskeramik.

KAPITEL 3

Beruf – Leistung ohne Leidenschaft

»Für einen richtigen Beruf bin ich zu doof.«
Adam Sandler

Jede Generation hat geistige Urväter. Die der Generation Doof heißen Stan Laurel und Oliver Hardy. Das Duo aus dem Dicken und dem Dünnen, dessen hochfliegende Pläne stets an der eigenen Dummheit scheitern, flimmerte schon über die Leinwand, lange bevor wir das Licht der Bildröhre erblickten.

Stans und Ollies Botschaft für ihre Nachfolger: Das Leben ist so, als würde man mit einer Packung roher Eier auf Bahnschienen Marathon laufen, während einem ständig Güterzüge entgegenkommen. Die Frage ist nur, wie man damit umgeht.

Obwohl Filme wie *Die Geldgierigen*, *Der zermürbende Klaviertransport* oder *Das große Geschäft* schon etliche Jahre auf dem Buckel haben, bekommt man auch heute noch einen recht guten Eindruck davon, wie Doofe arbeiten. Vieles von dem, was es da zu sehen gibt, lässt sich auf die Generation Doof übertragen. Eine Szene aus dem Film *Dick und Doof als Schornsteinfeger* verdeutlicht den Workflow aller Doofen damals wie heute:

Stan und Ollie sollen einen Kamin reinigen. Ollie macht sich auf dem Dach zu schaffen, Stan bearbeitet währenddessen unten im Wohnzimmer den offenen Kamin. Es qualmt, rußt und scheppert.

Stan bemüht sich nach Leibeskräften, den Besen durch den Kamin zu schieben. Ollie wartet auf dem Dach verzweifelt darauf, dass die Kehrstange endlich bei ihm ankommt.

»Es geht nicht mehr weiter!«, ruft Stan weinerlich.

»Dann nimmst du eben noch ein Verlängerungsstück!«

»Ich hab keins mehr ...«

»Dann nimm eben irgendwas anderes, sonst werden wir überhaupt nicht fertig!«

Gesagt, getan. Stan holt die Jagdflinte des Hausherrn, steckt prüfend den Finger in den Lauf und funktioniert das Gewehr zur Verlängerung der Besenstange um.

»Hast du inzwischen was gefunden?«

»Ja, ich schieb es gleich hoch!«

»Gut!«

Nein – gar nicht gut. Stan schiebt, und natürlich geht die Flinte los. Die Kugel fegt Ollie oben auf dem Dach den Hut vom Kopf und erledigt danach noch eine Wildgans, die auf ihrem Weg gen Mutter Erde durch den Schornstein fällt und vor Stans Füßen landet.

Ollie zerrt auf dem Dach stinksauer am Kehrbesen, der halbzerfetzt aus dem Schornstein ragt. Unten missdeutet Stan die Bewegung der Putzlatte als Aufforderung, ebenfalls zu ziehen, und pullt im rasanten Rückwärtsgang wie zehn Matrosen an der Großschot der *Gorch Fock*.

Er gewinnt das Tauziehen, und nur das Klavier am anderen Ende des Raumes kann ihn stoppen. Unter Stans Aufprall löst es sich klimpernd in seine Bestandteile auf. Ollies Kilos verlieren oben das Gleichgewicht, und er kommt wie der Weihnachtsmann durch den Kamin gerauscht.

Der Hausherr steht in einer Rußwolke und betrachtet die Trümmer, die mal sein Wohnzimmer waren. »Ich befürchte, dass auf Sie der elektrische Stuhl wartet!«, sagt er mit säuerlicher Miene. Für Stan und Ollie bedeutet das: Wieder ein Scheißjob, wieder rausgeflogen – aber das Leben geht trotzdem weiter.

Als Kinder haben wir unzählige lustige Nachmittage mit Laurel und Hardy verbracht, die als Gelegenheitsarbeiter ständig wegen ihrer Unfähigkeit gefeuert werden. Was wir daraus hätten lernen *sollen*: Große Erwartungen und vollkommenes Deppentum ergeben eine explosive Mischung. Was wir daraus gelernt *haben*: Man kommt selbst dann über die Runden, wenn man sich so doof anstellt wie Rambo auf der Tupperware-Party.

Es ist eine angenehme Vorstellung, dass Arbeit stets ein Happyend hat, und dass das Leben, was unsere Unfähigkeit angeht, bei uns Doofen Milde statt Härte walten lässt. Daran glaubt man jedoch höchstens so lange, bis man selbst Geld verdienen muss. Wenn die Generation Doof nach der Verhätschelung durch die Eltern und einer langweiligen Ausbildung auf die Arbeitswelt trifft, stellen wir plötzlich fest, dass wir mehr mit Dick und Doof gemein haben, als uns lieb ist. Nicht nur, dass bei vielen von uns die Einstellung zur Arbeit ähnlich verquer und erfolglos ist wie bei Stan und Ollie. Wir müssen uns zudem die Frage gefallen lassen, ob wir überhaupt etwas Brauchbares gelernt haben, das uns für einen Job qualifiziert – kein Wunder bei einer Generation, deren Bildungslücken so groß sind wie die Löcher in einem Schweizer Käse: Nicht überall, wo Abi drauf steht, ist auch Abi drin; längst nicht jede Ausbildung verabreicht ihren Ausgebildeten die Weisheit mit Löffeln; und viele Studienabschlüsse sind eher magna cum lau als magna cum laude.

Welches Ungemach uns im Job droht, bemerken viele von uns schon recht früh. Für die männlichen Anteile der Generation Doof ist der Zivildienst der erste Ausflug in die Arbeitswelt, wenn sie den Dienst am Ballermann verweigern. Diese Zeit ist eine Art Testgelände, denn hier findet die erste scheue Begegnung mit dem Ernst des Lebens statt, den wir bis dahin meist nur aus der Ferne oder im Fernsehen betrachtet haben.

Jahre später erinnern sich die meisten der ehemaligen Zivis gerne an die Zeit, als sie täglich Bettpfannen leerten, Rollstühle reparierten oder Senioren-Pizzataxi spielten. Es war eine gute Zeit, in der man noch keine Verantwortung tragen musste und das Frühstück manchmal mit einer kleinen Tüte begann. Doch gerade an dieser Leichtigkeit konnte man bereits ablesen, welche Arbeitsmoral unsere Generation später an den Tag legen würde: Während die einen ihren Job durchaus ernst nahmen, kurierten die anderen ihren Kater vom Vorabend aus und stellten sich bei den praktischen Aufgaben des Tages selten dämlich an.

Karl Glock begrüßt mich im zünftigen Blaumann. Sein Hände-
druck ist kräftig, die Handflächen sind voller Schwielen, und unter
den Augen hängen dunkle Tränensäcke, die selbst Derrick neidisch
machen würden. Mein erster Eindruck: Der Mann weiß, was harte
Arbeit ist.

Ich habe als Zivi in der Hausmeisterei eines Altenheims ange-
heuert, und Glock ist für die nächsten dreizehn Monate mein Boss
– der erste in meinem Leben.

Glock hat nur noch zwei Jahre bis zur Rente vor sich, und wenn
er erzählt, merke ich ihm die Vorfreude auf die viele freie Zeit deutlich an. In den vergangenen zwanzig Jahren hat er unzählige Zivis
und Auszubildende durch seine Werkstatt geschleust. Doch in letzter Zeit ist ihm der Spaß an der Sache vergangen. Mit säuerlichem
Unterton erklärt er, er habe das Gefühl, nur noch von »Bescheuer-
ten« umgeben zu sein. Wieso guckt er mich dabei so an?

Meinen Vorgänger hat er vor Kurzem rausgeschmissen. Der war
plötzlich nicht mehr aufzufinden gewesen, und Glock entdeckte
ihn schließlich ohnmächtig auf dem Klo. Künstlerpech – nicht jedem ist es gegeben, Marihuanamengen richtig einzuschätzen.

Der Hausmeister führt mich hinaus in den Garten und bleibt
vor einem zerrupften Busch stehen. Es gibt wohl noch einen anderen
Zivi, der ausschließlich fürs Rasenmähen und die Gestrüppbeseiti-
gung zuständig ist. Er heißt Mike und hat gerade das Abi bestanden.

»Der hat in der kurzen Zeit mehr Schaden angerichtet als die
Japaner in Pearl Harbor«, sagt Glock missmutig. »Letzte Woche ist
er den Pflanzen hier mit der Heckenschere zu Leibe gerückt, weil er
dachte, es sei Unkraut. Dabei sind das Petunien.«

Ich lasse mir nicht anmerken, dass ich für den Hinweis dankbar
bin.

Glock will mich mit Mike bekannt machen und führt mich zum Geräteschuppen. Die Tür steht sperrangelweit offen, Mike ist nicht da. Glock erklärt mir, dass er wahrscheinlich mit der Kehrmaschine ums Haus fährt – eine der wenigen Tätigkeiten, die er bisher unfallfrei verrichtet habe. Während wir uns umsehen, ertönt ganz in der Nähe bereits Motorengeräusch. Mike braust mit der Kehrmaschine heran, ein Minitraktor mit Riesenbürste. Er winkt freundlich zu uns herüber und steuert dann zügig die Einfahrt des Geräteschuppens an. Glock entfährt ein leises »Oh, nein«. Mike zerrt verzweifelt an der Schaltung des Treckers wie Stan Laurel an dem Besen im Kamin, sieht hilflos zu uns herüber und verschwindet dann in voller Fahrt im Schuppen. Aus dem kleinen Verschlag erklingt ein lautes Scheppern, dann heult der Motor ein letztes Mal auf.

Glock läuft puterrot an und stürmt in den Schuppen. Es folgt eine Schimpfkanonade, bei der unter anderem das Substantiv »Vollidiot« und die Redewendung »keine Augen im Kopf« fallen, sowie die finale Aufforderung: »Du verziehst dich besser nach Hause, Freundchen!«.

Die Kehrmaschine ist im Eimer. Glock kommt aus dem Schuppen und drückt mir einen Besen in die Hand. Ich soll kehren und dabei bitte nicht noch mehr Schaden anrichten. Er müsse zu einer Besprechung.

Bevor er geht, gibt er mir noch seine Meinung zur Generation Doof mit auf den weiteren Lebensweg: »Ihr jungen Menschen habt von nichts eine Ahnung. Manchmal wundere ich mich, dass ihr überhaupt in der Lage seid, euch die Schnürsenkel zu binden.« Ich muss spontan an meine Kinderschuhe mit Klettverschluss denken. »Die einen haben überhaupt keinen Bock auf Arbeit, und die anderen führen sich auf wie Generaldirektoren«, fährt Glock erbost fort. »Wer euch später mal einstellt, der tut mir jetzt schon leid!«

Karl Glock – ein Mann mit Weitblick. Denn die Generation Doof stellt bei der Arbeit oft eine Gefahr für sich und andere dar.

Beim Anblick des Doofen-Tsunami, der auf sie zurollt, bekommen die Menschen, die uns eigentlich einen Job geben sollten, schon mal vorsorglich nasskalte Füße: In einer aktuellen Studie warnt das Institut der deutschen Wirtschaft (IW) vor der »Bildungsarmut und Humankapitalschwäche«, die Deutschland vor arge Probleme stellen werde. In den beruflichen Alltag übersetzt bedeutet das, dass es schon heute auf dem Arbeitsmarkt nur noch wenige Leute gibt, die etwas von ihrem Job verstehen. So hätten beispielsweise 2006 rund fünfzigtausend Ingenieure mühelos einen Job finden können – wenn es so viel qualifiziertes Personal gegeben hätte. Stattdessen blieben viele Stellen unbesetzt. In anderen Berufszweigen sieht die Lage ähnlich dramatisch aus: Der Nachwuchs ist nicht gut genug ausgebildet, um die Lücken zu schließen.

Wer dringend auf cleveres Personal angewiesen ist, bekommt die Blödheit einer ganzen Generation schnell im Portemonnaie zu spüren: Wenn es der deutsche Arbeitsmarkt nicht hergibt, muss das Wissen aus dem Ausland importiert und teuer bezahlt werden. Die Alternative: Gut bezahlte Projekte und Aufträge können mangels fähigen Personals nicht angenommen werden. Auswirkungen hat das letztendlich auf uns alle. Nach Schätzung des IW kostet uns der Fachkräftemangel jährlich zwanzig Milliarden Euro. Dummheit ist eben nicht umsonst.

Wie hoch der Schaden ist, den sich die Generation Doof durch ihr gebremstes Engagement und ihre Unfähigkeit selbst zufügt, lässt sich schwer beziffern. Sehr wohl messbar, weil man es deutlich spüren kann, ist jedoch unsere Unzufriedenheit mit der Lage auf dem Arbeitmarkt. Solange wir im trüben deutschen Bildungssystem vor uns hingedümpelt sind, fiel unser mangelhaftes Wissen nicht weiter negativ auf. Es ist wie bei Laurel und Hardy: Wir verstehen oft nur Bahnhof, liefern so manche fragwürdige Klausur ab, aber am Ende geht es trotzdem irgendwie weiter. Könnten wir nach der Ausbildung oder dem Studium gleich in Rente gehen, hätte unser Berufsleben ein Happyend. Doch alles wird anders, sobald wir uns auf Jobsuche begeben müssen. Dann wird es ernst, und dann beginnt der Frust.

Unsere Bewerbungen mit dem Foto aus dem letzten Urlaub und der von uns fröhlich ausgeschöpften Rubrik »Hobbys und weitere Interessen« bleiben nicht selten erfolglos. Dies verhindert, dass wir die Lebensziele erreichen, die wir uns unter dem Werbe-Dauerbeschuss mit gebräunten Cabriofahrern, Eigenheimspießern, Fondssparern und Karriereleitersteigern selbst gesetzt haben.

Das Dilemma beginnt für die Generation Doof jedoch schon vor der eigentlichen Bewerbung. Die Entscheidung, was wir werden wollen, fällt uns beim Beruf leider viel schwerer als an Karneval. Wir wissen, *dass* wir irgendwas machen müssen. Aber wir wissen nicht, was. Im Gegenteil, der Einstieg in den Job bereitet uns mehr Probleme als allen Generationen zuvor.

Frühe Baisse – Der Berufseinstieg ist der erste Crash in unserem Leben

Julia Anders aus Hannover liebte es schon als kleines Kind, auf Opas alter Schreibmaschine herumzuhämmern. Ihren Eltern war bald klar: Das Kind ist zu Höherem berufen. Julia wird mal eine berühmte Schriftstellerin, sie muss nur gefördert werden! Aus der jungen Feder flossen fortan originelle Kurzgeschichten über Zauberer mit spitzen Hüten und Fabelwesen, die auf die Namen der Haustiere hörten. In der Schule avancierte Julia mit guten Aufsätzen schon bald zu Deutschlehrers Schoßhündchen. So bedurfte auch das Einser-Abi keiner größeren Anstrengungen. Danach entschloss sich Julia auf den Rat ihres alten Herrn hin zum Studium der Anglistik und Geschichte in Bonn – dort hatten schon Vorbilder wie Heine, Nietzsche oder Wickert gebüffelt.

Es kam, wie es kommen musste: Nach einem Streberstart mit Proseminaren, Lerngruppen und anderen Spielkreisen verpuffte die Studienlust. Julia verpennte die ersten Semester bis zur Zwischenprüfung größtenteils und hielt sich über Wasser, indem sie alle Scheine mit »ausreichend« oder »teilgenommen« bestand. Mehr verlangte ja auch keiner. Ansonsten verbrachte sie friedliche Sonnentage im Bonner Uni-Park, am Rhein und in diversen Biergärten. Ihre Spontaneität bewies sie, indem sie hin und wieder doch eine Vorlesung besuchte, wenn gerade mal keiner Zeit zum Kaffeetrinken hatte. Warum sollte sie sich da auch regelmäßig hinquälen? In den Vorlesungen gab es keine Anwesenheitspflicht, und an regnerischen Tagen drückten die Themen ohnehin nur zusätzlich aufs Gemüt. Die Zwischenprüfung schaffte Julia ohne weitere Probleme – auch hier war »ausreichend« völlig ausreichend.

Das Hauptstudium war eigentlich nur eine lange Wiederholung des Grundstudiums, und Julia wäre tatsächlich beinahe in der Regelstudienzeit fertig geworden, wenn die Knappheit der Seminarplätze im Hauptstudium sie nicht überrascht hätte. Gerade das Fach Geschichte war an der Massenuni Bonn dermaßen überlaufen, dass in den Hauptseminaren nur noch eine beschränkte Zahl von Teilnehmern aufgenommen wurde. Hier galt eines der Ur-Prinzipien der Menschheit: Wer zuerst kommt, mahlt zuerst. Regelmäßig wurden zu Semesterbeginn Tag, Uhrzeit und Ort ausgeschrieben, an denen die Anmeldung stattfinden sollte. Das führte dazu, dass sich vor dem historischen Seminar in der Nacht vor dem Stichtag kleine Zeltstädte bildeten. Wer sich unbedingt für ein Seminar eintragen wollte, sorgte dafür, dass er als Erster da war, und campierte deshalb kurzerhand vor den Pforten der Uni. Hier griff das Prinzip der Aldi-Sonderangebotsaktion.

Pech für Julia, von Natur aus notorische Langschläferin: Bis sie kapiert hatte, wie der Hase bei der Seminaranmeldung lief, hatte sie zwei Semester in den Sand gesetzt. Tschüss Regelstudienzeit. Hallo Studiengebühren.

Nach vierzehn Semestern, kurz vor der Einführung einer neuen Studienordnung, bekam Julia dann doch noch die Kurve. Nach einem unverhofften Ehrgeizschub schloss sie sogar mit der Note »gut« ab. Auf der Abschiedsveranstaltung wurde verkündet, dass sich ihre Uni fortan als Elite-Uni verstehe. Herzlichen Dank, dachte Julia, viel besser konnte es ja kaum laufen. Alles klar für den Start in die Traumkarriere als weiblicher Hemingway.

Denkste.

Vollbremsung.

Der glanzvolle Magisterabschluss hat sich mittlerweile als Mondrakete ohne Düsen entpuppt. Nix Lift-off in eine steile Karriere – schön weiter beim Lebensmittel-Discounter einkaufen.

Julia will noch immer das machen, was ihr am meisten liegt: kreativ sein, schreiben, am liebsten als Journalistin. Das Ganze im Idealfall als unbefristete Festanstellung und in der Nähe von Bonn, wo sie sich mittlerweile sehr heimisch fühlt.

Bei den ersten Bewerbungen – auf die wenigen Jobs, die überhaupt noch ausgeschrieben sind – hat man ihr jedoch erklärt, dass sie für den Beruf keinerlei Qualifikation habe, und die nötige Erfahrung fehle ihr ebenfalls. Vielen Dank für Ihre Unterlagen. Wir rufen Sie an.

Derzeit verdient sie sich im Halbjahresrhythmus erste Sporen bei immer neuen Praktikumsstellen in Redaktionen, bei Fernsehsendern oder Agenturen – für wenig bis gar kein Geld, aber immerhin Vollzeit mit unbezahlten Überstunden.

Wie bitter die Realität für Julia ist, haben wir Autoren am eigenen Leib erfahren müssen, denn mit der praktischen Vorbereitung auf einen realen Beruf hatten unsere eigenen verkopften Studiengänge ebenfalls wenig zu tun. Wir schlingerten eher von Zufällen getrieben durch das akademische Niemandsland. Und auch für unsere Kommilitonen schien der Ernst des Lebens ein Fernreiseziel zu sein; zumindest machten sie keine Anstalten, sich ernsthaft für die Anforderungen ihres Wunschberufs zu rüsten.

Frühstück in der Einführungswoche des Studiengangs Kulturwissenschaften.

Ein langer Tisch, an dem mit müdem Blick einige rastabelockte Erweckte sitzen. Es ist 1993, Batikshirts sind immer noch groß in Mode. Der Morgen hat praktisch gerade erst begonnen, es ist 11:00 Uhr. Schüchtern setze ich mich neben eine Frau, die einen vergleichsweise neutralen Eindruck macht: Ihre Haare sind zwar hennagefärbt, aber sie ist die einzige Person ohne Blech im Gesicht. Die frisch gebackene Abiturientin in mir traut sich das Wort an sie zu richten.

»Morgen.«

»Hallo!«, antwortet sie mit einem übermäßig entspannten Lächeln. »Und, erste Woche?«

Ja klar, was denn sonst? Sehe ich aus, als hätte ich mich an diesen Saftladen etwa schon gewöhnt?

Sie zieht an ihrer Fluppe und blickt mich erwartungsvoll an. Fühl dich willkommen, sagt dieser Blick, aber beim nächsten Mal komm bitte mit anständigen Klamotten und einem anderen Haarschnitt. Übrigens, sagt der Blick noch, wir sind hier alle supertolerant und nehmen jeden so, wie er ist.

Ich fühle mich gleich gut aufgehoben.

»Ja, Erstsemester«, spreche ich das böse Wort aus, »ich bin noch dabei, mir die Kurse rauszusuchen.« Ich wedele mit meinem Vorlesungsverzeichnis. »Weiß aber nicht, was ich nehmen soll.«

Sie zuckt gleichmütig die Schultern. »Ach, im ersten Semester ist das doch alles noch nicht so wild. Schau dich erst mal um und mach halt das, was dir Spaß macht. Keiner hier«, sie wirft einen Blick in die Runde, »hat im ersten Semester schon einen Schein gemacht.«

Hätte ich mal bloß nicht auf sie gehört. Aber irgendwie prägten sich mir diese Worte ein, und ich konnte sie nicht vergessen – bis ich endlich, endlich meinen Abschluss machte.

Schlimm waren die ersten Jahre in Kulturwissenschaft auch deswegen, weil keiner wirklich wusste, wie das Themenfeld einzugrenzen war. KuWi war ein Laberstudiengang, und ich hatte ihn eigentlich nur deswegen gewählt, weil ich die Veranstaltung »Der Humor von Monty Python« im Vorlesungsverzeichnis gesehen hatte. Ein klassischer Wohlfühlkurs. In den Jahren danach gab es nur noch esoterisch angehauchte Seminare über Selbstwahrnehmung. Die Teilnehmer saßen vorzugsweise auf dem Boden und warfen sich gegenseitig einen Ball zu, der mit einem Seidentuch umwickelt war, und waren selbst in Walla-Walla-Kleider gewandet. Ich ging drei Jahre lang hin, wenn es sich nicht vermeiden ließ, bis es irgendwann Zeit wurde, fertig zu werden.

Nachdem der Entschluss gefasst war, das Studium doch noch mit einem Abschluss zu beenden, wurde es knifflig. Was sollte man als Schwerpunkt belegen, und wozu würde man das gesammelte Wissen später überhaupt nutzen können? Was für einen praktischen Nutzen hatte das Studium? Wir waren doch eigentlich an der Uni, weil wir schlau werden wollten.

Dazu hatten wir die Hell-Dunkel-Metaphorik der Naturdarstellung in Herman Melvilles *Moby Dick* ergründet; in Phonetik dentale Plosive, nasale Liquide und bilabiale Vibranten kennengelernt, die uns seltsamerweise gar nicht anstößig vorkamen; und wir hatten erfahren, dass Mark Twain eigentlich Samuel L. Clemens hieß. Wir dachten: »Das kann uns nun keiner mehr nehmen!« Wir dachten: »Jetzt sind wir schlau!«

Doch weit gefehlt. Für den Beruf hat uns das wenig bis gar nichts gebracht, und nur mit Glück bekamen wir im Anschluss an ein Praktikum nach dem Studium einen Zugang in die Arbeitswelt – wo wir erst mal alles von der Pike auf lernen mussten, weil uns unsere universitäre Ausbildung nicht auf die Berufsrealität vorbereitet hatte.

> *»Das trenne ich konsequent: Beruf und Job.«*
> Frauke Ludowig

Wegen des weit verbreiteten Irrglaubens, dass ein guter Job eine Folge des Studiums sei, ist die Generation Doof voll von Menschen, die glauben, dass sie mit der passenden Ausbildung auch einen sicheren Arbeitsplatz und damit ein entsprechendes Gehalt verdient haben. Stattdessen müssen viele von uns ihre Dienste erst mal als Billigjobber, Praktikanten oder Trainees anbieten.

Generation Doof meets Generation Praktikum.

Neu ist das Problem natürlich nicht, aber an der ernüchternden Bilanz hat sich scheinbar nichts geändert: Knapp vierzig Prozent der deutschen Uni-Abgänger absolvieren nach dem Examen zunächst ein Praktikum, das im Durchschnitt sechs Monate dauert, bei vierzig Prozent der Praktikanten sogar noch länger. Nicht einmal die Hälfte aller freiwilligen Kopierer und Kaffeekocher sieht eine blanke Münze für die Arbeit, vierzig Prozent müssen zusätzlich jobben, um den Lebensunterhalt zu verdienen, sechzig Prozent pumpen die Eltern an.

So geht es nicht nur den höher Qualifizierten. Auch Auszubildende und Lehrlinge finden immer seltener auf Anhieb eine Stelle. Im Jahr 2006 verzeichnete die Bundesagentur für Arbeit rund 765 000 Lehrstellenbewerber. Von ihnen fand aber nur knapp die Hälfte einen Ausbildungsplatz. Mindestens ebenso viele müssen ihre Kreativität spielen lassen: Sie absolvieren Praktika, jobben für Mindestlöhne oder melden sich arbeitslos. Und rund 50 000 Jugendliche gelten schlicht als unvermittelbar und fallen durch jedes Raster.

»Die Jobsuche ist katastrophal«, beklagt sich Ziggimu75 in einem Internetforum. »Die Stellen, die ich haben will, krieg ich nicht – nicht ausreichend qualifiziert, schreiben sie immer wieder. Ich muss jetzt nehmen, was kommt.« Ziggimu75 hat Politologie studiert, mit einem Doktortitel abgeschlossen und ist inzwischen so frustriert, dass er aus lauter Verzweiflung auch bei Penny an der Kasse arbeiten würde.

Aber geteiltes Leid ist halbes Leid. Das ist einer der Gründe, warum sich so viele Menschen in Internetforen tummeln. Und so ist auch Ziggimu75 nicht allein auf elektronischer Flur: »Habe meine Ausbildung fertig und hab jetzt echt keinen Plan, WAS ich machen soll«, klagt der ausgebildete Koch DSchneider ratlos in einem Forum zu Berufsfragen. Myrdhin, Tontechniker und Fantasy-Fan, steckt allem Anschein nach ähnlich tief in der Professionspatsche: »Den Job, den ich will, gibt es einfach nicht!!!« Und Lifthrael, angehender Historiker, stimmt in das Klagelied ein: »Kenne das Problem. Was mich nach dem Studium erwartet, ist im Moment ein großes, schwarzes Loch.« Wenn es gar nicht mehr weiterzugehen scheint, rückt die Sinnfrage in den Vordergrund, so wie es bei dem mehrfach ausgebildeten Betriebswirt Neon80 offenbar der Fall ist: »Hab ich diese ganze Kacke jetzt nur gelernt und durchgemacht, um arbeitslos zu werden!?!?!«

Peter Karst sind solche Probleme nur allzu vertraut. Er hat lange Jahre als Dozent an einer Fachhochschule gearbeitet. Die Leiden der Generation Doof beim Berufseinstieg hat er vielfach miterlebt – und auch er macht den schleichenden Kontaktverlust mit der Wirklichkeit für die Schwierigkeiten verantwortlich. »Ich habe Studenten, die sind Ende zwanzig, machen bald ihren Abschluss und freuen sich zu Recht auf den Beruf«, erzählt er. »Die meisten glauben, gleich groß durchstarten zu können. Aber so funktioniert das nicht. Die leben auf einer Insel der Seligen!«

Woran liegt es, dass Tausende junger Menschen beim Andockmanöver an den Beruf von potenziellen Arbeitgebern wie Fremdkörper abgestoßen werden?

Die einfache Erklärung wäre, dass es tatsächlich zu wenige Stellen für die vielen Bewerber gibt. Doch das stimmt wohl kaum. Selbst in den vergangenen Jahren, als die deutsche Konjunktur noch im Stimmungstief steckte, suchten etliche Branchen händeringend nach Personal – und Jürgen Rüttgers forderte »Kinder statt Inder«, um des Informatikermangels in der IT-Branche irgendwie Herr zu werden. Dass nun neben Jobs, die eine hohe Qualifikation erfordern, auch vermehrt Stellen in Ausbildungsberufen wie Bäcker oder Metzger unbesetzt bleiben, lässt vor allem eines vermuten: Das Problem liegt nicht allein auf Seiten der Arbeitgeber, sondern vor allem auch auf Seiten der Bewerber.

»Die Wissenslücken bei vielen jungen Menschen sind eklatant«, berichtet Peter Sörgens aus seiner Erfahrung. Er arbeitet in einem Berufsinformationszentrum und geht jeden Tag mit der Generation Doof auf Tuchfühlung. »Noch schlimmer ist allerdings, dass die meisten überhaupt keine Vorstellung von dem Beruf haben, den sie ausüben wollen. Und das gilt quer durch die Bank, unabhängig vom Bildungsgrad.«

Viele von uns starten völlig unbeleckt in den Beruf und haben entweder utopische Vorstellungen von Luxus und Erfolg oder gar keinen Plan von dem, was sie als Arbeitnehmer oder Selbstständige erwartet. Vor allem die Ansprüche der frisch gebackenen Akademiker sind hoch, und ihre Bereitschaft, sich nach dem lernintensiven Studium noch mehr Wissen anzueignen, gering.

»Die Studenten sind sich zwar durchaus der steigenden Anforderungen nach mehr Kenntnissen, Fähigkeiten und Kompetenzen bewusst, sie fordern deren Vermittlung folgerichtig auch von den Universitäten. Ihr eigenes Verhalten spiegelt dies aber nicht wider«, sagt Continental-Personalvorstand Heinz-Gerhard Wente. Das heißt, die angehenden Akademiker zeigen zu wenig Engagement. Ebenfalls bedenklich findet Wente, dass sich die Zahl der Studentinnen und Studenten ohne Praktikum in den vergangenen vier Jahren verdoppelt hat. Jeder Dritte kann keine Praxiserfahrung vorweisen – ein Fakt, der dank der ständigen Beschwerden der Generation Praktikum oft übersehen wird.

Als Geisteswissenschaftler haben wir Autoren während unseres Studiums regelmäßig Kommilitoninnen und Kommilitonen getroffen, die wie wir in den Journalistenberuf einsteigen wollten, aber keinerlei praktische Erfahrungen besaßen. »Hast du denn schon mal ein Praktikum gemacht oder für irgendeine Zeitung geschrieben?«, war eine beliebte Frage, mit der man abcheckte, ob das Gegenüber mehr Kontakte und Kenntnisse hatte als man selbst. Die häufigste Antwort war: »Nö, das hat bis nach dem Studium Zeit.« Das bekamen wir auch im zehnten Semester noch zu hören. Ein klares Bild davon, ob der Traumjob alltagstauglich ist, bekommt man auf diese Weise allerdings nicht.

Bei den Ausbildungsberufen ist die Lage nicht viel besser – auch hier gibt sich jeder insgeheim oder öffentlich Illusionen über das hin, was er nach der Schule erreichen kann. So äußerte sich der Bürgermeister von Bedburg, Gunnar Koerdt, gegenüber der ZEIT: »Wenn ich in die Abschlussklasse der Hauptschule gehe, höre ich, dass die zur Hälfte kaufmännische Angestellte werden wollen. Da frage ich mich, ob mal einer da war, der ihnen ihre Lebenssituation kommuniziert hat.«

Kein Wunder, dass so mancher ohne Lehrstelle bleibt, wenn er sich nicht die Finger schmutzig machen will. Berufliche Wunschvorstellungen und die Realität klaffen bei der Generation Doof so weit auseinander wie bei einem Baggerfahrer, der sich als Formel-1-Pilot bewirbt.

Diese Diskrepanz ist vor allem dann zu beobachten, wenn es mit der großen Karriere einfach nicht schnackelt und der Betroffene das gepflegt verdrängt. Was richtig Generation Doof ist, lässt sich von seinem Traum nicht trennen, selbst wenn man die letzte Jobausfahrt schon längst verpennt hat. Besser nach einer realitätsnahen Verdienstmöglichkeit Ausschau halten? Das ist doch viel zu spießig – und kostet vor allem Mühe. So ergeht es auch Ariana Bünger, die nun schon seit einem knappen Jahrzehnt der verpassten Karriere als Model hinterherträumt. Der Irrweg zum Laufsteg hat sie so ziemlich alle Chancen gekostet, die sie gehabt hätte, um sich noch mal anders zu orientieren. Und die Uhr tickt. Demnächst geht sie nur noch als Seniormodel für den Quelle-Katalog durch. Das Doofe dabei ist nicht, dass sie einen Traum hatte, sondern dass sie jedes kleine Angebot, doch noch vor die Linse zu rutschen, ausschlug, weil es ihr zu schlecht bezahlt war oder weil sie fürchtete, ihr Gesicht dabei für Größeres zu sehr zu verbrauchen. Da sie auf keiner Modenschau auftrat, konnte sie dieses Gesicht jedoch niemand anderem zeigen als ihrem Badezimmerspiegel.

Dass es nun weniger als je zuvor eine Möglichkeit gibt, doch noch Topmodel zu werden, will Ariana sich nicht eingestehen. Mit Mitte dreißig arbeitet sie nun seit einigen Jahren ganztags an der Kasse einer großen Supermarktkette und hofft, dass mal ein Modelagent mit einem Tetrapak Frischmilch vorbeischneit und sie vom Fleck weg engagiert. In der Zwischenzeit sind für sie viele Gelegenheiten verstrichen, sich nach einem interessanteren und ertragreicheren Beruf umzutun, mit dem sie ihren Lebensunterhalt auch auf lange Sicht bestreiten kann.

Vielleicht hat Arianas mangelnde Initiative damit zu tun, dass sie keine echte Alternative zu ihrem versiebten Traumjob erkennt, weil sie vor lauter Schreibtischen den Arbeitsplatz nicht mehr sieht, der zu ihr passen würde.

»Die Welt zu Beginn des 21. Jahrhunderts ist eine verwirrende, chaotische Landschaft«, schreibt Michael Stürmer, Chefkorrespondent der WELT, über die heutige Gesellschaft. »Sie wird dadurch nicht übersichtlicher, dass die Landkarten und Wegzeichen, die Denken und Politik leiten, großenteils aus vergangenen Epochen stammen und Richtungen weisen, die nicht mehr viel bedeuten. Entgrenzung, Beschleunigung, Unübersichtlichkeit sind Signatur der Epoche.« Was Ariana & Co. angeht, kann man diese Feststellung auch auf die Arbeitswelt übertragen: Die Wegweiser zum Berufseinstieg sind veraltet. Wir sehen uns plötzlich einem gigantischen Labyrinth der Möglichkeiten gegenüber. Nichts ist mehr so, wie es einmal schien. Und das erschwert uns den Einstieg in den Job ungemein. Wir wühlen uns durch Praktika und versuchen Kontakte zu knüpfen, bis wir irgendwann ein Schlupfloch in unseren Wunschberuf gefunden haben – oder einsehen, dass wir uns mit einer Notlösung zufriedengeben müssen.

Wie schrecklich mühsam das ist: Erst fiel uns die Entscheidung für einen bestimmten Beruf enorm schwer, und wenn wir uns dann endlich entschieden haben und bei unserer Wunschkarriere anklopfen, kann es sein, dass niemand öffnet.

> *»Das Leben ist schön, und wenn es grad' mal*
> *nicht schön ist, dann mach ich's mir schön.*
> *Und wenn es dann immer noch nicht schön ist,*
> *dann red' ich's mir schön.«* Farin Urlaub

Was ist los mit der Generation Doof? Die Berufsausbildung oder den Studienabschluss als Zeugnis ihrer vermeintlichen Allwissenheit im Rücken, glauben viele, dass die Welt nur auf sie gewartet hat. Woher kommt so viel feiste Ego-Energie? Warum stolpert so mancher ohne Plan durchs Leben, stellt aber dennoch höchste Ansprüche?

Sagen wir es doch einmal, wie es ist: Viele kommen erst gar nicht in die Verlegenheit, sich selbst und ihr Können in Frage zu stellen, weil sie fest davon überzeugt sind, für etwas Großes bestimmt zu sein – oder zumindest ein anständiges Leben mit Wohlstandsbauch und jeder Menge technischer Spielereien verdient zu haben. Zumindest teilweise ist die Schuld dafür bei einer Art von permanenter Gehirnwäsche zu suchen, der die Generation Doof jahrzehntelang ausgesetzt war. Das haben viele von uns am eigenen Leib erfahren.

Es begann damit, dass unsere Eltern bei uns schon im Kleinkindalter allerhand Talente und Sonderbegabungen ausmachten:

»Peter, guck mal, der Junge hat einen Purzelbaum gemacht!«

»Toll, Monika, er wird bestimmt mal Leichtathlet!«

»Komm, wir melden ihn zum Kinderbodenturnen an!«

Hatten wir aus Versehen mal die Patschehändchen an Vaters Klavier gelegt, gab es in der nächsten Woche garantiert Klavierunterricht. Allzu Neugierige wurden mit der kompletten *Was-ist-Was*-Reihe ruhiggestellt, und wer in der Kirche den Text als Jesuskind fehlerfrei aufsagen konnte, galt als künftiger Nachfolger von James Dean.

In der Schule ging es mit dem Lob nahtlos weiter. Wir seien die kommende Elite, beschwor man uns. Wir seien die Eltern, Bundeskanzler, Starreporter und Industriekapitäne von morgen, kurz, uns gehöre die Zukunft. Vielleicht war das nur eine Finte, um uns zum Lernen zu bringen – aber der Schuss ging leider nach hinten los, denn wir hörten lieber laut Musik, statt zu büffeln.

Unsere Eltern hatten teilweise noch in der Klosterschule oder auf dem altsprachlichen Gymnasium gelernt und ordentlich unter der Knute der Autoritäten gelitten. Das sollte bei den eigenen Kindern anders werden, darum wurden wir mit Lob gepudert. Doch von einem Extrem ins andere führen nur Einbahnstraßen. Auch zu viel Laisser-faire kann schadhaft sein, jedenfalls in Kombination mit einem zuckersüßen Verziehungsstil.

Wer als eines der vielen gefühlten Einzelkinder der Generation Doof im Mittelpunkt des Interesses stand, dort als Ein-Kind-Show ständig beklatscht wurde, von den Eltern immer wieder Lob für sein Talent bekam und mit dem Chemiebaukasten Papas Bier in Zaubertrank verwandelte, der hält womöglich eine rasante Karriere in einem Pharmakonzern für einen Spaziergang – vorausgesetzt, er hat nie einen Blick auf die berufliche Wirklichkeit geworfen.

> *»Wenn Arbeit was Geiles wäre, würden die*
> *Bonzen sie für sich behalten.«* Graffito

Wir steigen mit Seifenblasen im Kopf ins Berufleben ein, und die Realitätsdusche folgt auf dem Fuß. Wir rechnen mit einem ordentlichen Empfang, sprich: einem tollen Job, einem Spitzengehalt, Pamela Anderson als Sekretärin und George Clooney als Chef. In der Folge wollen wir einen Star ehelichen, in eine stattliche Villa einziehen und einen fetten Wagen für Spritztouren in der Freizeit zur Verfügung haben.

Wir hoffen, dass das Leben wie das gleichnamige *Spiel des Lebens* abläuft, das wir als Kinder so gerne gespielt haben: Auf der Packung standen die verheißungsvollen Worte: »Mach dein Glück – Erfolg und Reichtum warten auf dich!« Richtig verlieren konnte man dabei nicht. Jeder bekam am Start erst mal ein Cabrio, in der Folge automatisch einen Lebenspartner, Kinder, einen tollen Job, ein noch tolleres Haus und am Ende rollte jeder Spieler glücklich in den Rententeich. Keiner war arbeitslos, keiner war pleite, keiner war unfruchtbar – und wie erfolgreich man war, entschied sich über das Casino-Rad.

Die Wirklichkeit funktioniert anders – aber das müssen viele Berufseinsteiger aus der Generation Doof erst einmal lernen. Am besten lassen sich die vielfach enttäuschten Erwartungen in harten Fakten ausdrücken, nämlich in barer Münze: Zum Beispiel bei Tobias Kühne aus Hamburg. Er hat Medienwissenschaften studiert, einen brillanten Abschluss hingelegt und ist nach einem Praktikum nun Volontär in einer PR-Agentur.

So schlecht ist es für ihn also nicht gelaufen. Doch Tobias ist unzufrieden. Der Job macht zwar Spaß, doch die viele Arbeit wird mit einem Kleckerbetrag entlohnt, der Tobias eher wie eine »Überlebenshilfe« vorkommt – er verdient im Monat rund 1400 Euro brutto, netto bleiben immerhin noch 900 Euro übrig. Für einen Volontär ist das eigentlich schon viel – mancher Rentner muss sich mit weniger begnügen.

Trotzdem ist Tobias nicht zufrieden, er hat mehr erwartet. Die Hälfte vom Geld geht schon für die Miete drauf, und dabei muss er sich mit einem äußerst mittelmäßigen Apartment abfinden; geträumt hatte er von einer ausladenden, schicken Dachterrassenwohnung. Aber die Mieten sind hoch in Hamburg, ebenso der sonstige Lebensunterhalt: Zieht er die Kosten für Lebensmittel, Versicherungen, Telefon, Internet und Monatskarte ab, bleiben Tobias meistens noch runde zweihundert Euro im Monat. »Und davon soll ich dann noch etwas ansparen, für die Rente vorsorgen und am besten noch Kinder in die Welt setzen«, meint Tobias und zuckt mit den Schultern.

Für den Luxus, der für die Generation Doof ein unveräußerliches Grundrecht zu sein scheint, bleibt da nicht mehr viel übrig. Das hatte sich auch Tobias anders vorgestellt. »Ich habe ein Drittel meines Lebens mit meiner Ausbildung zugebracht«, erklärt er, »ich frage mich, wofür eigentlich.«

Die Anfangsjahre sind ein hartes Brot. Kleinere Unternehmen in der PR-Branche bezahlen auch später nicht so üppig, wie Tobias sich das einmal gedacht hatte. Und er ist kein Einzelfall. Vielen Akademikern geht es so wie ihm, selbst wenn sie nach dem Studium direkt einen Job bekommen. Sie verdienen nach dem Studium oft nicht mehr als eine Verkäuferin im Supermarkt – und auch die meisten dieser Berufstätigen verdienen weniger, als sie es sich erhofft hatten.

Da ist zum Beispiel Samira Jorksch aus Bremen. Nach der Realschule hat sie sich um eine Lehrstelle im Einzelhandel beworben und wäre wohl auch genommen worden, wenn sie nicht abgesagt hätte. »Die wollten mir gerade mal achthundert Euro im Monat zahlen«, erinnert sie sich verärgert. »Brutto, glaube ich – oder doch netto?« Samira sucht seitdem nach einem lohnenderen Zeitvertreib – seit anderthalb Jahren.

Selbst Sybille Wacker, PR-Mitarbeiterin eines Großkonzerns, gibt zu: »Ausbildungsplätze im Einzelhandel sind nicht so sexy.« Und so wird die Nachwuchsarbeit für viele Firmen zum Showgeschäft. Wie so manches wird auch der Job zum Lifestyle-Produkt. Folgerichtig kreierten Wackers Kollegen im Jahr 2005 die TV-Kampagne *Lidl sucht den Superazubi*. Sie hätten sie genauso gut *Schöner bewerben* nennen können. Aber die Generation Doof will eben auch im Job behandelt werden wie ein Superstar.

> *»Ich glaube an den rheinischen Gottesbeweis.*
> *Der lautet: Von nix kütt nix.«* Dieter Nuhr

Neben den gebremsten Verdienstmöglichkeiten ist für die Generation Doof vor allem bedauerlich, dass es keine Chancengleichheit gibt, obwohl man uns das immer wieder gepredigt hat. Schon früh hat man uns beigebracht, dass es wichtig ist, auf andere einzugehen und einen Konsens zu finden. Alle sind gleich und haben dieselben Rechte: Wir formen einen Stuhlkreis, wir bilden eine Arbeitsgruppe, wir sind tolerant, wir sind teamfähig, alles klar, wunderbar. Wer sich anstrengt, der wird es schon automatisch zu etwas bringen.

Nach dem ersten Kontakt mit der Berufsrealität merken wir jedoch rasch, dass wir uns das schöne Getue in die Haare schmieren können. Ob man wirklich etwas kann, spielt keine Rolle. Wichtig ist, dass man jemanden kennt. Alles, was man braucht, sind Kontakte, ein »Netzwerk« oder schlicht das viel beschworene Vitamin B, das Epo der Berufswelt. Wenn wir nicht durch Verwandte in einflussreichen Stellungen drankommen, hilft Vitamin B6 – boshaft auch »Hochschlafen« genannt.

Der Einsatz ist hoch, die neuen Spielregeln sind hart, und sie passen eigentlich nicht zum sonnigen Gemüt der Generation Doof. Wir hatten uns das ganz anders vorgestellt. Es ist ein wenig so, als hätte man die Pilgerväter schon mit dem Versprechen in die Neue Welt segeln lassen, dass dort Fastfood-Ketten, beheizte Häuser, Strom und an jeder Ecke ein Starbucks-Café auf sie warten. Letztendlich haben die Probleme unserer Generation beim Berufseinstieg jedoch nicht nur etwas mit enttäuschten Erwartungen und fehlender Orientierung zu tun, sondern auch mit dem zum Teil chronischen Mangel an Kompetenz.

Gewinnwarnung – Dumme werden nicht mehr eingestellt

Stellen Sie sich vor, Sie seien Formel-1-Pilot und hätten nach langem Hin und Her endlich den Rennstall gefunden, der Ihnen gefällt. Zufällig ist auch gerade ein Plätzchen in einer der schnellen Seifenkisten frei, und Sie bewerben sich. Dass Sie ziemlich gut sind, haben Sie schon mehrfach unter Beweis gestellt. Das Studium an der Uni Nordschleife haben Sie bei Professor Lauda mit magna cum brumbrum abgeschlossen, und außerdem haben Sie schon einige Praktika absolviert – zuletzt als Schwarzfahrer bei Nachtrennen. Ihre Chancen stehen also ziemlich gut. Zudem kennt Ihre Freundin den Schwippschwager des Team-Physiotherapeuten. Den Job haben Sie im Täschchen!

Frohen Mutes öffnen Sie also eines Tages den Antwortbrief des Rennstallbesitzers auf Ihre Bewerbung: Er verkündet Ihnen, dass Ihr Fahrdienst nicht benötigt wird. »Wir haben uns leider für einen anderen Fahrer entschieden«, steht da ganz lapidar, »nehmen Sie diese Absage bitte nicht persönlich.« Dumm nur, dass mittlerweile alle anderen Cockpits besetzt sind und Sie mindestens eine ganze Saison auf die nächste Gelegenheit warten müssen.

Sie sind geknickt, aber trotzdem beschwingt wegen der netten Absage. Ungehalten werden Sie erst, als Sie wenige Tage später zufällig in ein Interview mit dem Rennstallbesitzer hineinzappen. Darin verkündet er, dass man das Cockpit noch immer nicht besetzen konnte. Es gebe einfach zu wenig gute Fahrer auf dem Markt.

Sie verstehen die Welt nicht mehr. Obwohl Sie als begnadeter Kurvenschneider in der Tiefgarage geparkt stehen, spricht der Kerl von Fachkräftemangel! Es kommt Ihnen vor, als sollten Sie von der Rennpiste zur Stop-and-go-Strafe in die Boxengasse, wo dann alle anderen Konkurrenten an Ihnen vorbeiziehen.

Derzeit schauen viele Berufseinsteiger der Generation Doof ähnlich konsterniert aus dem Stüssy-Shirt und der Pussy-Deluxe-Unterwäsche, wenn sie erfahren, dass ihre Traumstelle ein Ladenhüter ist, weil die Wirtschaft händeringend nach geeignetem Nachwuchs fahndet. »Das könnten *wir* doch machen!«, wollen wir schreien. Aber uns will keiner.

Die Bundesagentur für Arbeit meldete beispielsweise im Jahr 2007, dass die Zahl der offenen Ingenieursstellen auf monatlich dreiundzwanzigtausend gestiegen sei. Und der IT-Branchenverband Bitkom wusste im gleichen Jahr von zwanzigtausend Stellen, die bundesweit nicht besetzt werden konnten.

Einerseits sind diese Meldungen durchaus erfreulich, steigt doch nach Jahren der Flaute endlich wieder die Zahl der angebotenen Jobs. Zur selben Zeit finden aber Tausende junger Menschen keine Stelle. Wer die Arbeitsmarktlage aufmerksam beobachtet, der merkt: Hier stimmt etwas nicht. Was hindert die Chefs daran, dem drängelnden Nachwuchs einen Job zu geben? Schließlich stehen doch genügend Freiwillige auf der Straße.

»Ich würde jungen Menschen gerne eine Chance geben«, sagt Norbert Meyer, der eine kleine Presseagentur in Hamburg leitet, »aber die meisten Bewerber sind einfach untragbar.« In seiner Firma gibt es auch einige junge Mitarbeiter, doch trotz der Fülle an Bewerbern ist es stets mit Problemen verbunden, die offenen Stellen mit qualifizierten Kräften zu besetzen.

Die meisten Probanden erhalten bei Meyer erst gar nicht die Gelegenheit, ihr Können unter Beweis zu stellen. Sie scheitern bereits im Bewerbungsverfahren, und das nicht selten an einfachen Formalien. Bewerbungsmappen mit Schnappschüssen in formvollendeter Freizeitkleidung sind an der Tagesordnung. Anschreiben mit Kaffeeringen, Fettflecken, Spritzern von Tomatensauce oder anderem Lebenssaft und sogar unleserliche handschriftliche Bewerbungen finden den Weg auf Meyers Schreibtisch und landen sofort in der Ablage P, also im Papierkorb.

Wer es bei Meyer ins Bewerbungsgespräch schafft, der hat bereits eine harte Auswahlprozedur überstanden – gemessen an den Maßstäben einer Generation, die, wie Meyer berichtet, auch mit Clearasil korrigierte, knallbunt gestaltete Briefe zum potenziellen Arbeitgeber schickt.

Was Meyer im Einzelgespräch zu hören bekommt, übertrifft die postalischen Katastrophen sogar oft noch. »Manche sitzen da und bringen keinen Ton heraus«, erzählt er. »Was soll ich denn da machen?« Kürzlich hat sich eine junge Frau auf die Stelle einer Redakteurin oder eines Redakteurs in seiner Agentur beworben. Zum Aufgabengebiet sollte vor allem das Verfassen von Pressemitteilungen und längeren Artikeln für Kundenzeitschriften und Imagebroschüren gehören. Ansätze von Allgemeinbildung wären also keinesfalls von Nachteil gewesen. Um das Eis zu brechen, begann Meyer das Gespräch mit gepflegtem Smalltalk und erkundigte sich nach dem letzten Urlaub der jungen Dame. »Sie erzählte mir dann, dass sie mit ihrem Freund auf Korsika war und dort die Pyrenäen bestiegen hätte«, erinnert sich Meyer und seufzt.

Er ist nicht der einzige Chef, der solche Geschichten erzählen kann. Dass junge Menschen häufig auf die praktischen Anforderungen des Berufslebens nicht vorbereitet sind und auf konkrete Fragen fantasievolle Auskünfte geben, die mit der Realität nichts gemein haben, zeigen auch Gespräche mit Personalchefs großer Unternehmen.

»Viele leben in einer Traumwelt, die mit dem Joballtag nicht vereinbar ist«, bestätigt Cordula Hofer, Personalleiterin bei einem großen deutschen Medienunternehmen. Mit der Generation Doof ist sie bestens vertraut. Jährlich bewerben sich bei ihr Dutzende Studenten um begehrte Jobs in der kreativen Branche. Hofer hat schon oft miterlebt, wie hart der Aufprall mancher Traumtänzer auf dem Boden der Realität sein kann: Wer das Studium überwiegend zum Ausschlafen genutzt und einen Großteil seiner Freizeit damit verbracht hat, diese geschmeidig totzuschlagen, kann mit den hohen Anforderungen der Unternehmen nicht mithalten. Viele kommen wie orientierungslose Brummkreisel von der Uni und wissen überhaupt nicht, wo es langgeht. Cordula Hofers Fazit ist verheerend: Bewerbungsmappen ohne Rechtschreib- und Grammatikfehler sind Mangelware, ebenso wie eine gute Allgemeinbildung.

> *»Wenn Sie sich waschen und rasieren, haben*
> *Sie in drei Wochen einen Job.«*
>
> Kurt Beck zu dem Arbeitslosen Henrico Frank

Nach der persönlichen Reife vieler Bewerber darf man erst gar nicht fragen. Über ein gepflegtes Äußeres, seriöses Auftreten oder adäquates Ausdrucksvermögen verfügen die wenigsten, viele kommen sogar zum Vorstellungsgespräch in Jeans und ohne das Blech aus der Nase zu nehmen. Besonders vermisst die Personalleiterin Sekundärtugenden, ohne die es im Beruf eben nicht geht: Pünktlichkeit, Höflichkeit, Zuverlässigkeit, Zielstrebigkeit oder Durchsetzungsvermögen.

Ein Drittel der Bewerber kommt zu spät zum Bewerbungsgespräch. Einen triftigen Grund, warum sie sich für den angestrebten Beruf entschieden haben, können die meisten nicht angeben. Erfahrungen wie diese machen viele Chefs. In einer DIHK-Umfrage haben sie ihrem Ärger Luft gemacht. Sie beklagen wie Cordula Hofer die mangelnde Ausbildungsreife der Bewerber. Zwei Drittel der Betriebe vermissen »mündliches und schriftliches Ausdrucksvermögen«, und immer noch mehr als die Hälfte der Firmen klagt über fehlende »elementare Rechenkenntnisse« sowie Leistungsbereitschaft und Motivation.

Wer es nicht glaubt, der kann sich im Fernsehen den filmischen Beweis ansehen. Sendungen wie 37° bringen in Beiträgen wie »Schule und dann nix« regelmäßig den Beleg dafür, wie dämlich man sich anstellen kann. Wie schwer vielen der Kampf um den Job fällt, kann man sich in der ProSieben-Dokusoap *Deine Chance! 3 Bewerber – 1 Job* ansehen. Zwei von drei Bewerbern gebärden sich dabei grundsätzlich so blöd, dass sie von vornherein keine Chance haben.

Darüber hinaus legt auch das Internet Zeugnis darüber ab, wie desolat die Performance der Generation Doof bei Bewerbungsgesprächen und in Einstellungstests ist. Beispielsweise kursieren im Webtagebuch von Moses Pelham, ehedem ein Bestandteil des Rödelheim Hartreim Projekts, Prüfungssituationen der Industrie- und Handelskammer, die angeblich tatsächlich so stattgefunden haben. Ein Besucher auf der Webseite ist der Ansicht: »Ob die Teile authentisch sind, kann ich nicht garantieren. Aber wundern würde es mich keinesfalls.«

Chef: Wenn ein Sack Zement 10 Euro kostet und der Preis jetzt um 10 Prozent erhöht wird, wie teuer ist er dann?
Bewerber: Mit oder ohne Mehrwertsteuer?
Chef: Es geht jetzt nur um den Endpreis.
Bewerber rechnet wie wild mit dem Taschenrechner.
Chef: Und?
Bewerber: 11.
Chef: 11 was?
Bewerber: Prozent.
Chef: Sagen Sie mir einfach 10 Euro plus 10 Prozent, wie viel ist das?
Bewerber: 10 plus 11 ist 21!
Chef: Dann erklären Sie mir bitte, was ein Dreisatz ist.
Bewerber: Mit Anlauf und dann weit springen.
Chef: Und was ist die Hälfte von 333?
Bewerber: 150 Rest 1.
Chef: Nennen Sie mir doch bitte drei große Weltreligionen.
Bewerber: Christentum, katholisch und evangelisch.
Chef: Nennen Sie mir wenigstens drei skandinavische Länder.
Bewerber: Schweden, Holland und Nordpol.

Wer solche Beispiele liest, dem fallen offenbar direkt eigene Erfahrungen dazu ein. So meldet sich auf Pelhams Webseite ein »Jörg« zu Wort: »Das klingt echt sehr realistisch. Ich hatte heute einen Azubi von Saturn im Reisebüro: Er wollte entweder für einige Tage nach Rom, oder vielleicht auch nach Italien. Er hat aber auch schon was von ›diesem schiefen Ding‹ gehört – wäre auch cool. Er meinte den Turm in Pisa. HILFE! Das Schlimme ist eigentlich, dass solche Menschen tatsächlich durchkommen. Und die sollen mal unsere Rente sichern? Leute, sorgt vor, so gut ihr könnt!«

Auch die Personalleiter sind ob der mangelhaften Güte der Bewerber verstört. Der Eignungstest, den diese bei Cordula Hofer ablegen müssen, wurde vor zehn Jahren durchschnittlich mit 90 von 130 möglichen Punkten bestanden. Heute liegt der Durchschnitt bei 50 von 130 Punkten. Mit diesem schleichenden Niedergang hat sich die Personalleiterin zwangsläufig abgefunden. Was sie allerdings immer noch verzweifeln lässt, sind Anschreiben, die mit der Anrede »Sehr geehrter Herr und Frau Personalbüro« beginnen.

> *»Wenn es heißt ›dumm fickt gut‹, dann werden wir wohl in ein paar Jahren eine Welt voller Pornodarsteller haben.«* Aus einem Internetforum

Es scheint so, als würden sich in Deutschland sehr viele junge Menschen bei »Herrn und Frau Personalbüro« bewerben. Und wenn wir trotz qualifizierten Fehlwissens irgendwann doch einen Job ergattern, beginnt das Chaos spätestens im Arbeitsalltag.

Nicht schlecht staunte etwa Peter Kerner, Controller bei einem mittelständischen Automobilzulieferer, über einen seiner Trainees. Kerner hatte zwischendurch mal kurz um die Ecke gemusst. Als er in sein Büro zurückkam, traf ihn fast der Schlag. Der junge Kollege hatte ein Gespräch für Kerner entgegengenommen und erklärte dem Anrufer gerade nonchalant: »Tut mir leid, Herrn Kerner können Sie gerade nicht sprechen, der ist auf dem Klo!« Der junge Mann wurde nicht übernommen.

PR-Berater Norbert Meyer hat bereits die eine oder andere Begegnung der dritten Art mit uns hinter sich. Er nimmt die Generation Doof trotz der erlittenen Kollateralschäden in Schutz. »Man muss zugeben, dass Etikette und Umgangsformen im Beruf an den Schulen und Unis keine große Rolle spielen«, sagt er. »Daher liegt die Schuld nicht bei den jungen Leuten, sondern bei den Lehrern, Professoren und natürlich bei den Eltern.«

Ein Kurs zum Thema »Umgangsformen im Büro« brächte seiner Ansicht nach mehr als die x-te Schulstunde zur Fauna der Tundra und Taiga oder das zehnte Seminar zur Problematik des frühen Adoleszenzromans. Weniger Verständnis hat Meyer im Gegensatz dazu für ganz alltägliche Schlampereien, die eher auf schlechte Manieren zurückzuführen sind. »Wenn sich am Ende der Woche eine Batterie schmutziger Kaffeetassen auf dem Schreibtisch stapelt, macht das am Montagmorgen beim ersten Kundentermin keinen guten Eindruck«, sagt er. »Und ich kann wohl von jedem, der hier arbeitet, erwarten, dass er zumindest einmal in der Woche die Spülmaschine ausräumt.«

Tatsächlich fühlen sich die jungen Mitarbeiter in seiner Agentur nur selten genötigt, Hand anzulegen; oft steht Meyer nach getaner Arbeit spätabends selbst in der Büroküche und räumt auf. Ebenso stört es ihn, dass sich aus der Generation Doof wohl niemand mehr um Grußformen schert. In seiner Agentur herrscht ein lockeres Klima, ganz trendig ist man per Du. Dass derjenige, der den Raum betritt, die Anwesenden grüßt, kann man aber dennoch voraussetzen – doch das scheint zu Meyers Praktikanten und jungen Mitarbeitern noch nicht durchgedrungen zu sein. Büroetikette zählt nicht zu ihren vordringlichsten Interessengebieten. Seit ein paar Jahren setzt er daher stärker auf erfahrene ältere Mitarbeiter und macht einen immer weiteren Bogen um die Generation Doof.

Mal ehrlich: Was würden Sie nach solchen Erlebnissen als Unternehmer tun? Richtig: Sie würden Ihre zukünftigen Mitarbeiter wohl mit der Lupe auswählen, aus Angst, den Dummen im Sack einzustellen.

Aus unternehmerischer Sicht ist es oft kostengünstiger, eine Stelle länger nicht zu besetzen, falls sich kein geeigneter Bewerber findet, anstatt mühsam Flurschäden zu beheben. Das erklärt, warum so viele junge Berufseinsteiger Schwierigkeiten haben, einen Job zu finden, gleichzeitig aber Tausende von Stellen offen bleiben: Menschen mit ungepflegtem Halbwissen, die bei Geschäft bloß an Toilette denken, die sich auf den Beruf vorbereiten wie auf einen Besuch im Phantasia-Land und denen es an Benimm und Verstand mangelt, stellt man nur im Notfall ein. Dass Unternehmer inzwischen öffentlich vermehrt über den Mangel an qualifizierten Kräften klagen, wird vielleicht dafür sorgen, dass die Berufsorientierung an Schulen, Unis und letztlich auch in den Köpfen der Schüler und Studenten wieder an Bedeutung zunimmt.

Bis sich dieses Umdenken in Ergebnissen niederschlägt, wird sich die Generation Doof allerdings weiterhin mit dem Status quo zufriedengeben. Statt einer unbefristeten Vollbeschäftigung werden viele mit Praktika, Hilfstätigkeiten, Trainee-Stellen oder unterbezahlten Einsteigerjobs vorliebnehmen müssen, um überhaupt einen Fuß in die Tür Arbeitswelt zu bekommen.

> *»Als ich angefangen habe, hat mir keiner einen Job gegeben. In Deutschland denken alle, dass du nix kannst, nix gelernt hast, und du musst beweisen, dass du was kannst.«* Hans Zimmer

Das ist voll ungerecht!, denkt sich die Generation Doof. Wir sehen nicht ein, dass wir nach langer Ausbildung erst noch beweisen sollen, dass wir etwas können. Und wir machen unserem Unmut über die mangelnde Fairness der herrschenden Verhältnisse ausreichend Luft. Da reichte zum Bespiel die Ex-Praktikantin Désirée Grebel eine Bundestagspetition ein, in der sie einen Beschluss forderte, Studentenpraktika nach drei Monaten in ein reguläres Arbeitsverhältnis umzuwandeln. Warum nicht gleich noch einen Firmenwagen fordern? Mit solchen Aktionen beweist man vor allem eines: Dass man berufliche Realität und unternehmerische Notwendigkeiten nicht einzuordnen weiß. Damit ist man als Praktikant eigentlich sehr schlecht bedient, schließlich soll man im Praktikum seine Berufstauglichkeit unter Beweis stellen.

Wir vergessen nur allzu gerne, dass am Ende des Praktikamarathons für die meisten von uns doch ein festes Beschäftigungsverhältnis steht. Die Azubi-, Praktikanten- oder Traineestellen, die man bis dahin innehatte, brachten in der Regel die eine oder andere wertvolle Erfahrung ein – und schließlich auch die entscheidenden Kontakte, die bei der Jobbeschaffung Schützenhilfe leisteten.

Eine der wichtigsten Erkenntnisse für die Generation Doof ist jedoch die Tatsache, dass es manchmal vor allem darauf ankommt, so zu tun, als könnte man etwas. Klappt es mit dem Vortäuschen von Interesse, Leidenschaft und Kenntnisstand, dann klappt's oft auch mit dem Job. Denn eines merken wir Doofen relativ schnell: Mit unserem in Quizsituationen gefährlichen Halbwissen balancieren wir in der Berufswelt täglich auf einem Drahtseil: Minütlich könnte uns jemand der Blödheit überführen. Und um dies zu verhindern, hat die Generation Doof ein paar lustige Karriere-Tricks entwickelt.

Kleine Lügen, große Karrieresprünge – Die Selbstvermarktung der Doofen

Wer Christina Lenker kennenlernt, hält sie zunächst für eine knallharte Karrierefrau. Dreiunddreißig Jahre ist sie alt und weiß bereits um das Geheimnis, wie man sein Halbwissen geschickt zu einem bewundernswerten Portfolio aufbauscht. Dabei ist sie nur ein Schein-Alphaweibchen – und fährt trotzdem gut damit.

Wie die meisten Angehörigen der Generation Doof lässt sie es im Büro gemächlich angehen: Den größten Teil des Tages verbringt sie damit, so zu tun, als wüsste sie genau, was sie tut – auch wenn sie öfter mal im Dunkeln tappt. Den Rest der Zeit gibt sie sich alle

Mühe, den Eindruck zu vermitteln, sie sei unersetzlich. Zwei Kernstrategien, wenn man sich den mühsam erkämpften Job für längere Zeit sichern will.

Christina ist »Senior Projektmanager« in einer Münchner Presseagentur. Die Stelle hat sie nach diversen Praktika in einem harten Auswahlverfahren bekommen und musste schon da ihr ganzes schauspielerisches Talent aufbieten – das Posen als Könner beginnt für die Generation Doof bereits mit dem Anschreiben in der Bewerbung.

»Ich hab als Praktikantin schnell gelernt, dass man am ehesten Karriere macht, wenn man den Leuten erzählt, was sie hören wollen«, verrät Christina. Daraufhin hat sie die Schlüsselwörter der Stellenausschreibung auswendig gelernt, diese den Personalleitern im Gespräch vor die Füße geworfen, und die haben den Köder höchst erfreut geschluckt.

Geholfen hat wahrscheinlich auch, dass Christina ihren Lebenslauf vorher ein wenig aufpoliert hatte: Aus den drei Wochen Schüleraustausch in die USA wurde ein einjähriges Highschool-Jahr; aus der Japanisch-AG in der Schule wurden »gute Japanisch-Kenntnisse in Wort und Schrift«; und die Tätigkeit als Basketball-Jugendtrainerin funktionierte sie kurzerhand in »die Organisation des Vereinsbereichs Basketball« um, damit Soziales und Führungskompetenz nicht zu kurz kamen.

Alles nicht völlig erlogen, aber ziemlich geschönt. Warum? »Erstens muss ich mich besser präsentieren als alle anderen«, erklärt Christina. »Zweitens muss ich ja irgendwie meine Wissenslücken und die fehlende Praxis kaschieren.« Nur so hatte sie eine Chance gegen Mitbewerber, die bereits mehr Berufserfahrung mitbrachten.

Tricksen, Tarnen, Täuschen – die Angehörigen der Generation Doof wären als Bewerber mitunter ein klarer Fall für *Vorsicht Falle!*, wenn es diese Sendung über Nepper, Schlepper und Bauernfänger noch gäbe. Wer nur mit einem mittelmäßigen Abschluss die FH oder Uni verlässt, muss sich eben etwas Besonderes einfallen lassen, um an einen Job zu kommen. Viele Nichtskönner verschanzen sich daher gerne hinter der Fassade eines High-Potentials. »Das Problem ist, dass manche davon dann auch glauben, kompetent zu sein«, meint Heinrich Wottawa, Psychologe und Professor an der Uni Bochum, in einem Interview mit dem *manager-magazin* über die Nichtswisser im Schlaupelz. Wir sind eben so überzeugend, dass wir sogar uns selbst von unserer Darbietung täuschen lassen.

> »*Wer nur die Hälfte weiß, weiß gar nichts.*«
> Capital

Viele von uns verlassen als Dipl. Doof den Hörsaal oder als ausgebildeter Zeitvertreiber die Werkhalle und verstehen nicht allzu viel von dem, was sie nun da draußen in der harten Berufswelt sollen. Und wer um seine Schwächen weiß, wird diese stets geschickt tarnen. So wie Christina Lenker gehen daher viele Bewerber ihre Karriere an. Denn eines haben wir aus der Werbung gelernt: Die Verpackung zählt, nicht das Produkt. Über achtzig Prozent der Bewerber sind eine Mogelpackung – sie lügen, dass sich die Balken biegen, haben Psychologen der Universität Massachusetts ermittelt. »Sei einfach du selbst« – diesem Motto folgen nur noch die Dümmsten der Generation Doof und werden bei Daimler, Siemens & Co. schon beim Vorcasting aussortiert. Ehrlich hartzt am schnellsten.

Von völlig übertriebenen Selbstdarstellungen kann auch die Personalleiterin Cordula Hofer berichten. Gerade um die Top-Jobs in ihrem Medienunternehmen bewerben sich immer wieder unverfrorene Schaumschläger. Besonders achtet sie auf Phrasenschleudern, also Menschen, die herausheben, wie »flexibel und teamorientiert« sie sind, dass sie ständig eine »neue Herausforderung suchen« und so »belastbar und engagiert« sind, dass man getrost einen Lkw auf ihnen parken könnte.

»Wenn Sie an einem Interviewtag acht solcher Bewerber durchschleusen«, erklärt Cordula Hofer, »dann sind Sie am Ende genauso schlau wie vorher. Wer nur die Stellenausschreibung auswendig herbetet, verrät nichts über seine wahre Persönlichkeit.« Viele Jobsuchende kommen Hofer daher mittlerweile wie billige Abziehbilder vor: Alle können dasselbe, wollen dasselbe und scheinen dieselbe Person zu sein – nur die Haarfarbe ändert sich von Gespräch zu Gespräch. Individualität ist Mangelware geworden.

Doch die wenigsten stehen wirklich hinter dem, was sie da behaupten. »Ich frage die Bewerber immer, ob sie schnell gelangweilt sind, weil sie ständig neue Herausforderungen suchen«, sagt Cordula Hofer schmunzelnd. »Die meisten kommen dann in arge Erklärungsnot.«

Besser ist es also, sich erst gar nicht beim Mogeln ertappen zu lassen. Oder man bereitet sich auf Nachfragen so gut vor, dass man dem Personalchef gleich die Breitseite zeigen kann. Christina Lenker hatte sich für ihr Vorstellungsgespräch bestens gewappnet. Auf die Frage, was Flexibilität denn für sie bedeute, hat sie ihrem Wunsch-Brötchengeber erst mal gut ein halbes Dutzend Städte aufgezählt, in denen sie in den vergangenen zehn Jahren gelebt haben will. Natürlich hat sie auch hier die Wahrheit wieder ein wenig zu ihren Gunsten frisiert: In Hamburg, einem der angegebenen Orte, wohnt beispielsweise ihre Großmutter. Die besucht sie jedes Jahr drei- oder viermal, oft eine ganze Woche. Auf zehn Jahre verteilt kommt da schnell ein ganzes Jahr Hamburg-Aufenthalt zusammen – wenn man so großzügig ist wie Christina. Und das ist ja dann nicht wirklich gelogen, oder?

Christina hat es auf diese Weise jedenfalls zu ihrem Traumjob gebracht, ohne allerdings zu ahnen, dass es großer Anstrengung bedarf, jeden Tag erneut allen etwas vorzuspielen. Die Agentur, in der sie arbeitet, residiert in einem Großraumbüro, abgetrennte Einzelbüros gibt es nur für die Mitglieder der Geschäftsführung.

Christina kann ihre Kollegen daher gut im Auge behalten – und die beobachten umgekehrt auch sie genau. »Manchmal komme ich mir vor wie ein Schauspieler auf einer Theaterbühne«, sagt sie und lächelt süffisant. »Jeder versucht, sich mit einer Aura der Unfehlbarkeit und Wichtigkeit zu umgeben. Da muss man schon zwangsweise mitmachen.«

Zu Beginn ihrer Tätigkeit in der Agentur hatte Christina noch einen recht geregelten Tagesablauf. Sie stand um sieben auf, nahm sich Zeit, um sich zurechtzumachen und in Ruhe zu frühstücken, dann fuhr sie zur Arbeit und saß gegen neun Uhr an ihrem Platz. Nach einer Weile stellte sie fest, dass die meisten Kollegen zwar ebenfalls überpünktlich waren, aber im Büro erst mal frühstückten. Die meistgestöhnten Sätze waren: »Oh, Mann, ich hab's zu Hause schon wieder nicht geschafft!«, »Macht mir gar nichts aus, beim Frühstücken zu arbeiten«, »Ich ess eh nicht so viel«, oder »Das hier ist dringend, da hab ich schon zu Hause dran gesessen. Ich hab einfach keine Zeit für ein Fünf-Gänge-Menü.« Manche haben durch den Kaffeegenuss beim Bürofrühstück in zwei Jahren bereits vier Tastaturen verschlissen.

Dieses Verhalten und die passenden Wortmeldungen zur Frühstücksorgie sollen zeigen: Ich bin so wichtig – für ein spießiges Frühstück daheim habe ich einfach keine Zeit. Ich bin engagierter als andere und nehme meine körperlichen Bedürfnisse nicht so ernst. Ich mach das nebenbei!

Inzwischen hat sich auch Christina angewöhnt, in der Agentur zu frühstücken. Und sie hat noch etwas dazugelernt: Nach der Frühstückszeremonie sollte man gleich mit der Klagewelle beginnen. »Oh, Mensch, das gibt's doch nicht: sechzig neue Mails! Wie soll ich das denn packen?!« Anfangs hat sich Christina immer gewundert, warum sie höchstens fünf bis zehn neue Mails hatte und die auch in einer Viertelstunde abgearbeitet waren. Irgendwann ist ihr klar geworden, was sie falsch macht: Sie zählt die Spam-Mails nie mit.

Der Klagende wird als besonders wichtig und beschäftigt wahrgenommen. Hinter der Botschaft verbirgt sich nämlich der Subtext: Macht ihr nur euren Pipikram – ich bewältige die Mailflut schon und rette so das Unternehmen vor dem sicheren Konkurs. Verlasst euch drauf. Es wäre allerdings nett, wenn ihr mich mit weiteren anstrengenden Aufgaben verschonen würdet.

Fortgeschrittene ergänzen diese kleine Showeinlage durch eine fulminante Multitasking-Nummer, die sich am besten über den ganzen Tag erstreckt. Dazu sollte man möglichst viele Aufgaben gleichzeitig anfangen, aber keine zügig zum Abschluss bringen. Optisch und akustisch unterfüttert man den selbst inszenierten Stress am besten mit passenden Begleitmaßnahmen: unkontrolliertes Herumklicken mit der Maus, Stöhnen und verdrehte Augen, oder Stoßgebete wie: »Herr, lass Hirn regnen, alles Deppen da draußen.«

Zwischendurch sollte man auch immer wieder unerwartet aufspringen, mit gehetztem Blick aus dem Zimmer stürzen und den Gang hinuntergaloppieren. Die dadurch gewonnene Zeit kann man mit einer Zeitung auf dem Klo verbringen. Sollte einem unterwegs der Chef begegnen, hält man am besten die Luft so lange an, bis man einen roten Kopf bekommt. Signalwirkung für den Vorgesetzten: Sein Mitarbeiter leidet stressbedingt an Bluthochdruck und und opfert sich bis zum Kollaps für das Unternehmen auf.

In Wahrheit sollte man sich natürlich bei der Arbeit zurückhalten und vor allem nicht alles selbst erledigen. Hoppla, jetzt komm ich – der Delegator!

Anne erzählt:

»Ick werd dir so vermissen!«, sagt Anita und drückt mich dermaßen fest an sich, dass ich den Schweißgeruch ihrer Klamotten inhalieren kann. Ich habe gerade die langweiligsten zehn Monate meines Lebens im Sekretariat einer Kanzlei verbracht.

Nicht nur, dass ich gezwungen war, meine Wachstunden mit den ödesten Menschen auf dem Planeten zu verbringen. Man hat mich den lieben langen Tag in einem Büro eingepfercht, um Texte in den Computer zu tippen, die angeblich von größter Wichtigkeit sind und über das Schicksal der Welt entscheiden. In jedem Satz befinden sich gleich mehrere Wortungetüme: »Die Einschätzung der Eigenkapitalvermittlungsprovision mit ertragssteuerlichen Beurteilungen nach Vorkostenabzug bei einkommensteuerrechtlichem Nießbrauch aus teilweise vermieteten Gebäuden ergibt zweifelsohne die Notwendigkeit einer absoluten Neuregelung.«

Zu allem Überfluss habe ich die ganze Zeit auch noch für Miss Mobbing persönlich gearbeitet: Anita.

Anita ist so dumm, wie ihr Hüftumfang breit ist. Sie kommt immer ins Büro, um erst mal richtig zu frühstücken und dann alle mit Geschichten über ihren hyperbegabten, aber sehr wortkargen Sohn zu nerven. Zwischendurch steht sie am Fax und wirkt extrem gestresst, danach muss sie sich üblicherweise erst mal erholen, indem sie ausführlich mit ihrer besten Freundin telefoniert.

Um zwölf geht sie für eine Stunde zu Aldi, um den Familieneinkauf zu erledigen, und genießt anschließend ausgiebig im Büro ihre Mittagspause. Am frühen Nachmittag verabschiedet sie sich stets »heute mal ein bisschen früher«, weil sie ihr hochbegabtes Kind aus dem Förderunterricht abholen muss. Pflichtbewusst nimmt sie sich jeden Tag Arbeit mit nach Hause, um sie abends gemütlich bei einer Flasche Wein im Wohnzimmer zu erledigen.

Trotz dieses enormen Engagements ist Anita komischerweise ständig mit der Arbeit im Rückstand. Das hat sie allerdings in den zurückliegenden Monaten recht geschickt gelöst: Alles, was bei ihr am Vorabend »liegen geblieben« ist, hat sie mir am nächsten Morgen auf den Schreibtisch geknallt. »Det is allet janz dringend«, sagte sie dann, und ich musste jedes Mal aufpassen, dass mich ihr Atem nicht besoffen machte. »Kiek ma zu, datte det bis heut Mittag durch has.« Hab ich meistens mit Müh und Not geschafft, geglänzt hat damit Anita.

Aber jetzt ist die Tortur endlich vorbei. Mein letzter Arbeitstag! Anita hält mich noch immer im Arm; es kommt mir vor, als wollte sie mich nie wieder loslassen. Kein Wunder, denn jetzt hat sie keinen mehr, der die Arbeit für sie erledigt.

Als ich mittags zum Abschied mit den anderen Kolleginnen etwas essen ging, erfuhr ich, dass Anita dem Chef ständig Geschichten über mich erzählte: Ich würde morgens im Büro frühstücken, dauernd mit Freundinnen telefonieren, immer früher gehen und mich abends volllaufen lassen.

Anita presst sich eine Träne heraus, entlässt mich langsam aus ihrer Umklammerung und wiederholt noch mal: »Ick werd dir so vermissen!«

»Du mich auch«, antworte ich und verbessere mich gleich: »Äh, ich dich auch …«

Wer es mit geschickter Arbeitsumverteilung und passablem Selbstmarketing in die Chefetage schaffen will, muss freilich noch etwas tiefer in die Trickkiste greifen. Und er muss spröde Verbindlichkeit an den Tag legen. Denn jedes Lächeln und jedes Wort darüber hinaus sind Zeitfresser.

In ihren ersten Monaten in der Agentur bemühte sich Christina Lenker noch vermehrt um Freundlichkeit: Sie stellte sich telefonisch vor, begrüßte den Anrufer mit schleimscheißerischem Höchstaufwand und wünschte ihm am Ende einen extraschönen Tag, bevor sie sich verabschiedete. Eines konnte sich Christina jedoch nicht erklären: Während sie die letzten Worte sprach, knallte am anderen Ende oft schon der Hörer auf.

Solche kommunikationstechnologische Pampigkeit könnte man »Speedphoning« nennen. Wer sich des Speedphonings bedient, hat sich als Berufstäuscher etabliert. Er oder sie ist wahrscheinlich schon lange im Geschäft und möchte ganz schnell ganz nach oben. Der rasche Telefonhörerwegwurf will jedoch gekonnt sein. Was der Werfer damit sagen will: Du Würstchen, sei froh, dass ich überhaupt mit dir gesprochen habe! Bei mir ist dermaßen die Kacke am Dampfen, dass ich eigentlich keine Zeit habe, mit Pappnasen wie dir zu reden. Und nerv mich nicht mit irgendwelchen guten Verwünschungen. Wenn man so wichtig ist wie ich, hat man verdammt noch mal zu tun!

> *»Kluge leben von den Dummen. Dumme leben von der Arbeit.«* Robert Lembke

In leicht abgewandelter Form kann man die Speedphoning-Nummer genauso gut mit modernen Kommunikationsmitteln durchführen. Falls Sie sich wie Christina auch schon mal gefragt haben, warum Ihnen Kollegen, die fünf Schritte entfernt sitzen, eine unverständliche, mehrseitige E-Mail schreiben, statt eben mal vorbeizuschauen – hier ist die Erklärung: Wer mailt, steht so unter Strom, dass ein persönlicher Kontakt zu viel Zeit in Anspruch nehmen würde. Und für sinnloses Geseiber hat der Mailschreiber im Moment wirklich keine Zeit. Besonders beliebte Accessoires sind in solchen Fällen BlackBerrys und das Handy, das man auf keinen Fall ausstellen darf.

Christina Lenker hat mittlerweile ein Potpourri aus beliebten Vertuschungs- und Selbstbeweihräucherungsstrategien verinnerlicht. Und es hat sich ausgezahlt: Obwohl ihr Wissensstand über ihr tägliches Geschäft immer noch kümmerlich ist, hat man sie nach zwei Jahren in der Firma zum ersten Mal befördert. Vor ihrer Jobbezeichnung »Projektmanager« steht jetzt ein »Senior«. Eigentlich doof, findet sie, schließlich ist sie ja erst Anfang dreißig. Dass es dafür mehr Geld gibt, ist ihr jedoch sehr recht.

Auch die Berufsbezeichnungen der Kollegen sind wohlklingende englische Titel, deren Bedeutung keiner richtig versteht oder erklären kann. Auch dies ist ein Phänomen der Generation Doof, denn so klingt unser Job gewichtig, selbst wenn er es gar nicht ist. So wird aus der Putzkolonne schnell mal ein Geschwader von »Assistant Cleaning Managern«. Auch »Controller« können häufig nicht erschöpfend erklären, was sie kontrollieren. Christina hat nach langer Zeit endlich herausgefunden, dass der Controller in ihrem Unternehmen immer noch im guten alten Rechnungswesen arbeitet – doch das klingt natürlich längst nicht so cool.

Solche Absurditäten fallen in der allgemeinen Sprachverwirrung des Bürolebens gar nicht weiter auf. Die Generation Doof bedient sich nur allzu gerne englischer Fachtermini, weil das im Zweifelsfall kompetenter klingt. Angenehmer Nebeneffekt für prekäre Situationen: Aus Angst vor Entdeckung des eigenen Unwissens wird niemand so schnell nachfragen, ob man ihn womöglich gerade beleidigen wollte. Auf diese Weise lassen sich auch unangenehme Wahrheiten und anzügliche Bemerkungen entspannt an den Mann oder die Frau bringen.

Marketingsprache für Anfänger.
Ein Schnellkurs.

Es ist signifikant, dass sich jeder auf seine Kernkompetenz fokussiert.
So richtig Ahnung von eurem Job habt ihr alle nicht, oder?

Der Senior Assistant to the Board wird das Reengineering des Workflows supervisen.
Irgendwas läuft hier nicht rund, aber keine Ahnung, was. Der Typ, dessen Namen ich vergessen hab, soll die Suppe auslöffeln. Aber frag mich nicht, was der machen soll!

Sorry, du solltest deine Contenthaltung optimieren.
Los, räum endlich mal deinen Saustall auf!

Für das Incentive sollten wir eine Corporate Identity als Eyecatcher für die Face-to-Face-Kommunikation andenken.
Kommt, auf der Firmenfeier verkleiden wir uns alle. Da stehen die Weiber drauf, und dann geht's zur Sache!

Die Hospitality war beim Joint Venture ein wenig zu interaktiv!
Hören Sie auf, unsere Geschäftspartner zu befummeln!

Nach dem Briefing sollten wir die Basics dann in das neue Branding implementieren.
Okay, wenn wir mit dem Gelaber fertig sind, muss irgendwer den ganzen Quatsch umsetzen.

Der Produktivität unseres Unternehmens mangelt es an der Reliability.
Wir sind so was von am Arsch.

> Das Bundling der Leaflets vor dem Kick-off würde ich gerne dele-
> gieren.
> *Soll doch jemand anderes die Scheißblätter zusammentackern.*
>
> Ist eigentlich die 2M-DSL-Leitung mit Glasfaserscrambling schon
> mit dem Backbone des Rooters verswitcht worden?
> *Gibt's Internet in dem Sauladen hier?*
>
> Die Cash-Burn-Rate hat den Peak-Point erreicht.
> *Verdammt, wir sind pleite!*

Christina spricht das Büro-Kisuaheli mittlerweile fließend. Muss
sie auch, denn sie will von null auf hundert Karriere machen: Mit
null Können auf hunderttausend Ocken im Jahr. Der beste Weg
auf den ersehnten Ledersessel, zum Geschäftswagen und zu Gala-
Diners auf Firmenkosten ist natürlich immer noch die ungehemm-
te, bedingungslose Versklavung, kurz Überstunden genannt. Freiwillig und unbezahlt, versteht sich. Wer morgens von den Kollegen
mit »Na, wie geht's?« begrüßt wird, sollte mit müdem Blick und
gequälter Stimme aus dem Stand überzeugend erwidern können:
»Ach, ganz okay, aber ich hab gestern wieder bis zehn Uhr hier
gesessen!« Was Sie in der Zeit machen, die Sie abends im Büro verbringen, ist freilich Ihre Sache. eBay ist eine Variante. Aber das geht
niemanden etwas an, genauso wenig wie die Tatsache, dass Sie den
halben Tag im Büro mit Internetsurfen, Kaffeetrinken und in un-
nötigen Konferenzen vertändelt haben. Die Generation Doof weiß,
wie man sich auf Firmenkosten eine Karriere baut.

    Wenn Sie all dies beherzigen, dann können Sie es in der Berufs-
welt trotz mangelhafter Eignung sehr weit bringen. Vorausgesetzt,
Ihnen läuft kein Coach über den Weg, der Ihre Spielchen durch-
schaut.

Sabine Asgodom ist Managementtrainerin und kennt ihre Pappenheimer. Gerade die Überstundenweltmeister beäugt sie kritisch. »Ich kenne Leute, die machen viel mehr in einer Viertagewoche als andere in einer Fünftagewoche«, sagt sie. »Diejenigen, die nach acht Stunden gehen und ihren Job erledigt haben, sind viel besser organisiert.«

Viel Getöse und nichts dahinter – das ist typisch für die Generation Doof. Auch unsere Multitasking-Masche ist inzwischen von Wissenschaftlern entlarvt worden. Psychologen der University of Michigan haben in der Studie »Human Perception and Performance« herausgefunden, dass Multitasking kein Ausdruck von großer Leistungsfähigkeit ist, sondern die Effizienz eher dämpft. Und das kann für den Arbeitgeber teuer werden: »Sich nicht konzentrieren zu können«, sagt David Meyer, einer der Forscher, »kann für ein Unternehmen zusätzliche Zeitkosten in Höhe von zwanzig bis vierzig Prozent bedeuten.«

Ob und wie wir Karriere machen, entscheidet sich letztlich daran, ob wir die Fassade von Fleiß und Hingabe während der kleinen und großen Stürme des Bürolebens aufrechterhalten können, bis wir irgendwann tatsächlich mal in der Chefetage landen. Doch das kann für die Generation Doof kaum erstrebenswert sein. Denn dann müssten wir selber Entscheidungen treffen. Und ohne profundes Wissen kann so mancher Dilettant der Generation Doof im Unternehmen ordentlichen Schaden anrichten, wenn er am Ruder steht.

Die Chance, dass es der eine oder andere tatsächlich so weit bringt, ist durchaus gegeben, denn immer noch starten die meisten von uns mit dem festen Ziel ins Berufsleben, irgendwann im Chefzimmer zu sitzen – erst dort winkt nämlich die Entlohnung, die wir für den ersehnten Wohlstand brauchen.

Wer es dorthin schafft, der muss sich allerdings über eines im Klaren sein: Je mehr Verantwortung, desto mehr selbstdarstellerische Leistung ist notwendig. Es genügt dann nicht mehr, den lieben langen Tag gestresst und beschäftigt zu wirken und so zu tun, als sei man in seinem beruflichen Kleinbiotop Experte. Nun ist Weitsicht gefragt. Man sollte zumindest vorspiegeln können, man besäße diese. Es ist wohl kein Zufall, dass die meisten Chefs großer Konzerne einen Personal Coach haben oder regelmäßig Schauspielunterricht nehmen, um die eigene Präsentation zu optimieren.

Wer sein schauspielerisches Talent ausbaut, dem wird es gelingen, auch auf höchster Ebene immer wieder eigene Unzulänglichkeiten auszubügeln. So ging ein kleiner Automobilzulieferer einem neuen Geschäftsführer auf den Leim, der mit Vorschusslorbeeren überschüttet worden war und ein Jahr später die Bühne wie ein abgeschossenes Moorhuhn verlassen musste. Der Firmeninhaber hatte den Mann über gemeinsame Bekannte kennengelernt und sich sofort von dessen Charisma gefangennehmen lassen. Er stellte ihn kurzerhand ein. Dass der Mann zuvor Geschäftsführer in der Telekommunikationsbranche gewesen war, also keine Ahnung vom Kerngeschäft des Automobilzulieferers hatte, tat nichts zur Sache.

Kein Wunder, dass die Vorschläge des neuen Chefs die meisten Mitarbeiter erst einmal überraschten. »Er schlug als Erstes einen Relaunch der Internetpräsenz vor, um neue Kunden in China anzusprechen«, erinnert sich ein Mitarbeiter. »Wir haben ihm dann erst mal erklärt, dass wir die Zusammenarbeit mit einem chinesischen Betrieb vor anderthalb Jahren mit ziemlich schlechten Erfahrungen beendet hatten.«

Als Nächstes wollte der Neue eine Kooperation mit einem großen Autohersteller anleiern, musste dann aber feststellen, dass die eigene Firma überhaupt nicht in der Lage war, die Teile zu bauen, die er in dem Deal anbieten wollte. Die Warnungen langjähriger Mitarbeiter, lieber ein Auge auf die Produktqualität zu haben, schlug er in den Wind. Zu konservativ sei das, kreativ müsse man denken. *Think big!* Trau yourself was!

Als wenige Monate später die ersten Kundenbeschwerden über Produktmängel eintrudelten, wurde der Firmeninhaber hellhörig, erkannte, dass der viel gepriesene Neue außer ein paar rasch angelesenen Fachtermini aus den einschlägigen Zeitschriften nichts draufhatte, und zog entschlossen die Reißleine. Seine Firma hat er damit wohl vor dem Ruin durch einen Nichtskönner-aber-alles-Besserwisser der Generation Doof gerettet.

Man kann nur vermuten, dass es bei Siemens, BenQ, Airbus oder der Telekom ähnlich gelaufen sein muss, kurz: bei vielen der Unternehmen, bei denen Fehlentscheidungen im Management etliche Menschen den Job gekostet haben – obwohl auch hier einige Mitarbeiter bereits früh vor falschen Entwicklungen gewarnt hatten.

> *»Ja nee, sicherlich klar,*
> *Alles Roger, alles wunderbar.*
> *Ja nee, nix ist klar,*
> *Wer ist Roger? Wer verdammt noch mal?«*
>
> Sportfreunde Stiller

Doofe Chefs trauen sich offenbar nur selten, Informationen von ihren Untergebenen zu erbitten, weil sie sich keine Blöße geben wollen. Schaden könnte es allerdings nicht, auch als Boss öfter auf den Rat von anderen zu hören: Eine Umfrage des *INDat-Report* unter den dreißig führenden Insolvenzkanzleien hat ergeben, dass der Grund für die meisten Pleiten Managementfehler sind. Oft mangelt es am kaufmännischen Know-how oder an der Führungskompetenz.

Abseits des öffentlichen Interesses vollziehen sich die gleichen Pannen auch bei Kleinunternehmen und Mittelständlern – was besonders schmerzt, da diese bekanntlich von jeher das Rückgrat der deutschen Wirtschaft bilden. Täglich melden Unternehmer Konkurs an, weil sie das Einmaleins der Betriebswirtschaft nicht beherrschen. Eine fatale Entwicklung, denn unser Land ist auf eine neue Existenzgründergeneration angewiesen, die Arbeitsplätze schafft, um die Lücke zu füllen, die alteingesessene Unternehmen reißen, wenn sie sich mit fliegenden Fahnen nach Fernost verabschieden. Auf die Generation Doof ist dabei nicht zu hoffen, denn Innovation ist für uns ein Fremdwort.

Aber was ist der Grund für den Mangel an Führungspotenzial und Wissen? Ist er allein auf eine schlechte Ausbildung zurückzuführen? Unter Experten gilt der Führungsnachwuchs als nicht sonderlich eifrig, und die Gründe dafür scheinen in der Lebenseinstellung zu liegen.

> *»Bei der Karriere und beim Sex zählt für mich*
> *nur eines: Oben sein ist einfach geil!«*
>
> Oliver Pocher

Aufgewachsen im Wohlstand scheuen viele Angehörige der Generation Doof das Risiko. Sie verwalten lieber, statt echten Unternehmergeist zu zeigen und neue Ideen auf den Weg zu bringen. In diesem Sinne kann man die Massenentlassungen in vielen Firmen auch als reine Fantasielosigkeit der Manager deuten: Entlassung statt Innovation. Gesundschrumpfen statt Erneuern.

Als »Freizeitoptimierer« bezeichnet der Personalberater Hermann Sendele diesen neuen Schlag von Führungskräften, die sich am liebsten um teure Hobbys kümmern und die Zeit nach Feierabend verbessern, anstatt ihres Jobs zu walten und ihr Unternehmen für die Zukunft zu rüsten. »Es gibt in dieser Generation viele, gerade im Mittelmanagement, die das tun, was sie tun müssen – aber keinen Schlag mehr«, sagt er. »Anders als die Vorgängergenerationen sind sie in materieller Sicherheit aufgewachsen.« Verständlich, dass das Sicherheitsbedürfnis besonders groß ist, wenn der eigene Wohlstand das Wichtigste ist – vor allem, wenn man sich selbst unsicher ist, was man tun muss, um das Unternehmen nach vorn zu bringen. »Beruflich sind sehr viele nur mittlere Güteklasse«, erklärt Sendele – da möchte man sich natürlich ungern mit riskanten Entscheidungen zu weit aus dem Fenster lehnen.

Wenn die Generation Doof im Chefsessel sitzt, dann steht sie im Grunde genommen noch immer am Anfang. Die Zweifel und die Verwirrung, die uns bereits den Berufseinstieg versalzen haben, lassen uns das ganze weitere Berufsleben lang nicht los. Der doofe Chef ist letztlich genauso hilflos wie der dämliche Praktikant oder der unauffällige Durchschnittsbüroschläfer der Generation Doof – schließlich weiß keiner von beiden genau, wo es hingehen soll, und beide müssen ihr Halbwissen ständig kaschieren. Sie würden es sich lieber im Wohlstand bequem machen, als anspruchsvolle Aufgaben zu übernehmen.

Natürlich ist die Arbeitswelt kein reines Lager von Versagern, sonst würde in Deutschland das blanke Chaos herrschen. Noch sitzen Ältere fest im Sattel, die gerne bestimmen, wo es hingehen soll. Auch die machen Fehler. Doch in der Generation Doof gibt es noch mehr Nichtskönner-aber-alles-Besserwisser, noch mehr Blender und Schaumschläger. Die Frage ist, wie sich deren Präsenz mit zunehmender Verweildauer im Job auswirken wird: Gibt es in Zukunft eine breite Arbeitnehmerschaft, die mit ihrem Halbwissen lustig vor sich hin dilettiert, und Chefs, die mangels eigener Kenntnisse auf solche Leute vertrauen müssen und dabei selbst im Nebel der Unwissenheit umhertappen?

Das muss nicht unbedingt geschehen. Auch unter den Jüngeren gibt es zum Glück einige, die zeigen, wie man mit den speziellen Schwierigkeiten unserer Generation erfolgreich fertig werden kann.

Best Practice – Leute, von denen eine ganze Generation lernen kann

Die Hoffnung kommt oft dann, wenn man sie am wenigsten erwartet. Über uns brach sie an einem lauen Sonntagmorgen beim

Frühstück in einem Kölner Café herein. Beim Anblick der leicht bekleideten und im Tempo einer Wellhornschnecke arbeitenden Bedienung fragten wir uns, ob unsere Generation wohl in beruflicher Hinsicht als Totalausfall in die Annalen Deutschlands eingehen würde. Wie würden unsere Enkel einmal über die Nesthocker, Langzeitpraktikanten und Work-Abstinenzler der Generation Doof urteilen?

Als die gelangweilte Wellhornschnecke endlich Rührei und Toast gebracht hatte, blätterten wir durch die *Frankfurter Allgemeine Sonntagszeitung* und blieben schließlich im Ressort »Beruf & Chance« hängen. Der Artikel »Gute Zeiten, schlechte Zeiten« sprach endlich das aus, worauf die Generation Doof lange warten musste: »Der geradlinige Lebenslauf ist passé.« Der Serpentinenweg in den Beruf, so war in der FAS zu lesen, sei eine Kampfansage an Spießer, Langweiler und Besserwisser, und angeblich lebten wir ja nicht, um den Ansprüchen von Personalchefs zu genügen. Ein Zickzack-Hürdenlauf im CV berge sogar Chancen für Unternehmen, solange Tatkraft aus ihm spreche. Kurz: Menschen mit einer Fülle von Lebenserfahrung erledigen einen Job oft besser als langweilige Musterknaben.

Großartig, dachten wir und dankten der FAS-Redakteurin insgeheim für das Licht am Ende des U-Bahn-Schachts, der die Arbeitswelt für viele von uns ist. So können Flaschen wie wir mit unsteten Patchwork-Lebensläufen also doch einen Hit landen. Und, wer weiß, vielleicht gibt es ja für die anderen Berufslegastheniker unserer doofen Generation ebenfalls noch Hoffnung. Dafür allerdings müsste erst mal umgedacht werden – und das steht bei uns nicht gerade unter »Fähigkeiten und Kenntnisse« im Lebenslauf.

Natürlich kann man auch auf Umwegen ans Ziel gelangen, doch wer es auf der flexiblen und kreativen Route schaffen will, muss einige Fertigkeiten mitbringen, die vielen Doofen abgehen: Mut, Lernfähigkeit, Ideenreichtum und eine Menge Eigeninitiative. Man muss Chancen erkennen und nutzen, wenn sie sich einem bieten, und nicht erst jahrelang darüber nachdenken, ob sich ein solcher Schritt auch wirklich lohnt.

Und manchmal muss man sogar dort Chancen suchen, wo das Gras der Hoffnung nicht sprießt. So hat es zum Beispiel David Schumann angestellt. Er ist einunddreißig Jahre alt und hat es dank seines Goldnäschens zu der Modelkarriere gebracht, von der viele Möchtegern-Sexsymbole nur träumen. Vor wenigen Jahren reiste er als Student nach Japan, mit dem Ziel, seine Sprachkenntnisse zu verbessern. Doch dann sprach ihn in Tokio aus heiterem Himmel eine wildfremde Frau an und fragte, ob sie Fotos von ihm machen dürfe. Das Shooting für eine Modefirma brachte David umgerechnet zwar nur schlappe dreihundert Euro ein, doch trotz des geringen Verdienstes ließ er sich nicht entmutigen. Er hatte Blut geleckt, blieb in Japan, bewarb sich bei diversen Agenturen und kassierte Dutzende von Absagen. Bis er eines Tages verschlief und unrasiert und mit strubbeligen Haaren beim Casting aufschlug. Der für dortige Sehgewohnheiten recht ungewöhnliche Auftritt begründete seinen Aufstieg zum beliebtesten Model in Japan. Der Lotterlook ist jetzt sein Markenzeichen, und die Japaner lieben ihn für dieses gewagte Outfit. David modelt heute für Marken wie Dolce & Gabbana oder Stüssy. Er ist da, wo viele hinwollen, dank Flexibilität in der richtigen Situation, ein bisschen Glück und seiner Beharrlichkeit.

Auch von Promis können wir manchmal noch etwas anderes lernen als die Art, wie man sich in einer Badewanne voller Schokomus räkelt. Einige Beispiele zeigen, was Durchsetzungswillen ausrichten kann, auch wenn anfangs mal etwas schiefläuft: Barbara Schöneberger schmiss nach zehn Semestern Soziologie das Studium und wurde Moderatorin beim DSF; Eva Briegel studierte sieben Jahre lang fast alles, was die Alma Mater zu bieten hat, und machte dann mit der Musikcombo Juli die perfekte Welle; und Heike Makatsch schmiss nach vier erfolglosen Uni-Jahren auch noch die anschließende Schneiderlehre, bevor sie endlich bei VIVA Erfolg hatte.

Man kann also durchaus mit den typischen Tücken, die das Berufsleben für die Generation Doof bereithält, fertig werden. Dazu gehören allerdings Hartnäckigkeit und die Bereitschaft, auch mal einzustecken. Diese Eigenschaften fehlen der Generation Doof oft, weil wir glauben, ein Ticket fürs Wohlstandsleben gebucht zu haben. Wer schon gleich am Anfang der Karriere ein finanzielles Pölsterchen und einen mühelos in der Frühstückspause zu erledigenden Job erwartet, wird wohl kaum das nötige Durchhaltevermögen aufbringen und wartet daher lieber an der Hartz-Haltestelle auf den Karrierebus. Manchmal kommt der ein Leben lang nicht vorbei.

Wenn die Generation Doof mit ihrem Halbwissen im Beruf Erfolg haben will, können ein bisschen Eigeninitiative und die Bereitschaft, ein Wagnis einzugehen, nicht schaden. Sie helfen uns weiter, falls wir tatsächlich mal eine gute Idee haben sollten. Nach einem Auslandssemester in Aberdeen kamen beispielsweise Inga Koster und Marco Knauf mit einer pfiffigen Geschäftsidee im Gepäck zurück: In Schottland hatten die beiden Fachhochschulabsolventen Gefallen an den beliebten »Smoothies« gefunden – einer Mischung aus Fruchtsäften und püriertem Obst. In Deutschland gab es die Vitamincocktails bis dahin nicht, und Inga und Marco waren überzeugt, dass der gesunde Matsch auch hierzulande Freunde finden würde. Sie überzeugten finanzkräftige Investoren von ihrer Idee und gründeten die True Fruits GmbH. Das Konzept ist erfolgreich: Mittlerweile verkauft der Saftladen über fünfhunderttausend Smoothies im Monat. Und das Lifestyle-Produkt kommt so gut an, dass es mittlerweile sogar von etablierten Firmen kopiert wird.

Das glückliche Händchen für die richtige Idee zur richtigen Zeit ist natürlich nicht jedem von uns gegeben. Wer schon einmal ernsthaft mit dem Gedanken gespielt hat, sich selbstständig zu machen, ist wohl in den meisten Fällen an den eigenen Ideen gescheitert – zu verrückt, zu abgedreht, nicht marktfähig. Aber warum nicht aus der Not eine Tugend machen und einfach mal an den eigenen Erfindergeist glauben? Denn Erfolg kann man auch mit etwas extravaganteren Einfällen haben: »Teddy in Munich« nennen Elke Verheugen und Christopher Böhm ihr leicht skurriles Geschäftsmodell. Sie bieten eine Art Abenteuerurlaub für Plüschtiere an. Menschen aus aller Welt schicken den beiden ihre Teddys nach München, wo Elke und Christopher sie vor bekannten Sehenswürdigkeiten und beim Freizeitvergnügen fotografieren: Teddy vor dem Hofbräuhaus, Teddy beim Bungee-Jumping, Teddy auf dem Oktoberfest oder Teddy beim Golfen. Nach einer Woche bekommen die Kunden ihren knuffigen Weltenbummler samt hochwertigem Fotoalbum zurück. Immerhin: Im Monat kommt so schnell eine Reisegruppe von acht bis zwölf Stofftieren zusammen.

Ähnlich abgedreht erscheint auf den ersten Blick die Idee zweier Innenarchitektinnen. Andrea Baum und Susanne Schmidt haben die »Single-Tapete« erfunden. Dahinter steckt ein einfacher Gedanke: Wer allein ist, soll sich nicht einsamer als unbedingt nötig fühlen. Im Mainzer Designstudio von Andrea und Susanne entstehen Fototapeten, auf denen Menschen in Lebensgröße zu sehen sind, die Kaffee trinken, essen, lesen oder fernsehen – also das tun, was auch wir am liebsten machen. Damit haben die beiden wohl eine Marktlücke gefunden, denn mittlerweile treffen sogar Bestellungen aus Südafrika und England bei ihnen ein.

Ganz egal, ob nun süße Fruchtcocktails, Jetset-Teddys oder Gesellschaftstapeten: Die Knaufs, Baums, Verheugens & Co. sind das, was im Wirtschaftsjargon gerne »Best-Practice-Beispiel« genannt wird. Leute also, von denen man lernen kann. Die Botschaft für die Generation Doof ist, dass man auch Erfolg im Leben haben kann, wenn man kein Popsternchen ist. Weiterdenken lohnt sich, denn mit einem »ernsthaften« Job kann man durchaus Kohle machen – und im Zweifelsfall tut man sich damit nicht nur selbst einen Gefallen, sondern leistet einen Beitrag für die Zukunft einer ganzen Generation. Leute, die an ihre Ideen glauben und damit

Arbeitsplätze schaffen, brauchen wir nämlich viel dringender als die nächste TV-Eintagsfliege.

Damit es in Zukunft mehr solcher Menschen gibt, wäre es natürlich schön, wenn wir alle imstande wären, unsere eigenen Träume umzusetzen und perfekt vorbereitet in den Beruf zu starten. Dann könnte man die Generation Doof mit ruhigem Gewissen gewähren lassen, »denn sie wissen schon, was sie tun«.

Neue Ausbildungssysteme an Fachhochschulen helfen dabei, dass das irgendwann Wirklichkeit wird: Die meisten Kurse und Seminare sind dort vorgegeben und folgen einem stringenten Lehrplan. Parallel dazu ist oft die Arbeit in einem Unternehmen verpflichtend und sorgt früh für Praxiserfahrung.

Ein »verschulteres« Studium, wie es gerne abwertend heißt, würde wohl auch vielen bisherigen Langzeitstudenten den Einstieg erleichtern. In einer Welt, in der es so viele verschiedene Möglichkeiten gibt wie in der unseren, kann es nicht schaden, Orientierungslose öfter mal Geleit zu geben, anstatt sie blind vor die Mauer laufen zu lassen.

Das denken sich auch clevere Unternehmen und bereiten ihren Führungsnachwuchs auf seine Aufgaben vor, damit er nicht wie mancher Manager aus der Generation Doof hilflos in der ersten komplizierten Kurve das Steuer verreißt. »Führungskräftenachwuchsseminar« lautet das Wort, das in diesem Rahmen so lang wie sinnvoll ist. Mit viel Engagement ist Sabine Gerber damit zur Regionalleiterin einer Firma für Außenwerbung aufgestiegen, obwohl sie sich selbst ursprünglich nie in einer solchen Position gesehen hat. »Bei kleineren Projekten habe ich zwar gemerkt, dass es mir Spaß macht, Menschen anzuleiten und Aufgaben zu koordinieren«, sagt sie, »aber ich hätte mir früher nie die Kompetenz für einen solchen Job zugetraut.« Ihre Firma hat dennoch an ihr Potenzial geglaubt und sie an die neue Aufgabe herangeführt. Zuerst arbeitete Sabine ein Jahr lang als Leiterin einer Filiale, dann sechs Monate als Assistentin des Regionalleiters, den sie ersetzen sollte.

Heute bereitet ihr ihre neue Aufgabe kein Kopfzerbrechen mehr. »Das Wichtigste, was ich gelernt habe, ist, auf den Rat und die Erfahrungen anderer zu vertrauen«, erklärt sie. Das heißt, dass sie sich auch nicht vor vermeintlich dummen Fragen scheut: »Niemand weiß alles, deshalb ist es überhaupt keine Schande, nachzufragen.« Nicht das geringste Verständnis hat sie deshalb für die Augenwischerei von Menschen, die lieber versuchen, die eigene Unwissenheit zu kaschieren, anstatt dazuzulernen. Sabine hält dies für uneffektiv, weil es Arbeitsprozesse verlangsamt und die Produktivität hemmt.

Der Weg zum großen Berufsglück führt für die Generation Doof aber nicht zwangsläufig nur über die Chefetage und hochfliegende Geschäftsideen. Es müssen nicht immer Abitur und Studium sein, denn es geht auch mit herkömmlichen Mitteln: Ingo Gerth, Anfang dreißig, betreibt ein kleines Handwerksunternehmen, das vielen Möchtegern-Kreativen in unserer Generation gar nicht so cool vorkommen würde, wie es tatsächlich ist. Er hat sich im März 2005 mit seiner Firma »Arktis Kälte-Klima« selbstständig gemacht, zu einer Zeit, als alle von schlechter Konjunktur redeten und niemand etwas wagte. Heute ist er einer der jüngsten Unternehmer in seinem Bereich und bietet einen Rundumservice für Kleinkälteanlagen. Sein Rezept: Qualität und Freundlichkeit – und Flexibilität, denn er steht für seine Kunden täglich vierundzwanzig Stunden parat. Klar, das ist anstrengend, und Ingo muss sich an seinem eisigen Arbeitsplatz oft warm anziehen, aber Spaß hat er trotzdem in seinem Job.

Gute Erfahrungen mit der Bodenständigkeit hat auch Thomas Zänker aus Halstenbek bei Hamburg gemacht. Er leitet eine eigene Parkettlegefirma – und dabei hat er nicht einmal einen Meisterbrief. Möglich wurde das, als 2004 die Handwerksordnung geändert wurde und sich nun auch Gesellen ohne Meisterprüfung selbstständig machen durften. Thomas nutzte die Chance und machte allein in den ersten zehn Monaten einen Umsatz von vierzigtausend Euro. Heute ist er so weit, dass er seinen ersten Mitarbeiter einstellen kann.

Es gibt also durchaus Hoffnung für die Generation Doof. Mit Leistungsbereitschaft, Eigeninitiative und dem Willen dazuzulernen können wir die Versäumnisse unserer oft kläglichen Ausbildung nachholen. Vielleicht gelingt es Menschen wie Thomas, Sabine oder den Smoothie-Mixern, gemeinsam mit viel Engagement die Lücken schließen, die eine unbegründete Anspruchshaltung und ein verkorkstes Bildungssystem gerissen haben.

Solange wir uns jedoch an unserem Arbeitsplatz langweilen und versuchen, unseren Frust und den Stress anschließend in bunten Unterhaltungssendungen zu ertränken, wird sich nichts ändern. Real-Life-Soaps über Menschen, die es im Beruf zu noch weniger bringen als wir, hirnfreie Boulevardmeldungen und Spielesendungen, die uns vorgaukeln, man könne es ohne Anstrengung zum Millionär oder zum Superstar bringen – all das ist nicht hilfreich, wenn es darum geht, die verkrusteten Zustände aufzubrechen. Doch die Generation Doof lässt sich nun mal gerne einlullen. Denn wer glotzt, hat mehr vom Leben – genial oder eher genial daneben?!

KAPITEL 4

Unterhaltung, die man auch mit dem Zweiten besser nicht sehen sollte

»In einer Welt, in der man nur noch lebt,
damit man täglich roboten geht,
ist die größte Aufregung, die es noch gibt,
das allabendliche Fernsehbild.«

Die Toten Hosen

Computer sein ist nicht immer einfach, denn auch elektronische Geräte leben gefährlich. Im Internet findet man einen kleinen Film mit dem Titel *Verrückter Computerspieler*, der zeigt, wie moderne Unterhaltungsgeräte in der Abgeschiedenheit deutscher Kinderzimmer misshandelt werden. Das kurze Video ist auch ein Beweis dafür, dass manch ein Videospieler der Generation Doof nicht mehr alle DVDs im Laufwerk hat.

Ort der Handlung: Das Privatgemach eines pubertierenden Gesichtswasserbenutzers. Hinter einem Haufen leerer CD-Hüllen, Zeitungen und DVDs lugt schüchtern ein PC-Monitor hervor. Ein kleiner, pummeliger Junge lässt sich vor dem Gerät in den Bürostuhl plumpsen. »Ich will *Unreal Tournament* spielen!«, bläzt er laut. Mit einer wütenden Handbewegung fegt er den Stapel CDs vom Schreibtisch und fordert: »Starte – das – verdammte – Spiel, du Hurensohn!« Der Junge hämmert energisch mit der Faust auf das Keyboard ein, das daraufhin ein paarmal hilflos piepst.

»Jetzt geht's los, jetzt geht's los!«, ruft er plötzlich und freut sich wie Roberto Blanco bei der Verleihung der Goldenen Schallplatte. Doch kurz darauf entfleucht ihm eine weitere unflätige Bemerkung, und er schlägt mit der flachen Hand gegen den Monitor – das Spiel lädt wohl zu lange.

Irgendwann möchte der Computer nicht länger geschlagen werden, hat ein Einsehen und startet *Unreal Tournament*. Das freut den Jungen. Mit ein paar Mausklicks pustet er im Spiel einen Gegner um. »Ja, nimm das, du Hurensohn! Friss das! Ich hab ihn umgebracht! Juhuu!«

Dumm nur, dass auch virtuelle Gegner manchmal zurückschießen. Als es die Spielfigur des Jungen erwischt, erweist er sich als schlechter Verlierer, packt die Tastatur und zertrümmert sie unter einem Schwall unverständlicher Flüche auf dem Schreibtisch. Sie löst sich vollständig in ihre Bestandteile auf. Der Junge keucht erschöpft, bevor er aus dem Zimmer rennt. Das, was vom Computer übrig ist, bleibt leise piepsend zurück.

Das Video mit dem »verrückten Computerspieler« ist zum Kult geworden. Zigtausende haben es schon im Internet gesehen, und regelmäßig nutzen Fernsehsendungen den Clip als Beispiel für die dumme, aggressive Jugend.

Der kurze Film wirkt so absurd, dass man spontan vermutet, er könne nur gestellt sein. Doch egal, ob nun echt oder unecht: Er veranschaulicht, wie es um die Generation Doof bestellt ist. Denn allein die Tatsache, dass man sich über die Echtheit des Clips Gedanken macht, bedeutet, dass er durchaus echt sein *könnte* – schließlich liest und hört man allerorten von jungen Menschen, die ihre Freizeit ausschließlich vor dem Fernseher oder der Spielkonsole verbringen und dabei angeblich immer dümmer werden.

Tatsächlich bestimmt die mediale Info- und Blödsinnsflut Stunde um Stunde unseres Lebens und ist daraus nicht mehr wegzudenken. Wir sind mit der ständigen Berieselung groß geworden: Schon kurz nachdem wir Freundschaft mit unserem ersten Fernseher geschlossen hatten, wollten wir unsere gesamte Freizeit mit ihm verbringen. Und daran hat sich bis heute nichts geändert. Unsere Mahlzeiten nehmen wir noch immer am liebsten vor der Glotze ein, und Serien wie *Ein Colt für alle Fälle* und *Hart aber herzlich* gehören zu unseren liebsten Kindheitserinnerungen. Die Generation

Doof besteht aus der Generation Fernsehen, der Generation VHS, der Generation DVD, der Generation C 64, der Generation @ und der Generation Killerspiele. Der mit Ölfässern werfende Gorilla Donkey Kong und der dicke kleine Pizzabäcker Super Mario haben uns die Leichtigkeit der Ablenkung beigebracht – Joystick und DVD-Player waren uns schon immer viel näher als Gartengeräte, Turnschuhe oder Bücher.

Von ersten mechanischen Großrechnern wie dem Zuse Z1 bis zum verrückten Computerspielkid war es allerdings ein langer, beschwerlicher Weg. Im medialen Steinzeitalter mutmaßte man zwar schon darüber, dass die neue Technik einen totalitären Big Brother hervorbringen könnte – aber dass die neuen Geräte einmal eine tragende Rolle bei der Verblödung einer gesamten Generation einnehmen würden, konnten unsere Vorfahren freilich kaum ahnen. Damals lasen die Menschen ja auch noch Bücher und wussten, dass Hannibal die Alpen mithilfe von Elefanten und nicht mit Lamas überquerte, wie ein Kandidat bei Günther Jauch einmal vermutete. Früher gab es noch keine PCs. Es war das goldene Zeitalter der großen Unterhaltungsabende. Es gab *Zum Blauen Bock* mit Heinz Schenk, und das Fernsehgerät hatte noch keinen japanischen Nachnamen. Das Weihnachtsprogramm bestand aus Literaturverfilmungen wie *Der Seewolf,* und aufrechte Moderatoren wie Hans Rosenthal fragten das Publikum bei *Dalli Dalli,* ob wir die Sendung wirklich spitze fanden. Das traut sich heute niemand mehr, vielleicht aus Angst vor einer ehrlichen Antwort.

Doch der wahre Grund dafür, dass sich niemand ernsthaft beschwert, ist, dass wir heutzutage mit Fernsehen, Computer und Internet geradezu verschmolzen sind. Diese Medien bestimmen mehr denn je unser Leben und vor allem unsere Freizeit. Es scheint tatsächlich so, als seien der Fernseher oder das Internet für viele von uns die Fenster zu einer besseren Welt. Hier treffen wir virtuelle Freunde, die uns oft vertrauter sind als unsere echte Familie.

*»Ich konnte mir ein Leben ohne Fernsehen
schon gar nicht mehr vorstellen, und vor allem
konnte ich mich an ein Leben ohne Fernseher
gar nicht mehr erinnern. Der Fernseher war
immer da gewesen.«*

Frank Goosen, *Liegen Lernen*

Wie kindisch und blöd das ist, hält man uns schon lange vor. »Werdet endlich erwachsen!«, rief der Bund Deutscher Psychologen vor ein paar Jahren. Auch Wolfgang Bergmann, der an der Uni Hannover Marathon-Glotzer und Dauerdaddler unter die Lupe nimmt, kann dem laxen Freizeitvertreib nichts abgewinnen: »Die werden blöd und entwickeln Defizite aller Art«, sagt er über die Generation Doof. Und mit dieser Einschätzung steht er nicht alleine da. Die Schlange unserer Kritiker ist lang, wir hören jeden Tag Hiobsbotschaften in Radio und Fernsehen über uns selbst, lesen von Amokläufern, die angeblich von Ballerspielen verführt worden sind, und von Bildungsdefiziten, die mit unserem Fernsehkonsum in Verbindung gebracht werden: Schon Helmut Schmidt warnte bei der Einführung des Privatfernsehens davor, dass wir uns in Gefahren begäben, die schlimmer seien als die Atomkraft, und der Kulturwissenschaftler und Medienkritiker Neil Postman sorgte sich zuletzt, dass wir uns alle zu Tode amüsieren würden.

Haben die Kritiker recht, und sind wir tatsächlich nur eine muntere Ansammlung von Vollzeitjugendlichen und Profigammlern mit Flachbildschirm vor dem Kopf und Gamepad in der Hand?

Zumindest statistisch sieht es für die Generation Doof nicht besonders gut aus: Deutsche im Alter zwischen 14 und 39 Jahren sehen durchschnittlich täglich rund 260 Minuten fern. Das sind knapp 30 Stunden in der Woche, etwa 120 Stunden im Monat, oder insgesamt 65 Tage im Jahr. Angenommen, man bringt es bei gleichzeitiger Bewegungsarmut und geregelter Zufuhr von Chips und Dosenbier auf ein stattliches Alter von 70 Jahren, dann verbringt man bis dahin über 4500 Tage vor der Mattscheibe. Das sind immerhin etwa 12,5 Jahre.

Was treibt uns dazu, so viel Lebenszeit mit beweglichen bunten Bildchen zu verbringen?

> *»Fernsehen ist das einzige Schlafmittel, das mit den Augen eingenommen wird.«* Vittorio de Sica

Wir selbst kennen gute Gründe fürs Einschalten und Dauerglotzen. Erstens: Wir müssen es nicht mühsam erlernen, und wir müssen uns auch nicht großartig dabei anstrengen. Zweitens: Es hilft uns, den Alltag auszublenden und uns auf die Freizeit einzugrooven – so gut, dass wir uns kaum noch mit etwas anderem beschäftigen.

Out of Sight – Der Fernseher ist nicht zum Hinschauen da, sondern zum Abschalten

Wenn im Kölner Mediapark abends in den Büros die Lichter ausgehen, sitzt Ilka Lenger oft noch an ihrem Schreibtisch. Selten macht sie pünktlich Feierabend, und danach warten knappe dreißig Kilometer Heimweg im Auto auf sie. Wenn sie schließlich den Motor anlässt, freut sie sich schon auf einen gelungenen Abend mit Chips auf dem Sofa vor dem ausladenden Flachbildfernseher.

Eine von Ilkas Lieblingssendungen ist *Germany's Next Topmodel*. Dabei kann sie gut vom stressigen Alltag ausspannen, denn das Barbiepuppentheater erfordert nicht allzu viel Konzentration. Während der Vorspann läuft, geht Ilka in die Küche und macht sich einen Salat. Mittendrin klingelt das Telefon, eine Freundin ist dran, sie sieht es an der Nummer auf dem Display. Ilka hat aber keine Lust ranzugehen. Sie sinkt lieber in das Fauteuil und stopft sich vor dem Fernseher ihr Abendessen rein. Damit übt sie die Lieblingsfreizeitbeschäftigung der Generation Doof aus: Wir kommen nach einem stressigen Arbeitstag nach Hause und haben nichts Besseres zu tun, als uns mit Fernsehen vollzudröhnen.

Ilkas Energielevel sinkt auf Unter-Keller-Niveau, während auf dem Bildschirm Heidi Klums Nachwuchstruppe in einem Fußballstadion gastiert. Vor gut zwanzigtausend johlenden Fans sollen die Mädchen schaulaufen. Der Plan ist simpel: Angetan mit einem knappen Bikini im Fußballdesign sollen die angehenden Topmodels über das satte Grün zum Mittelkreis stolzieren, dort kurz die Hüften kreisen lassen, ohne Verzögerung kehrtmachen und wieder Richtung Katakomben marschieren. Eigentlich ganz einfach.

Die Show beginnt. Bruce Darnell, Heidi Klums charismatischer Model-Dompteur, peitscht die Truppe mit einem feurigen »Go, go, go!« auf den Rasen, als gelte es, eine Schar widerspenstiger Gänse in die Arena zu jagen. Allen voran stakst hoch erhobenen Blondschopfs die schlanke Denise. Sie will heute richtig Gas geben und an den Konkurrentinnen vorbeiziehen, um sich bei der Show zu bewähren.

Sie schafft es, ohne zu stolpern, über die fein gezogene weiße Linie bis zum Mittelkreis zu balancieren. Dort angekommen vollführt sie abrupt eine Vollbremsung, präsentiert den Zuschauern die einzigen zwei Bälle, für die sich Männer abseits des Fußballleders noch begeistern können, und marschiert dann energisch weiter geradeaus, anstatt wie besprochen kehrtzumachen.

Die nachfolgende Modelschar staunt ob der eigenmächtigen Planänderung, doch es gelingt den Mädels, Eigenständigkeit zu bewahren und am Mittelkreis die vorgeschriebene Wende zu vollführen. Denise läuft derweil weiter unbeirrt auf die andere Seite des Platzes zu, wo ihr die verdutzten Linienrichter fahnenschwenkend signalisieren, dass sie sich im Abseits befindet.

Bruce Darnell wirkt plötzlich trotz seiner Naturbräune ziemlich blass. Heidi Klum patscht sich mit der Hand vor die Stirn, genau wie viele der Fernsehzuschauer.

Später versucht Denise in den Katakomben des Stadions vor laufenden Kameras eine Erklärung für ihren Fauxpas zu finden. Mit kieksender Stimme lässt sie die neugierigen Fernsehzuschauer wissen, dass man sich ja normalerweise überhaupt keine Vorstellung davon macht, wie verdammt schwer es sein kann, geradeaus zu laufen.

Das gibt es doch nicht, denkt sich auch Ilka, diese Show ist einfach unglaublich seicht! Sie kann allerdings nicht behaupten, dass es sie sonderlich stört. Eigentlich schaltet sie sie gerade deshalb so gerne ein, weil die Handlung unter jedem Türschlitz durchpasst und leicht aufzunehmen ist. Ilka kann sich dabei hervorragend entspannen. »Nach der Arbeit bin ich so platt, da habe ich überhaupt keine Lust mehr, mich mit komplizierten Themen zu beschäftigen«, erklärt sie. »Der Fernseher läuft eher so nebenher. Ich räume dabei oft noch auf, mache die Wäsche oder koche.«

Manchmal schläft sie auch vor dem Gerät ein. Ist vielleicht besser so. Ilka muss lachen. »Ja«, gibt sie zu, »wahrscheinlich sind solche Sendungen genau dafür gemacht – zum Einschlafen.« Damit der Fernseher nicht die ganze Nacht läuft, stellt sie immer vorsorglich den Timer, der ihn spätestens um ein Uhr morgens abschaltet.

> *»Fernsehen ist Kaugummi für die Augen.«*
> Orson Welles

Ilka ist mit ihrer Vorliebe für leichte Unterhaltung nicht alleine. Fernsehen hat in Deutschland den Fußball als Volkssport abgelöst. Von zehn Deutschen sitzen täglich sieben vor der Kiste – auf das gesamte Land bezogen macht das 61 Millionen Menschen. Die Frage ist, was diese vielen Menschen da die ganze Zeit machen. Sitzen sie wie hypnotisierte Kaninchen auf der Couch, oder läuft das Gerät eher nebenbei, wie bei Ilka?

Man muss den Vielsehern zugutehalten, dass wir an die Dauerberieselung gewöhnt sind, weil man ihr nur noch schwerlich entgehen kann. Egal, wo man sich gerade aufhält, es läuft garantiert ein Fernseher: Beim Essen im Fastfood-Tempel quäkt im Hintergrund eine MTV-Moderatorin, in der Bankfiliale und im Fitnessstudio liest der nette Onkel von n-tv die Börsenkurse vor, und in der U-Bahn-Haltestelle hängt über den Gleisen ein Infoscreen, auf dem aktuelle und äußerst nebensächliche News gesendet werden. Und selbst im ICE haben die Fenster mittlerweile 16:9-Format – was ganz schön gemein ist, weil man so die vorbeiziehende Landschaft schnell mit dem Bildschirmschoner auf dem Laptop verwechseln kann, der vor einem auf dem Tisch steht. Egal, was soll's: Bei dem Dauergedudel, das uns den ganzen Tag um Kopf, Ohren und Augen schwirrt, wissen wir nach einer Weile ohnehin nicht mehr, was wir gerade sehen, hören oder lesen. Und wir wollen es eigentlich auch nicht wissen. Denn wir schalten ein, um abzuschalten, egal, was gerade kommt.

> *»Der mündige Bürger soll selbstverständlich*
> *selbst entscheiden, welche Fernsehsendungen er*
> *ein- oder ausschaltet, aber man soll ihm diese*
> *Entscheidung erleichtern, indem man einige*
> *Sendungen nicht herstellt, die er dann abschal-*
> *ten könnte.«* Dieter Hildebrandt

Vielen aus der Generation Doof ergeht es da mittlerweile so wie Ilka Lenger. Das liegt daran, dass uns die Vielfalt des Medienangebots schlicht überfordert: Eher holzt man den Regenwald komplett ab, als dass man den Blätterwald am Kiosk lichtet, und bei über fünfundsiebzig Millionen Internetseiten kann man sich totgoogeln, wenn man es drauf anlegt. Auch die Fernsehlandschaft ist ein Nirwana für TV-Fetischisten: Vor lauter Sendungen sieht man das Programm nicht mehr – allein die acht größten Sender strahlen zweihundertfünfzig Formate aus. Dieser Umstand erklärt, warum Programmzeitschriften, die zu zwei Dritteln aus Tabellen bestehen, die bestverkauften Listen einer Nation sind, die ansonsten einen großen Bogen um alles macht, was nach Tabelle aussieht.

> *»Am zuverlässigsten unterscheiden sich die einzelnen Fernsehprogramme noch immer durch den Wetterbericht.«* Woody Allen

Bei all den Programmen fällt es uns ohne entsprechende Wegweiser schwer, eine gezielte Wahl zu treffen und auch dabei zu bleiben. Nicht ohne Grund stocken Medienkonzerne ihre Werbebudgets in schwindelerregende Höhen auf. Um jeden einzelnen Zuschauer wird mit harten Bandagen gekämpft.

Dennoch bleibt ihr Einsatz meist vergeblich, denn es überwiegt das Prinzip »Hingezappt und festgeglotzt«. Wir schalten einfach mal auf gut Glück ein, um zu sehen, was gerade so läuft, und nicht, weil wir eine bestimmte Sendung ausgewählt haben oder uns der Sender durch seine Eigenwerbung so sympathisch ist. Das Institut für Demoskopie Allensbach hat herausgefunden, dass unter den 16- bis 29-Jährigen 75 Prozent einfach wahllos durch die TV-Kanäle schalten. »Fernsehen ist unkonzentrierter geworden«, so das Fazit der Meinungsforscher.

Das mag an der mangelhaften Qualität vieler Sendungen liegen: Bei dem, was das moderne Fernsehen zu bieten hat, bleibt einem oft keine andere Wahl, als den Kanal zu wechseln, wenn es zu hanebüchen wird. »Wenn Sie heute das Fernsehen anschalten, sehen Sie nur dummes Zeug«, meinte vor Kurzem noch Fernseh-Urgestein und »Ekel-Alfred«-Erfinder Wolfgang Menge. Und damit hat er sicher nicht ganz unrecht. Wer sich Dieter Bohlens blöde Sprüche länger als fünf Minuten am Stück anhört, redet am Ende selber so. Und wer sich zur Hauptsendezeit ein Stück Pizza reinpfeifen möchte und dann bei *Ich bin ein Star – Holt mich hier raus!* mit ansehen muss, wie Costa Cordalis ein paar lebende Würmer runterwürgt, dem vergeht ziemlich schnell der Appetit. Angehende Proktologen sehen vielleicht noch interessiert zu, wenn sich Johnny Knoxville in der MTV-Blödelshow *Jackass* eine Colaflasche in den Hintern schiebt. Wenn selbiger dann aber die rohen Zutaten für ein Rührei isst, diese anschließend wieder in eine Pfanne erbricht, das Ganze dann brät und aufisst, dann ... ja, dann zappt man doch lieber weiter. Von *Entern oder Kentern* mit der liebreizenden Ex-Pilotin und Ex-Talkerin Sonja Zietlow wollen wir hier gar nicht erst anfangen.

Wenn wir nicht schon völlig abgestumpft sind, ärgern wir uns über solch geistige Diarrhö und schieben die Schuld mit Genuss den Fernsehmachern zu. Wir können doch nichts dafür, was die senden. Wir sind gezwungen zuzusehen, weil es nichts anderes gibt. Gerne behaupten wir: Das Fernsehen macht die Menschen dumm. Ein Leser der FAZ schreibt beispielsweise auf der Internetseite der Zeitung: »Der Grundgedanke des Fernsehens heute ist ›Alle Menschen sind doof!‹ Das Ziel ist: Gewinn machen und ›Am besten bleiben die Doofen auch doof!‹«

Recht hat er! Wer weiß, vielleicht steckt am Ende ja sogar die amerikanische Regierung oder die CIA dahinter, die mit Außerirdischen paktiert haben und den gesamten Planeten unter ihre Kontrolle bringen wollen, indem sie uns mit blöden Fernsehshows einlullen?

> *»Die Geschichte des Fernsehens ist eine Geschichte voller Missverständnisse. Dabei hat dieser kleine Kasten vielleicht mehr für die Verblödung der Menschheit getan als jedes andere Medium.«* Oliver Kalkofe

Scully und Mulder aus *Akte X* hätten zwar Spaß an einer solchen Verschwörungstheorie. Sie stimmt aber natürlich nicht. Denn in Wahrheit sind wir selbst schuld: Die Zuschauer bestimmen das

Programm. »Der Köder muss dem Fisch, nicht dem Angler schmecken«, wusste schon Helmut Thoma, der Mann mit dem Gespür für Quote. Er brachte damit immerhin RTL auf die Erfolgsschiene. Gebt den Leuten, was sie sehen wollen, dann stimmen auch die Einschaltzahlen. Ein einfaches Rezept: Blödsinn ist die Zutat, Doof-TV ist das Ergebnis. Und alle schalten ein. Immer wieder.

Wir bekommen Fernsehen ohne großen Anspruch, weil wir Fernsehen ohne großen Anspruch wollen. Und am liebsten sieht sich die Generation Doof dabei selbst in der Hauptrolle.

Hoch im Kurs liegen Reality-Shows und Sendungen mit jungen Müttern und Vätern, die nicht imstande sind, die eigene Brut ordnungsgemäß zu verwalten; Shows mit jungen Mädchen und Jungs, die von einem Leben als Model oder Superstar träumen, und seichte Vorabend-Soaps wie *Gute Zeiten – Schlechte Zeiten*, in denen Pubertierende im fortgeschrittenen Stadium nunmehr seit bald viertausend Folgen darüber sinnieren, ob Verena eifersüchtig ist, welches Problem Caro mit den Cösters hat und warum sich Daniel und Alexander zoffen. Sendungen wie *Die Super Nanny*, *Raus aus den Schulden* oder *Germany's Next Topmodel* verbuchen regelmäßig zwischen fünf und sechs Millionen Zuschauer. Bohlens Starsuche brachte es in der letzten Staffel auf durchschnittlich 5,5 Millionen überwiegend junge Zuschauer.

Die Abende jenseits des Fernsehers sind in Deutschland offenbar ziemlich langweilig. Warum schauen wir uns so viel Unsinn an, anstatt uns traditionellen Freizeitbeschäftigungen wie »Freunde treffen«, »Trunksucht« oder »Sex« zu widmen?

Die Antwort könnte genau darin begründet liegen, dass es im Fernsehen nicht viel Interessantes zu sehen gibt. Das kommt den modernen Sehgewohnheiten entgegen: Bei den seichten Unterhaltungssendungen sieht man auch noch auf einem Auge genügend und fühlt sich dabei sogar gut unterhalten.

Das meint auch Markus Stauff, Medienexperte vom Kölner Forschungskolleg Medien und kulturelle Kommunikation: »Fernsehen ist heute ein Nebenbei-Medium, das mit anderen Tätigkeiten wie Bügeln, im Internet surfen oder Ähnlichem eng verwoben ist. Man schaut aus dem Augenwinkel und bekommt trotzdem das Interessanteste mit.«

Das Programm ist ganz auf die zerstreute Aufmerksamkeit der Zuschauer ausgerichtet. Rateshows wie *Wer wird Millionär?, Jeder gegen jeden* oder *Das Quiz* laden beispielsweise geradezu zum Nebenbeigucken ein. Man kann jederzeit gefahrlos einschalten, ohne dass man etwas Wesentliches verpasst hätte. Dank Multiple-Choice-Antworten sind keine besonderen Vorkenntnisse erforderlich; jeder Idiot kann mitraten. Für die Generation Doof gibt es kein größeres Vergnügen und keinen tiefer empfundenen Triumph, als sich über die Blödheit anderer Leute zu amüsieren – vor allem, wenn die Kandidaten bei vergleichsweise einfachen Fragen schon ins Schlingern geraten. Die eigene Halbbildung ist dann noch vollkommen ausreichend, damit sich in solchen Momenten ein Gefühl der Überlegenheit einstellt.

Hier ein kleines Best-of der genialsten Doofismen aus Quizsendungen:

165

Die blödesten Antworten aus den Shows für angeblich Schlaue

1. *Risiko* (ZDF)
   Wie nannte Muhammad Ali seine Autobiografie?
   Mein Kampf.

2. *Der Schwächste fliegt* (RTL)
   Welcher römische Kriegsgott trägt den gleichen Namen wie ein bekannter Schokoriegel?
   Snickers.

3. *Risiko* (ZDF)
   Wie lautet der Karnevalsgruß der Düsseldorfer Narren?
   Kölle Alaaf!

4. *Familienduell* (RTL)
   Nennen Sie eine Automarke, die nach einem Tier benannt ist.
   Toyota.

5. *Risiko* (ZDF)
   Für welches Getränk ist die spanische Stadt Jerez de la Frontera berühmt?
   Pepsi.

6. *Jeder gegen Jeden* (SAT 1)
   Wie wird der Tüllrock von Balletttänzerinnen genannt?
   Tüff Tüff.

Natürlich ist ein Teil dieser brillanten Antworten dem Zufall, der Aufregung und dem sogenannten »An-der-Tafel-Rechnen«-Effekt geschuldet. In einer Prüfungssituation, sei sie nun im Klassenzimmer oder in einem Fernsehstudio, sieht man oft den Wald vor lauter Bäumen nicht. Dass das in diesen Sendungen beliebte Verfahren, unter diversen Antworten so viele auszuschließen, bis nur noch eine übrig bleibt, rein gar nichts mit wirklichem Wissen zu tun hat, lassen wir mal beiseite.

Der Zuschauer zu Hause jedoch stellt sich mit seinem Wissen nicht der Öffentlichkeit – er operiert im Schutze des Eigenheims. Der Doofe auf der Fernsehcouch hat genügend Zeit zum Überlegen und muss sich für falsche Antworten nicht den kalten Wind der Verachtung ums Näschen wehen lassen. Zur Not kann er in Werbepausen diverse Nachschlagewerke konsultieren, die er auf dem Couchtisch gleich neben den Chips aufgetürmt hat.

Im Dickicht der Dauerglotzer tummelt sich aber noch eine zweite Zielgruppe, auf die es die Programmmacher abgesehen haben. Sendungen für diesen Teil der Generation Doof werden von leicht bekleideten Damen moderiert, und die Themen bewegen sich zwischen Fußball, Motorsport und Heimwerkertum hin und her. Solche Formate eignen sich ebenfalls prächtig zum Nebenhersehen, egal, was man gerade macht. Auch der neue Sender DMAX hat diese Kundschaft fest im Auge. Er ist Vorreiter der neuen Befreiungsbewegung für bekennende Taschenbillardspieler und bietet laut Eigenwerbung »Fernsehen für die tollsten Menschen der Welt: Männer«. Die Titel der Beiträge sprechen für sich: *Tattoo – Eine Familie sticht zu: Körperkunst im Ruhrpott; Die Ludolfs – Vier Brüder auf'm Schrottplatz: Mannis Gedanken zum Klimawandel; Moneycoach – Rette dein Geld: Zum Duschen ins Freibad oder Monstergarage. Episode 4: Jesse James und sein Team verwandeln eine Limousine in ein Feuerwehrauto, komplett ausgestattet mit Sirenen, Leitern und einem Wasserschlauch.*

Man muss schon zur Generation Doof gehören, um bei Testosteron-Television Spaß zu haben. Besonders beliebt sind natürlich die Sendungen zum Männerspielzeug Nummer eins, dem Auto. Es wird in all seinen Facetten gezeigt und manchmal auch hart rangenommen. Da machen die Reporter gerne mal einen Crashtest und schauen, was die Kiste denn so aushält. Oder sie fahren mit der Alufelge so oft über den Bordstein, bis sie bricht, und kommentieren den Schrott dann mit den Worten: »Tja, meine Herren, Sie kennen das. Das ist Ihre Frau beim Einparken.«

Wer das glaubt, der sollte lieber Straßenbahn fahren, und zwar eine, in der man sogar schwarz mitreisen darf. Sie kommt vom Kölner »Heimatfernsehen« center.tv. Dem Begriff »Reality TV« geben die rheinischen Frohnaturen eine völlig neue Bedeutung. In der Sendung *Kölner Straßenbahnlinien* können Sie, gemütlich auf Ihrem Sofa sitzend, von zu Hause aus stundenlang durch das Stadtgebiet Kölns fahren. Center.tv ist ganz stolz auf sich: »Insgesamt fast sechs Stunden sind wir mit der Straßenbahn für Sie in Köln unterwegs und zeigen Ihnen die Stadt aus einem Blickwinkel, der sonst nur Straßenbahnfahrern vorbehalten ist.« Kostenlos, inhaltslos, sinnlos. Bei der Bimmelbahnfahrt durch die Rheinmetropole gibt es nicht mal was zu gewinnen.

Wer da nicht freiwillig die »8-in-one«-Fernbedienung, mit der man gleichzeitig noch die Kaffeemaschine anstellen und den CD-Player programmieren kann, zückt und wegzappt, der muss schon unter quälender Langeweile leiden. Und das bei der Armada von anderem technischen Krimskrams, der die Generation Doof umgibt.

Die Anzahl der Geräte, die einem im eigenen Wohnzimmer den

Platz streitig machen, ist mittlerweile so groß, dass man gar nicht mehr weiß, welches man zuerst einschalten soll: die süße weiße Xbox, den aparten DVD-Spieler, oder doch die Anlage mit den Mörderbässen und dem Subwoofer? Da soll sich noch mal einer beschweren, mit der Aufmerksamkeit oder Konzentration der Generation Doof stimme was nicht. Wir schaffen es doch mühelos, beim Musikhören noch nebenbei den Teletext zu lesen oder Prinzessin Zelda aus den Fängen des niederträchtigen Ungeheuers Ganon zu retten, während wir im Hintergrund den neusten Virenscanner aus dem Internet laden.

Andererseits sind wir Doofen ein solches Überangebot natürlich schon aus unserer Jugend gewohnt, als unsere Kinderzimmer förmlich in einer Spielzeugflut versanken: Playmobil- und LEGO-Figuren wetteiferten abwechselnd mit Barbie und Ken um unsere Gunst; neben dem Atari 2600 kannten wir uns ebenso gut mit dem spannenden C 64 des besten Freundes aus; mit den unzähligen Gesellschaftsspielen und Puzzlekästen hätten wir in Schweden eine Blockhütte bauen können; und mit jeder guten Schulnote wuchs die Videosammlung. Da blieb nicht viel Zeit für Hausaufgaben, Musikunterricht oder Sportverein übrig, und wenn doch, dann war auch dabei Multitasking gefragt.

Diese Fähigkeit hilft uns heute, das enorme Pensum zu bewältigen, dem man sich gegenübersieht, wenn man die Dutzende von DVDs, kopierten CDs und heruntergeladenen Spielen alle sehen, hören und benutzen will. Das kann nur klappen, wenn man allem höchstens einen kurzen Blick widmet. Das Überangebot an leichter Kost erhöht aber auch das Frustpotenzial, weil man sich keiner Sache mehr ganz und gar widmen kann. So viel Auswahl ist anstrengend – wie soll man da überhaupt noch vernünftig faulenzen?

Wenn einen also alles überfordert, dann hilft nur noch Blöd-TV. Nach einem Abend Echtzeit-Zapping überfällt uns jedoch unweigerlich eine merkwürdige Unzufriedenheit. Wenn wir nach wildem Umgeschalte von einer Sendung zur nächsten gegen Mitternacht Erbarmen mit uns haben und den roten Knopf auf der Fernbedienung drücken, scheint die Stille wehzutun. Mit starrem Blick sitzen wir noch einige Zeit auf dem Sofa und hören dem Flimmerkasten beim Abkühlen zu. Und wenn die Dauerbeschallung plötzlich verstummt, empfinden wir eine unendliche Leere.

> Statler: »Mit den Jahren gefällt mir die Show immer besser.«
> Waldorf: »Weil die Witze immer besser werden?«
> Statler: »Nein, weil mein Gehör immer schlechter wird!«   Die beiden Alten aus der Muppet Show

Früher war das mal anders. Da war Fernsehen noch etwas Besonderes. Freunde und Familie fanden sich zum gemütlichen Abend vor der Glotze ein und sahen sich gemeinsam eine einzige Sendung an.

Damals gab es mindestens einen großen Fernsehabend in der Woche, der meistens auf einen Samstag fiel. Opa brachte eine Flasche lauwarmes Pils mit, Oma packte die große Pralinenpackung aus, Vater und Mutter kamen leicht angesäuselt von einem Geschäftsessen und machten es sich auf dem Sofa bequem. Gespannt sah man zusammen entweder *Wetten, dass?, Einer wird gewinnen* oder *Lass dich überraschen,* und nicht wie heute üblich alles gleichzeitig. Zwischendurch stritten Alt und Jung gemütlich über das Waldsterben oder Atomkraftwerke – aber trotzdem schauten doch alle ziemlich gebannt in die Röhre. Vielleicht, weil Fernsehen damals noch halbwegs neu war, vielleicht aber auch, weil es damals einfach besser war.

Heute ist Fernsehen so seicht, dass wir weder Freunde noch Familie brauchen, die aus dem Fernsehabend ein Gemeinschaftserlebnis machen. Die würden ohnehin nur stören, weil sie uns rücksichtslos vollquaken, während wir doch nur entspannt vor der Kiste sitzen möchten. Unsere ohnehin schon arg strapazierte Konzentrationsfähigkeit würde wohl vollends überfordert.

> *»Das Fernsehen macht aus dem Kreis der*
> *Familie einen Halbkreis.«* Rolf Haller

Die Konzentration leidet auch dann, wenn wir gemeinen Zapper und Nebenbeigucker uns einmal länger auf einen komplexeren Zusammenhang konzentrieren sollen. Dies ist vor allem bei der Aufnahme von Nachrichten der Fall, die ein wenig Hintergrundwissen und Mitdenken verlangen. Kein Wunder, dass sich die Vermittlung der »News« inzwischen ganz an den Essgewohnheiten der Generation Doof orientiert: Man serviert uns nur mundgerechte Fastfood-Häppchen.

Nachrichtenfieber – Von Shortnews, dem Siegeszug des Boulevards und Brüsten mit Namen

Wir Doofen haben mit unserer zerhackstückten Aufmerksamkeit die Medienlandschaft stärker umgestaltet, als wir selbst es für möglich gehalten hätten. Denn neben den Machern von Doof-TV und »Unterschichtenfernsehen« liefern auch die Printmedien inzwischen immer mehr Formate, die speziell auf den seichten, schnellen Genuss zugeschnitten sind.

Bewährte Tageszeitungen wie DIE WELT kommen neuerdings im handlichen Kompaktformat daher. Billig, kurz und knapp sollen sie uns einen Überblick über die Geschehnisse des Tages geben. Sie heißt auch »Zeitung to go«, aber schon dieser Name ist so überflüssig wie ein EMMA-Abo für Eva Herman. Was bitte soll man denn sonst damit machen? Sie stehend im Laden lesen? Doch das Interessante ist, dass man hier auf Infotainment und Unterhaltung setzt statt auf Nachrichten. Was beispielsweise im schwedischen

Königshaus passiert oder von welchen Körperpartien Britney Spears sich die Haare entfernt hat, steht dabei stärker im Vordergrund als ein aktuelles Geschehnis wie etwa ein anstehender G8-Gipfel oder bevorstehende Wahlen im Nachbarland.

Schneller als durch die Mini-Zeitungen kann man sich nur im Internet informieren – bei *n24.de* oder *n-tv.de* genügt ein flüchtiger Blick auf die Schlagzeilen, und man weiß zumindest ansatzweise, was da draußen passiert. Den zugehörigen Artikel braucht man gar nicht zu lesen, er ist lediglich eine gelängte Version der Überschrift. Alles ist erlaubt, außer den Leser zum Selberdenken aufzufordern.

Uns als Generation Doof stört die schleichende Entmündigung nicht. Warum auch sollte man sich den Stress antun und sich abends noch mit der Lage der Welt und den Problemen anderer abplagen? Ernst haben wir den ganzen Tag über genug in der Schule, an der Uni oder im Büro.

> *»Was als ein Strom nützlicher Informationen begann, hat sich inzwischen in eine Sturzflut verwandelt.«*
> Neil Postman

Die chronische Unlust am Ernst des Lebens sitzt tief. Von zehn Medienkonsumenten der Generation Doof interessieren sich allenfalls noch drei für Politik und ähnliche Themen. Das bekommen alteingesessene Nachrichtensendungen wie die *Tagesschau* oder *heute* zu spüren. Unter den Vierzehn- bis Neunundzwanzigjährigen verlor das Mainzer Flaggschiff im Zeitraum von 2002 bis 2007 ein Viertel der Zuschauer. Der *Tagesschau* erging es nicht viel besser. Schließlich gibt es auf den Privaten genügend hübsche, lispelnde Nachrichtensprecherinnen, die unseren Sehgewohnheiten eher entgegenkommen als der ernst wirkende Tom Buhrow oder Anne-Will-Ersatz Caren Miosga. Die klassische Tageszeitung hat ebenfalls ausgedient. Den Verlagen laufen die jungen Käufer und

Abonnenten davon. Unter den Vierzehn- bis Neunundzwanzigjährigen liest nicht mal mehr jeder Zweite täglich eine Zeitung.

> *»Zuverlässige Informationen sind unbedingt*
> *nötig für das Gelingen eines Unternehmens.«*
>
> Christoph Kolumbus

Wenn Christoph Kolumbus mit diesen Worten recht behält, müssten wir eigentlich baden gehen. Doch trotz des mangelhaften
Nachrichtenkonsums fühlt sich erstaunlicherweise keiner von uns
schlecht informiert. Angesichts der schieren Flut von Nachrichten,
die uns täglich aus Fernsehen, Tageszeitungen und Internet ent-
gegenschwappt, ist es nicht verwunderlich, dass wir stets das Gefühl haben, über das Wichtigste auf dem Laufenden zu sein. Blitz-
nachrichten, egal aus welchem Medium, sind die Leibgerichte der
Generation Doof, wenn es um den Nachrichtenkonsum geht. Was
schwer Verdauliches? Nicht mit uns!

Doch die kleinen Quickie-News haben ihre Tücken. Das Zusam-
mendampfen und Schnellerhitzen der Nachrichten führt dazu,
dass auch immer rascher für Nachschub gesorgt werden muss. Die
einzelne Nachricht wird damit immer belangloser. Eine normale
Nachricht hat heute eine durchschnittliche Verfallszeit von gerade
mal sechsunddreißig Stunden.

Damit der Nachschub an Nachrichten und scheinbar wissenswerten Infos aus dem Boulevardbereich keinesfalls ins Stocken gerät, unterscheidet man heute in den Redaktionen nicht mehr so streng zwischen Mitteilenswertem und Unwichtigem. Hauptsache, der Redefluss der Moderatoren wird nicht unterbrochen. Das beschert uns Meldungen wie: »Katja Ebstein: Schön durch Urin-Therapie«, »Barbara Schöneberger: Mein Leben ist nicht nur Hopsasa und Trallala«, »Armer Knut – Er wird seine Mama nie kennenlernen«, »Feuerwehr reanimiert Hund«, »Flasche Milch legt Zug lahm«, oder »Jogi Löw: Muss seine Frau zu Hause im Dunkeln sitzen?«

Wenn wir ehrlich sind, würden wir manchmal lieber wie Frau Löw im Dunkeln sitzen, als uns das Geblubber des Nachrichtenwhirlpools anzuhören. Doch eine Flut von aktuellen Krisen erfordert offenbar ständig unsere Aufmerksamkeit: Einmal ist doch tatsächlich »Scottys Asche in Wüste verschwunden«. Na, da hat auf der Enterprise beim Beamen wohl einer kräftig danebengezielt. Ein paar Tage später konnten wir dann aber glücklich aufatmen, als »Scottys Asche in der Wüste gefunden« wurde.

Eine große Tageszeitung berichtete derweil von einer anderen hochdramatischen Rettungsaktion: »Auf dem Parkplatz des Schulzentrums landete am Montagnachmittag gegen 16:50 Uhr ein Helikopter. Aus dem blauen Helikopter der Bundespolizei stieg ein Notarzt, der anschließend mit einem Personenwagen der Feuerwehr zu einem Einsatz gefahren wurde. Über eine halbe Stunde stand der viel bestaunte Hubschrauber auf dem Schulparkplatz, bevor er sich gegen 16:25 Uhr wieder in die Luft schraubte.«

Das ist vorbildlicher Journalismus: In aller Kürze wird hier Wesentliches mitgeteilt. Die Hauptattraktion ist ganz offensichtlich der schöne blaue Hubschrauber. Warum er dort gelandet ist, erfahren wir nicht, genauso wenig könnten wir sagen, wohin der Notarzt eilte, der da geschwind dem Fluggerät entstieg. Die eigentliche Sensation versteckt sich nämlich zwischen den Zeilen, wenn man die Ankunfts- und Abflugzeiten vergleicht: Der Hubschrauber kam um 16:50 Uhr an und flog um 16:25 Uhr ab. Ganz klar: Das Ding ist in der Zeit zurückgereist.

> *»Der Zeitungsschreiber selbst*
> *ist wirklich zu beklagen.*
> *Gar öfters weiß er nichts*
> *und oft darf er nichts sagen.«*
>
> Johann Wolfgang von Goethe

Bei vielen Meldungen, die durch die verschiedenen Online- und Offline-Äther schwirren, handelt es sich meist um »Top-Meldungen«, »Breaking News«, »Aktuelle Nachrichten« oder »News-Ticker«. Diese Titulierung kündet von der Bedeutung und Tragweite dessen, was dort berichtet wird. Wirft man einen Blick auf die Schlagzeilen, wird man dem gerne zustimmen. Sieht man aber ausnahmsweise mal mit dem zweiten Auge hin, schließt man bei so mancher Headline dann doch lieber beide Augen.

Machen Sie den Selbsttest: Wie wichtig sind die folgenden Meldungen für Ihr Leben?

iPhone
Wo ist der Ausschaltknopf?

In iranischen Hoheitsgewässern
Finnische Angler festgenommen

Knoblauch gegen AIDS
Gesundheitsministerin sauer

Hier die Bilder
Gummistiefel-Weitwurf-WM in Berlin!

Was Touristen alles klauen
80 Kilogramm schwere Goldbadewanne aus Hotel verschwunden

Geschlossene Fonds
»Der Zweitmarkt ist unglaublich intransparent«

Sekten
Australier will nach Gehirnwäsche Niere spenden

Totgeprügelt
Amerikaner hielt Pfau für Vampir

Fußball
»Slowaken-Klinsmann« stapelt tief

Wenn Sie jetzt feist geschummelt haben, vielleicht gar nicht der Generation Doof angehören oder sich einfach noch ein Quäntchen gesunden Menschenverstand bewahrt haben, dann haben Sie unter zehn Meldungen vielleicht eine einzige gefunden, die für Sie persönlich halbwegs interessant ist.

Das ist moderne Nachrichtenvermittlung. Klangvolle Bruchstücke ersetzen komplexe Erklärungen. Und daher glauben wir zwar, etwas zu wissen, aber wenn uns jemand fragt, was wir davon wirklich verstanden haben, müssen wir passen.

Im Internet kursiert seit einiger Zeit ein Video von einem Reporter, der in der Fußgängerzone einen jungen Mann zu aktuellen Themen interviewt. Der junge Mann trägt ein schwarzrotes Kopftuch und eine Kapuzenjacke. Er macht einen trägen Eindruck.

Reporter: »Was meinst du wohl, was der Unterschied ist von Big Bush, The Battle ›Arm gegen Reich‹, gegenüber der ersten Staffel vom Golfkrieg?«

Junge: »Was da der Unterschied ist? Das andere ist jetzt irgendwie scheißer als das jetzt gegen.«

Reporter, recht perplex: »Das ist scheißer als das jetzt gegen?!?«

Junge: »Ja.«

Reporter: »Okay ... Der Bush, der kommt ja aus ...«

Junge: »Oh, das weiß ich nicht. Das weiß ich wirklich nicht.«

Reporter: »Überleg mal. Aus einem großen Land, etwas weiter entfernt von den Benelux-Staaten.«

Junge: »Ein bisschen weiter weg?«

Reporter: »Aus welchem Land kommt denn George Bush?«

Der junge Mann sieht sich hilfesuchend um. »Oh, ähh. Auf jeden Fall nicht hier aus Deutschland. Und nicht aus Europa. Das weiß ich jetzt schon, weil der Amerikanisch spricht oder Englisch. Also denk ich mal ... Großbritannien?«

Reporter: »Ja, wär dann anzunehmen, ne? Der Hussein, der kommt aus welchem Land?«

Junge: »Der spricht ja auch Amerikanisch. Oder Englisch ... ja, genau aus derselben Stadt. Großbritannien, sag ich mal, auch. Oder Amerika.«

Reporter: »Im Irak-Krieg führt ja Amerika gegen den Irak Krieg.«

Junge: »Ich weiß.«

Reporter: »Aus welchem Land kommen denn die Führer von den Ländern Amerika und Irak?«

Der junge Mann wiegt sich nachdenklich hin und her: »Wow. Puhh. Ähh. Überhaupt keine Ahnung. Ich hab nur den Krieg gesehen, aber wer der Führer ist und was die da so machen, weiß ich wirklich nicht. Ich interessier mich zwar für die Präsidenten und schau da gerne mal rein. Aber ich sach mal eher: Schröder.«

Reporter: »Was ist denn der Präsident von Amerika von Beruf?«

Junge: »Präsident?«

Reporter: »Ja, richtig!«

Der nette junge Mann mit dem schwarzroten Kopftuch hält Nachrichten offenbar genauso für überflüssiges Gebrabbel wie wir anderen Doofen. Eine Tageszeitung benutzen wir höchstens zum Einpacken von Fisch oder als Einlage für den Vogelkäfig, und wir interessieren uns eher für Big Brother als für Big Bush. Wenn uns da jemand was beibringen kann, dann höchstens mit der Vorschlaghammermethode wie Michael Moore.

Wesentlich besser als die ernsten Nachrichten kommen bei uns Doofen Meldungen über Stars und Sternchen an, die wir schon so häufig im Fernsehen oder Internet gesehen haben, dass wir geistig mit ihnen längst per Du sind. Dann lesen wir mit aufrichtigem Interesse, dass Britney Spears sich im Vollrausch die Haare abgesäbelt hat, und freuen uns über Schlagzeilen wie »Knast-Make-Up für Paris. Paris schminkt mit Kaffee und Tinte«, »Heinz Henn kritisiert Bohlen, Bohlen attackiert Raab«, »Klums drittes Klümchen ist da!«, »Zottel-Spears mit Pipi-Notfall« oder »Promis geben ihren besten Stücken Namen: Pam präsentiert Ernie und Bert!« und »Heidi Klums Brüste heißen Hans & Franz«.

Neben den richtigen Stars sind bei der Generation Doof die Stars aus den diversen Casting-Shows besonders beliebt. Das liegt wie bei den Stars unserer Lieblings-Soap daran, dass wir sie in ihrem Freud und Leid begleitet haben und dass sie irgendwie ja zu uns gehören, weil sie so natürlich wirken und auch so sprechen wie wir. Da sagt Mark Medlock nach seinem Sieg bei *DSDS* in *Stern TV* kumpelhaft zum verdutzten Günther Jauch: »Ach, Günda, du alda Drecksack, du!« Und Sternchen Jessica Simpson wundert sich beim Verzehr einer Dose Thunfisch: »Ist das jetzt Hühnchen oder Fisch?« Das könnte uns allen passieren. Oder?

Das Schöne am Boulevard-o-tainment ist, dass es kein Hintergrundwissen verlangt. Wir werden da abgeholt, wo wir geistig stehen. Im Gegensatz dazu muss man, will man den Nahostkonflikt verstehen, ja immerhin wissen, warum die Palästinenser auf Israel sauer sind. Das hat eine einigermaßen lange Vorgeschichte. Und bei der Debatte um neue Energien müsste man sich lästigerweise Gedanken darüber machen, woher denn demnächst der Strom für den Fernseher kommen soll, bevor man die Meinung vertritt, alle Atomkraftwerke gehörten abgeschaltet.

Hat man von alledem keinen blassen Dunst, kann es einen kalt erwischen, wenn man im falschen Moment hinter dem Fernseher hervorkommt und einen auf politisch aktiv macht. So erging es einem jungen Mann, der mit dem Zug auf dem Weg zum G8-Gipfel nach Heiligendamm war. Mit Irokesenschnitt und Ohrring wäre er wahrscheinlich zwischen all den waschechten Alternativen gar nicht aufgefallen, wäre da nicht ein Reporterteam vom ZDF gewesen, das von den G8-Gegnern wissen wollte, warum sie gegen den Gipfel demonstrierten. »Weil ich gegen das G8 bin«, sprach der junge Mann überzeugt, »weil die alle nur irgendwelche Sachen versprechen, die eh nicht eingehalten werden.« – »Was denn?«, hakten die Reporter nach. Da musste der junge Mann, nach außen hin Verfechter sozialer Gerechtigkeit und Verhinderer der Globalisierung, grinsen: »Ja ... Keine Ahnung, ich bin zu unpolitisch.«

Das geht dem Pseudo-Alternativen aus dem Interview sicherlich nicht alleine so. Auf Demos begegnet man immer wieder konsumkritischen Alternativen, die auf dem zerfransten Bundeswehrparka einen Aufnäher mit dem Logo der Firma Nike tragen, mit der Aufschrift: »Anarchy, just do it!« Man fragt sich, ob Rebellen ohne Grund, wie der junge Mann von eben, wohl überhaupt die darin verborgene Ironie verstehen.

Solche Kleidungssorgen haben die meisten von uns Doofen allerdings nicht, da wir selten aus dem Fernsehsessel aufstehen, um auf eine Demo zu gehen. Und die Boulevard-Spülung für unser Gehirn bleibt nicht ohne Spuren. Wenn wir jeden Abend semi-talentierten Superfreaks zusehen, dann kommen wir schnell auf die Idee, dass wir das selber mindestens genauso gut draufhaben. Bislang mussten wir unsere Staralllüren leider für uns behalten. Wenn wir Glück hatten, durften wir auf Opas Goldhochzeit zur Belustigung der Verwandtschaft allenfalls mal als sprechender Wischmopp auftreten oder Weihnachten im Familienkreis *O Tannenbaum* auf der Gießkanne blasen.

Doch mittlerweile gibt es endlich einen Spielplatz, auf dem wir unseren Traum vom Ruhm doch noch ausleben können: das Internet. Hier müssen wir uns nicht darauf beschränken, Meldungen über Promis zu lesen, nein, hier können wir selbst ein Star sein. Mit Blogs, Chats und eigenen Websites hat die große Zeit der Selbstdarsteller begonnen – und auch in den modernen Casting-Shows. Für Internet und Fernsehen gilt wohl: Wer nicht drin ist, der ist out.

Almost Famous – Jeder ist ein Superstar

In der Geschichte haben viele Personen durch Pech, Tollpatschigkeit oder groben Unfug traurige Berühmtheit erlangt. Mathias Rust landete mit seiner Cessna sozusagen im Wohnzimmer von

Michail Gorbatschow und verschwand dafür erst mal hinter russischen Gardinen. Der niederländische Fußballer Clarence Seedorf verballerte bei der EM 1996 einen entscheidenden Elfmeter und gilt seitdem als Begründer des holländischen Elfmeter-schieß-daneben-Syndroms. Und der heute wieder völlig unbekannte Landwirt Peter Lorenzen erlangte im Jahr 2000 traurige Berühmtheit, weil er als erster »BSE-Bauer« Deutschlands für eine Weile ganz allein an der Kuhpest schuld zu sein schien.

Inzwischen ist über all diese Verfehlungen ein wenig Gras gewachsen, zur Freude der Beteiligten, denen das schon arg unangenehm war. Man kann ihnen zumindest zugutehalten, dass sie sich nicht mit Vorsatz der Peinlichkeit strafbar gemacht haben.

Von der Generation Doof kann man das nicht behaupten. Wir sind immer schnell und nur allzu gerne bereit, uns freiwillig der Lächerlichkeit preiszugeben. Und dabei haben wir auch noch riesigen Spaß.

> *»Von einem kreativen Standpunkt aus gesehen,*
> *bin ich ein Gott.«*
>
> Philip Rosedale, Firmenleiter von Second Life

Da ist zum Beispiel Johanna. Ihr Auftritt in der letzten Staffel von *Deutschland sucht den Superstar* verschaffte ihr peinliche Berühmtheit. Vor dem Casting bei Dieter & Co. am Ballermann verriet sie noch, warum sie sich vor die Kamera stellte: »Ich bin eine kleine Schauspielerin, eine Marilyn Monroe. Inner Bäckerei sagen se immer zu mir, wenn mein Handy klingelt: Hollywood ruft.« Dann betrat Johanna die Showbühne und schmetterte vor der untergehenden Sonne am Strand von Mallorca den unvergesslichen Evergreen: *Ich hab die Haare schön, ich hab die Haare schön, ich hab die Möpse schön.* In der Folge ließ sie sich von Dieter Bohlen eine »schöne Klatsche« bescheinigen, meinte noch: »Dabei is alles«, und verschwand dann wieder in der Versenkung. Das wäre jedenfalls zu hoffen gewesen. Wenig später gab es aber bereits den ersten Popsong zur Peinlichkeit: *Du hast die Haare schön.* Unterlegt mit viel Bass-Bumm-Bumm gilt das Lied mittlerweile als musikalisches Highlight in jeder Dorfdisco, die etwas auf sich hält. Den Klingelton kann man runterladen, und Johanna war eine Zeit lang Backstage-Moderatorin bei DSDS. Sogar im Kindergarten singen die Kleinen statt *Hänschen klein* heute lieber *Haare schön*, weil es so lustig ist. Der Nachwuchs schläft eben nicht.

Johanna war eine von sechsundzwanzigtausend Kandidaten bei Bohlens Star-Suche. Das ProSieben-Kuschelpendant *Popstars* lockte mit der immer gut gelaunten Nina Hagen immerhin elftausend süße Gesangs-Azubis an. Und bei Heidi Klums Topmodel-Show bewarben sich über sechzehntausend hoffnungsfrohe Möchtegern-Schönheitsköniginnen. Während sich andere europäische Länder mit maximal zwei oder drei Shows dieser Art begnügen, brachte Deutschland in den vergangenen Jahren glatte neun heraus.

Wir brauchen das offenbar. So ist es dann kein Wunder mehr, dass man den Eindruck gewinnt, im Fernsehen würden sich immer mehr Menschen wie du und ich tummeln. Das stimmt ja auch. Aber was genau treibt die Generation Doof auf die Showbühne?

Ganz einfach. Wir spielen in unserem Leben schon seit unserer Geburt die Hauptrolle. Da in Deutschland immer weniger Kinder zur Welt kommen, erhalten die wenigen, die es noch gibt, immer mehr Aufmerksamkeit. Das war auch in unserer Kindheit der Fall: Unsere Eltern haben uns ständig eingeredet, dass wir etwas Besonderes seien, und uns bei jeder Gelegenheit eine Extra-Bifi in den Allerwertesten geschoben. Statt Stillsitzen und Zuhören haben viele der Generation Doof Rumrennen und Schreien gelernt. Ist doch klar, dass wir da gerne Heidi vor die Kamera laufen und dem Dieter etwas vorjaulen möchten. Wie man das am besten macht, haben wir uns schon von frühester Jugend an im Fernsehen angeschaut.

Der Wiener Professor Georg Franck machte sich vor einem guten Jahrzehnt in seinem Buch *Ökonomie der Aufmerksamkeit* allerhand Gedanken über die Strahlkraft der schönen TV-Bildchen. »Sie präsentieren nicht nur die Objekte der Begierden, sie laden die Bilder selbst mit Attraktivität auf«, schrieb er hübsch verklausuliert. Also noch mal ganz, ganz einfach: Wenn Bruce Darnell einer vor Freude hysterisch kreischenden Modelschar verkündet, dass es nach dem Fotoshooting vor der thailändischen High Society in Bangkok gleich weiter nach Hollywood geht und von dort aus an den Strand von Malibu, dann ist dieses Bild so faszinierend, dass wir selber den Wunsch verspüren, im Blitzlichtgewitter zu stehen. Man muss nur halbwegs gut aussehen, sich bewerben und vor allem Glück haben. Das ist an sich noch keine Leistung, auf die man stolz sein könnte, sondern hat eher die Qualität eines Sechsers im Lotto. Und es hat genau dessen Zauber.

> *»Ich habe damals all die Stars im Fernsehen*
> *gesehen und wollte sein wie sie: erfolgreich.*
> *Berühmt werden, ob als Musiker, Schauspieler*
> *oder Massenmörder, war mir egal. Heute habe*
> *ich es geschafft.«* Robbie Williams

Der Kölner Psychologe Ulrich Schmitz, der einige *Big Brother*-Teilnehmer betreut hat, meint dazu: »Berühmt sein hat eine enorme Sogwirkung, speziell für junge Menschen, die natürlich versuchen, abseits mühsamer beruflicher Karrieren schnell ins Rampenlicht zu kommen. Nichts ist schöner, als im Mittelpunkt zu stehen und Applaus zu bekommen.« Medialer Ruhm verspricht Reichtum. Die Generation Doof weiß zwar nicht viel, aber eines erscheint uns so sicher wie die Schwerkraft: Biste in't Feanseen, haste Kohle. Wer würde da Nein sagen, wenn der Caster dreimal klingelt?

Es ist trügerisch, denn das TV vermittelt den Eindruck, das schnelle Glück als Superstar sei heute greifbarer denn je. Es gibt unter Jugendlichen wohl kein anderes Berufsbild, das so klar definiert ist wie das des Superstars. Besonders für Menschen aus einfachen Verhältnissen erscheint ein Casting vielversprechender als eine Karriere als Automechaniker oder Frisörin. Doch auch die Jugend aus bildungsbürgerlichen Haushalten zieht es zum Fernsehen. Den Zaster für ein ordentliches Studium kann bald ohnehin niemand mehr aufbringen. Da werden wir doch lieber Millionär bei RTL.

Das Verführerische ist, dass die modernen Stars aus unserer Mitte stammen. Sie kommen aus Deutschland und nicht aus Amerika. Sie heißen Max Mutzke, Mark Medlock oder Barbara Meier. Vorher kannte ihr Gesicht nicht mal der eigene Vermieter, aber jetzt haben sie es geschafft. Und das, obwohl man über ihr Talent streiten kann. Darum wollen auch alle von uns Mittelmäßigen mitmachen, denn es gilt, entdeckt zu werden.

Dabei bilden die Casting-Shows im Fernsehen nur die Spitze des Eisbergs. Der wahre Hype um das eigene Ich spielt sich heute im Internet ab. Dort löst sich gerade die mediale Zweiklassengesellschaft aus Stars und Fans auf. Im World Wild Web darf jeder ein Promi sein.

> *»Dilettanten oft als Meister galten, weil sie prominente Geister malten.«* Anton Kippenberg

Unter dem Kürzel Web 2.0 locken Ruhm und Aufmerksamkeit für jedermann. Alle, die gewillt sind, sich in der virtuellen Welt zu präsentieren, dürfen mitträumen.

Erstaunlich ist, dass hier private und sensible Daten des Einzelnen veröffentlicht werden, ohne dass es jemanden stört. Die Generation vor uns ist noch gegen die Volkszählung auf die Barrikaden gegangen – und die Generation Doof kann von Payback-Cards und gläsernem Bürger nicht genug bekommen. Wir können uns nicht vorstellen, dass jemand mit unserem Privatleben schwerwiegenden Schabernack treibt, da wir behütet aufgewachsen sind und Staatswillkür nicht mehr kennengelernt haben. Der Drang nach

Veröffentlichung ist größer als das Bedürfnis nach dem Schutz, den uns die Anonymität verleiht. »Immer mehr Menschen wie du und ich treten vor einem Massenpublikum auf. Die Leute wollen heute, dass man sie kennt. Und am liebsten wollen sie berühmt sein«, sagt Chris DeWolfe, Gründer von myspace, einer der größten Online-Communities der Welt.

»Broadcast yourself« ist der Slogan von YouTube, einem der erfolgreichsten Videoportale im Netz. Und wir sind auf Sendung. Der SPIEGEL schreibt über die neue Massenbewegung: »Eine Generation zieht sich online aus, manchmal wortwörtlich, manchmal, indem sie ihre Gefühle und Gedanken, ihren Alltag und ihr Familienleben offen präsentiert – die mediale Distanz lässt auch bisher gültige Schamgrenzen fallen.«

Auf dem Trödelmarkt der Persönlichkeiten gibt es im Internet neben echten Schätzen allerlei Ramsch zu entdecken. Bei YouTube zum Beispiel sind verschiedene Ausführungen eines Videos mit einer dicken Frau zu sehen, die auf einem Laufband joggt. Sie ist nur mit einem Bikini bekleidet, dürfte gefühlte zweihundert Kilogramm wiegen, und im Hintergrund spielt der Karnevalsschlager *Mir sind kölsche Mädchen, han Spitzebützchen an*. Der Film mit dem Lied über die Spitzenhöschen tragenden Kölnerinnen ist vollkommen sinnfrei, ihn haben sich aber allein bei YouTube schon über zwanzigtausend Besucher angesehen. Die Generation Doof bremst eben auch für andere Dumme.

Höher im Kurs stehen allerdings Fäkalien: Auf über zweihunderttausend Zuschauer bringt es bei MyVideo der Film von einem Mann, der sich einen alten Jugendtraum erfüllen möchte. Mit einem Feuerzeug will er beim Ablassen seiner Darmwinde eine Stichflamme entzünden, doch leider geht ihm bei dem Versuch etwas anderes buchstäblich in die weiße Hose. (Es gibt übrigens genügend Videos, in denen der Stunt tatsächlich gelingt.)

Ebenfalls sehr beliebt ist bei Clipfish das »Arsch-Lied«, in dem ein netter junger Mann mit seiner Klampfe über die täglichen Leiden unseres Gesäßes sinniert. Die Frage, wer so etwas braucht, erübrigt sich: Eine knappe Million Menschen haben sich den Clip mit dem wenig schamhaften Protagonisten angeschaut.

> *»Wisse, dass du nichts weißt.*
> *Erkenne die Dummheit in dir.«*   Sokrates

»Die jungen Medien bieten ein neues Forum: Exhibitionismus – leicht gemacht«, kommentiert der Kommunikationswissenschaftler Norbert Bolz den Trend zur ungebremsten Selbstzurschaustellung auch bei unzurechnungsfähigen Personen. Der Online-Exhibitonismus beschert dem Stammtisch-Philosophen endlich das öffentliche Forum, das bisher Profi-Kommentatoren vorbehalten war. Im Internet darf nun jeder seinen Senf mit dem der restlichen Welt vermischen.

Der Themenvielfalt sind keine Grenzen gesetzt, es wird über alles palavert und gefachsimpelt, vor allem aber über die eigene Befindlichkeit.

Natürlich gibt es auch erquickende Beispiele, die die elektronische Welt bereichern, wie den Bestatterblog (»Das mit der Kühlung wird wieder«), den Busfahrerblog (»Was tun, wenn Fahrgäste verloren gehen?«) oder den Buchhändlerblog (http://aci.blogg.de):

> Heute Morgen haben wir noch einmal reduziert, um auch die letzten Reste unters Volk zu bringen.
>
> So hatte eine Kollegin ein Buch, welches ehemals 9,95€ gekostet hat, um 50 Prozent reduziert. Heute Morgen überklebte sie die »-50%« mit einem »4€«-Etikett.
>
> Später kam eine Kundin zur Kasse und hatte den 4€-Aufkleber fast vollständig abgeknibbelt.
>
> Kundin: »Und watt kost' das jetzt?«
>
> Ich: »Das kostet jetzt nur noch 4€.«
>
> Kundin: »Also nich' mehr die Hälfte von 9,95€?«
>
> Ich: »Nein, das kostet 4€.«
>
> Kundin: »Das ist doch Beschiss. Für den alten Preis hätt' ich's mitgenommen, aber für 4€ will ich das nicht.«

Wer die Welt mit seinen Erlebnissen zum Lachen bringt, hat schon gewonnen, doch die ungefilterte und dabei langweilige Dummheit der Masse überwiegt.

Die privaten Kommentare aus dem geistigen Ablagekörbchen der Nation – meistens mit der Webcam gefilmt – können freilich ins Auge gehen. Denn es ist ein beliebter Sport, die Videoblogs anderer Leute in einem eigenen Video auf die Schippe zu nehmen. Das musste auch Angie erfahren. Als bekennender Tokio-Hotel-Fan hatte sie es sich in den Kopf gesetzt, resistente Tokio-Hotel-Hasser zu bekehren. Ihren Videokommentar stellte sie bei diversen Videoportalen ein.

Angie sitzt vor ihrem Computer im Teeniezimmer. Sie trägt ein rosa Sweatshirt mit einem Blumenmuster aus Strasssteinen. Erst hockt sie ein wenig zögerlich vor der Kamera, legt aber dann mit leicht nöliger Stimme richtig los: »Hey Leute, ich bin's wieder, die Angie. Also, ich wollt nur sagen, dass demnächst mehr Videos gibt, von mir, von meinen Freunden und vom Schatzi – weil ich seit Kurzem vergeben bin. Und ich wollt noch mal sagen: Ich bin stolzer Tokio-Hotel-Fan. Und nur«, sie wird ein wenig bestimmter, »wenn ihr meint, ihr müsstet uns Tokio-Hotel-Fans fertisch machen: Das packt ihr eh nisch! Und wenn ihr meint, ihr müsstet uns fertischmachen, machen wir euch richtig fertisch, ja? Also haltet lieber euren Maul und macht nicht immer: ›Ja, guck mal, wie doof die sind‹ und ›Die sind ja schwul‹ und so. DIE SIND NICHT SCHWUL. JA? Wenn ihr meint, die sind schwul, dann seid ihr selber schwul. Oder was auch immer. Mir ist das scheißegal. Aber lasst einfach Tokio Hotel in Ruhe. Wir sind stolze Tokio-Hotel-Fans und stehen auch dazu. Manche vielleicht nicht, weil sie Angst haben, dass sie in der Schule geschlagen werden oder so … Habt ihr das verstanden? Okay. Fertisch.«

Immerhin: Angie brachte es insgesamt auf über siebenhunderttausend Zuschauer. Anschließend hagelte es Angie-Hasser-Videos, die oft ähnlich schlecht waren wie der Clip, der den Aufruhr ausgelöst hatte. Der Spott der Kritiker war beißend. »Ich fand dein Video echt super, vor allem, als du sagtest, dass manchmal andere verkloppt werden, weil sie Fans sind. Oh, da hatte ich echt Mitleid: Die armen Menschen, die sich die Hände schmutzig machen mussten«, so der Kommentar eines Users.

Das ertrug Angie offenbar nicht. Nach kurzer Zeit meldete sie sich wieder zu Wort und bekannte einen Gesinnungswandel: »Hey Leute. Also, ihr wisst ja, wegen dem Tokio-Hotel-Video, was da mal war, und so ... ehm ... ich wollt nur sagen, dass ich kein Tokio-Hotel-Fan mehr bin, weil ... Ich muss sagen, ihr habt mir echt den Kopf gewaschen dadurch.«

Da erinnert man sich gerne an Bertolt Brecht, der einmal gesagt hat: »Ein Mann, der etwas zu sagen hat und keine Zuhörer findet, ist schlimm dran. Noch schlimmer sind Zuhörer dran, die keinen finden, der ihnen etwas zu sagen hat.«

Doch das Geltungsbedürfnis der Generation Doof hat Vorteile für andere: Ein weiterer Grund dafür, dass Selbstdarstellungs-Seiten wie Pilze aus dem Boden schießen, ist der schnöde Mammon.

Mit den Träumen und Albträumen anderer Leute ließ sich schon immer gutes Geld verdienen. Und so ist auch mit dem Geltungsbedürfnis der Generation Doof etwas zu verdienen. Denn Klicks sind bares Geld wert, weil sie eine Internetseite für Anzeigenkunden interessant machen. Rupert Murdoch zahlte beispielsweise fünfhundertachtzig Millionen Dollar für myspace, die Seite, auf der immer mehr Kids und Teens nach Freunden suchen, Tagebücher schreiben, flirten oder Videos und Fotos einstellen. Für Murdoch haben sich die Investitionen gelohnt: Myspace ist die viertgrößte englischsprachige Webseite; jeden Tag melden sich über zweihunderttausend neue Nutzer an, insgesamt dürften es schon über hundertsechzig Millionen sein: eine virtuelle Geldmaschine. Die Generation Doof stört das wenig, wir bloggen und clippen, was das Zeug hält, denn wir haben zu viel Spaß daran, uns ein virtuelles Zweitleben aufzubauen, als dass wir uns Gedanken über den finanziellen Nutzen unserer Aktivitäten für andere machen könnten.

Forever Young – Warum wir in Fantasiewelten flüchten

Für sie ist es nur ein kleiner Schritt, für ihn ist es das große Geld. Shawn Gold, Marketingchef von myspace, weiß, was die User auf seine Webseite lockt: »Sie wollen sich selbst ausdrücken, sie wollen mit Freunden in Verbindung treten, und sie wollen ihre Popkultur ausleben.« Sich selbst darstellen und Fun haben, das ist die Botschaft von myspace. So werden wir wenigstens ein bisschen berühmt.

> *»Berühmt bist du, wenn dein Name überall*
> *steht, nur nicht im Telefonbuch.«* Henry Fonda

Fun können wir ohne größere Probleme stundenlang und beinahe gratis im Internet haben: Hier finden wir jede Menge Spielkameraden, mit denen wir als Rollenspieler, Auktionator oder Chat-Partner in Kontakt treten können. Sie reagieren auf das, was wir tun: lassen sich über unsere Videoclips und Fotos aus, schicken uns Post auf unseren E-Mail-Account und scharen sich beim Rollenspiel um unseren Avatar, unser virtuelles Alter Ego, das wir mit den äußerlichen Merkmalen und Fähigkeiten ausstatten können, nach denen es uns gelüstet. Wer braucht heute noch Gentechnik?

Doch so viel Beachtung im Netz bekommt der Generation Doof nicht. Wolfgang Bergmann vom Institut für Kinderpsychologie und Lerntherapie in Hannover hat in unserer Altersgruppe einen neuen Persönlichkeitstyp ausgemacht, »einen sich ständig in den Vordergrund drängenden, unaufhörlich um ein bildungsleeres Selbst kreisenden, liebeshungrigen und emotional verarmten Charakter«. Demnach ist die Generation Doof doch kein Heer verkannter Superstars, die noch entdeckt werden wollen, sondern lediglich eine verzogene Meute, die ständig um sich selbst kreist und vom Leben nur Spiel, Spaß und Spannung erwartet. Zum Glück gibt es ja mittlerweile genügend virtuelle Ersatzwelten, in denen man sich keine unflätigen Kommentare zur eigenen Unfähigkeit oder zum Rettungsring unter dem bauchfreien Shirt anhören muss.

»Das Wichtigste ist doch, dass das Leben Spaß macht«, sagen wir und verziehen uns in ein anonymes Reich von Gleichgesinnten. Dort tätscheln wir uns gegenseitig das Ego, spielen miteinander wie in guten alten Tagen und blenden die graue Lebenswirklichkeit aus.

Wer zur Generation Doof gehört, spielt mit Begeisterung. Immerhin haben wir früh gelernt, dass das ganze Leben ein Quiz ist, dass das Spiel des Lebens uns immer zu einer großen Villa führt, dass wir Menschen uns nicht ärgern sollen, und dass das Wir gewinnt. Nachmittags nach der Schule, zwischen den Vorlesungen an der Uni oder abends nach der Arbeit noch eine schnelle Nummer *Singstar* auf der Playstation oder eine Runde auf der Nordschleife mit dem Rennsimulator – so stellen wir uns unsere Freizeit vor. Dass wir dabei in virtuellen Welten gefangen sind, wen stört's?

Beim lustigen Freizeitflippern kommt es übrigens nicht aufs Alter an. Wir können auch mit Mitte dreißig noch offen zugeben, dass uns beim Anblick eines Joysticks der Daumen juckt, ohne dass jemand deswegen das Gesicht verzieht. Das Spielen gehört zum Image der ewigen Jugend, mit dem die Generation Doof kokettiert. Wir schämen uns unserer infantilen Ader nicht. Schließlich ist ein weiblicher Guru der US-Spieleszene einundsiebzig Jahre alt, nennt sich »Old Grandma Hardcore« und schwingt trotz Rheuma noch geschwind den Spaßknüppel. Spieler gibt es heute in jeder Altersklasse.

So wie Christian. Der ist auch Spieler. Er ist Anfang dreißig, wohnt in Berlin und ist eigentlich ein ganz Netter. Sein Geld verdient er tagsüber mit dem Zusammenschrauben von Computern in einem großen Konzern.

Sobald Christian aber abends die Haustür hinter sich zuzieht, verwandelt er sich in einen mächtigen Magier und erlebt in seiner kleinen Kreuzberger Wohnung aufregende Abenteuer im Internet. Mit seinem Freund Peter trifft er sich fast täglich im Rollenspiel *World of Warcraft*. Die beiden sind zwei von über acht Millionen Spielern weltweit, die dieses Spiel simultan im Internet spielen. Jeder pflegt sein virtuelles Alter Ego: Christian ist als Zauberer mit langen grauen Haaren unterwegs, Peter als Krieger mit dickem Bizeps und Streitaxt.

Als virtuelles Kampfkumpelteam laufen die beiden durch ein riesiges Fantasiereich, das so groß ist, dass selbst Frodo und Gandalf lieber den Billigflieger nehmen würden. Sie retten Prinzessinnen, schlagen Orks und Trolle zu Pixelbrei, ernten für ihre Taten Ruhm und Anerkennung und scheffeln damit virtuelles Gold, das sie bei Bedarf sogar bei eBay für richtiges Geld versteigern können.

Das Spiel nimmt Christian beinahe ernster als seinen Job in der Realität. Er macht jeden Tag pünktlich um fünf Feierabend; die freie Zeit gehört dann ganz dem Internetspiel, und das findet er knorke. Freundin oder Kinder würden ihm nur die Zeit dafür rauben, deswegen ist er als Single ganz zufrieden. Peter und die anderen Bewohner der Online-Welt seien seine Familie, betont er gerne, wenn das Gespräch darauf kommt.

Manchmal trifft er sich mit seinen digitalen Weggefährten sogar in echten Kneipen, trinkt echtes Bier und erfreut sich am nächsten Tag auch eines echten Katers. Da können wir als Außenstehende nur selten mitreden, denn der Abenteurer-Stammtisch hat ausschließlich ein Thema – die Fantasiewelt. Gemeinsame Erlebnisse schweißen eben zusammen: die Rettung der schönen Prinzessin Dumdideldum, der Fund des Schatzes von Dingsdabums und die geplante Befreiung einer unterirdischen Katakombe von Untoten mit unaussprechlichen Namen. Tolle Geschichten mit viel Action, großen Schlachten und mutigen Helden.

»Was passiert denn in dem Spiel sonst noch so?«, fragen wir ganz unbedarft.

Christian fährt sich mit der Hand durch das bereits von grauen Strähnen durchzogene Haar: »Na ja, wenn man's genau nimmt, eigentlich immer das Gleiche.«

»Wird das denn nicht langweilig?«, wollen wir wissen.

»Nö, eigentlich nicht«, meint Christian. »Wenn man jetzt zum

Beispiel einen Schatz sucht, dann ist das ja immer ein anderer Schatz, und an der gleichen Stelle sind die Schätze ja auch nie versteckt.« Wie das mit Schätzen halt so ist. Das hätten wir Deppen ja gleich ahnen können.

Christian und seine Freunde prosten sich zu und verabreden sich für den nächsten Abend wieder im Internet. Dann wollen sie Prinzessin Haumichblau retten. Vielleicht hieß sie auch anders, aber das konnten wir uns nicht merken.

> *»Die Werte sind völlig verrutscht. Die Eltern*
> *atmen heute schon durch, wenn ihre Kinder zu*
> *Hause vor dem Computer sitzen und keinem*
> *Kult verfallen.«*   Thomas Gottschalk

Christian ist mit Anfang dreißig der Jüngste in der Gruppe; die anderen sind Mitte bis Ende dreißig. Was treibt Erwachsene dazu, ihr Leben fast ausschließlich einem Spiel in einer anderen Dimension zu widmen? Ist ihnen das richtige Leben zu doof?

»Wenn ich es mir aussuchen könnte«, erklärt Christian, »dann hätte ich lieber in einer anderen Zeit gelebt, vielleicht im Mittelalter.« Diesen Traum kann er in *World of Warcraft* ausleben.

Christian ist ein typischer Vertreter der neuen Spielergeneration. Mit elektronischen Wunderkisten wie der Playstation oder der XBox beamen sich viele ihren Kindheitstraum direkt ins heimische Wohnzimmer: Da können selbst unsere Nachbarn mit den gelben Kennzeichen im Spiel *Dirt* Rallye-Weltmeister werden, der 1. FC Köln gewinnt bei *Fifa 2007* endlich die Meisterschale, und selbst mit zwei linken Händen macht man bei *Guitar Hero* Jimi Hendrix alle Ehre.

Ging es früher beim Brettspiel eher um den geselligen Zeitvertreib mit Freunden und Familie, so sind Videospiele für die Generation Doof mittlerweile zu einer Art Doppelexistenz geworden. Die Flucht aufs elektronische Terrain gleicht einer neuen Völkerwanderung. Weltweit haben die Hersteller von Spielen und dem nötigen Zubehör in den vergangenen Jahren rund einunddreißig Milliarden Dollar verdient. Da werden selbst Traumfabrikanten aus Hollywood neidisch.

Second Life, das derzeit wohl bekannteste Online-Spiel, schaffte es in kürzester Zeit auf über sieben Millionen Benutzer, auch wenn viele ihre Spielfigur früher oder später vernachlässigen und einfach in der virtuellen Landschaft herumdümpeln lassen. Der Erfolg hat damit zu tun, dass *Second Life* eher eine Lebenssimulation in einer Parallelwelt ist als ein Spiel: Es gibt keine Handlung und kein vorgeschriebenes Ziel. Es scheint die große Chance zu sein, auf die wir alle gewartet haben: noch einmal neu anzufangen. Wir können das sein, was wir immer schon sein wollten, und die Trugwelt verschafft uns alles, was wir begehren: Freunde, Erfolg und sogar Liebe.

Eine ganze Generation hat die Vorteile solcher Macht für sich entdeckt: In Strategiespielen wie *Civilization* oder *Anno 1701* kann man über ein Weltreich herrschen, selbst wenn man zu Hause in Neukölln keinen Ausbildungsplatz findet.

Die virtuelle Welt ist auch deswegen so praktisch, weil es Cheats gibt: Schummeltricks, mit denen man weiterkommt, wenn sich Probleme auftun und wir keine Lust haben, es noch mal von Neuem zu probieren, so wie wir das im richtigen Leben tun müssten, wenn wir etwas erreichen wollen. In der wirklichen Welt sieht man schnell alt aus, wenn's mit den Noten nicht so richtig klappen will oder wenn wir um eine Gehaltserhöhung kämpfen müssen. Da übt man sich lieber in der Vogel-Strauß-Taktik und steckt den Kopf in den Silizium-Sand.

»*It's not a game!*« Sony Playstation

Wer so viel Realitätsflucht albern, infantil und lebensfern findet, könnte damit durchaus recht haben, aber die Generation Doof findet's einfach geil.

Kluge Köpfe haben den Zerfall der Intelligenz im medialen Durcheinander schon lange vorhergesagt. Neil Postman hat die Generation Doof in seiner Kritik der Mediengesellschaft zwischen Babys und Senioren bereits ausgemacht: Er sieht »am einen Ende das Säuglingsalter, am anderen Ende die Senilität und dazwischen den Kind-Erwachsenen«.

Zur Generation Doof gehören Pseudoerwachsene, die sich auf der einen Seite nach kindlicher Geborgenheit und auf der anderen Seite nach einem guten Glas Whisky und der FSK ab achtzehn sehnen. Der ungebremste Spieltrieb, die Verlängerung der schönen Zeit, in der wir jung sind und noch mit allem Möglichen herumexperimentieren dürfen, wird auch in Zukunft vor Altersgrenzen keinen Halt machen: Da sind die Mittvierzigerinnen mit Hüftjeans und Nabelpiercing; Eltern, die sich für die Animationsfilme der Firma Pixar noch stärker begeistern können als ihre Kinder; und wir bewundern Popstars, die mit fünfzig jünger aussehen als ihre eigenen Enkel. »Es wimmelt von Vierzigjährigen, die wie Kinder reden und sich kleiden«, mokierte sich Frank Schirrmacher schon vor ein paar Jahren in seinem Buch *Das Methusalem-Komplott*. Die Verwischung der Altersgrenzen stört allerdings niemanden. Dass wir damit einem Jugendkult huldigen und uns einem Mode- und Schönheitsdiktat unterwerfen, fällt uns nur selten auf.

Die Generation Doof fragt sich: Was soll die ganze Aufregung? Warum sollte man mit dreißig seine Freizeit anders verbringen oder sich anders kleiden als mit sechzehn? Was damals Spaß gemacht hat, macht doch auch heute noch Spaß. Warum sollte man andere Vokabeln verwenden als die eigenen Kinder? Man muss sich doch mit ihnen verständigen können – und statt den Kids die Muttersprache durch die hübsche Wortwahl ihrer Mutter mühsam nahezubringen, ist es viel lockerer, ihrem Sprachgebrauch einen Schritt entgegenzugehen. Sprache ist doch Sprache, verf**** noch mal.

Wir leben in einer Welt der Jugendlichkeit, und wer sich jung fühlt, der rubbelt sich halt abends gemeinsam mit Junior den Dau-

men am Gamepad warm. Das wirklich Schöne an der schönen neu-
en Welt: Die Grenzen der Generationen verschwimmen. Wir sind
alle eins im virtuellen Spielzimmer. Die Generation Doof fühlt sich
hier wieder ein wenig wie im guten alten Hotel Mama, als das Leben noch prima war, Fehler noch ausgebügelt werden konnten und
sich Sorgen schnell in Luft auflösten. Die Welt außerhalb der Spiele
empfinden wir als anstrengend und hart: Man muss selber Nahrung ranschaffen, sich einen Partner suchen, mit dem man es aushält, Zukunftspläne schmieden und den Fahrplan des Öffentlichen
Personennahverkehrs entschlüsseln können. Mit dieser Plackerei im
real life ist die Generation Doof oft überfordert – und wir finden,
dass wir uns in der Freizeit ein wenig sinnfreies Zeittotschlagen
redlich verdient haben.

> *»Ich bin im Moment voll auf der Höhe der*
> *Jugend. Alle Dreißigjährigen tun mir wirklich*
> *leid.«*   David Bowie

Das geordnete Chaos des Alltags kommt einigen von uns sogar so
kompliziert vor, dass sie lieber die Segel streichen, als Dauergast bei
den Eltern zu bleiben oder den Lebensernst mit viel buntem Spiel-
kram und lustigen Fernsehsendungen zu übertünchen. Wenn wir
regelmäßig jede Woche CSI gucken, dann schafft das schon mal
einen Fixpunkt in unserem ansonsten turbulenten Leben. Regel-
mäßigkeit beruhigt.

Serienfiguren kennen wir nach kurzer Zeit in- und auswendig
und erleben mit ihnen weniger böse Überraschungen als mit unseren unberechenbaren wirklichen Freunden. Und wenn wir davon genug haben, belebt ein Feierabendtalk mit Günther Jauch die
Stimmung ungemein. Da palavern den ganzen Abend mehr oder
weniger nette Menschen miteinander. Man glaubt mitzudiskutie-
ren, obwohl man die ganze Zeit den Mund hält, und fühlt sich
dabei irgendwie mit der Welt hinter der Glotze verbunden.

Was im globalen Dorf so vor sich geht, können wir uns in der Kiste prima aus sicherer Distanz ansehen. Man bekommt Hilfe und Rat und braucht lästige Aufgaben und Herausforderungen nicht mehr selbst anzugehen.

Das Fernsehen löst für uns Probleme, indem es das richtige Leben ins Unendliche spiegelt und von allen Seiten beleuchtet: Real-life-Dokus zeigen uns, wie andere ihre Existenz bewältigen, und bieten damit eine praktische Gebrauchsanweisung für nahezu jede Lebenslage. Alle Gebiete sind abgedeckt: Bei *Einsatz in 4 Wänden* oder *Wohnen nach Wunsch* bekommen hilflose Messies eine kostenlose Komplettsanierung ihrer Rumpelkammer. *Versägt noch mal! Heimwerker zwischen Lust und Frust* zeigt uns freudige Dilettanten, die sich mit dem Bandschleifer die Glatze polieren, weil sie einem Profihandwerker nicht über den Weg trauen. Wem das Heim nach so vielen linkshändischen Umbauten überhaupt nicht mehr gefällt, der plant kurzerhand den *Umzug in ein neues Zuhause*. Schöner ist das Ganze natürlich für Frischverliebte, die ziehen nämlich in *Unsere erste gemeinsame Wohnung*. Was da dann so alles abgeht, kann man sich bei *Abenteuer Alltag – So leben wir Deutschen* ansehen. Wer sich clever anstellt, auf den wartet *Ein Job – Deine Chance*, und dann steht auch der weiteren Familienplanung nichts mehr im Weg. *Mein Baby* kann kommen. Wenn es anschließend mit der Erziehung nicht so recht klappt und der Dreikäsehoch die frisch von ProSieben renovierte Wohnungseinrichtung demoliert, helfen bekanntermaßen *Die Super Nanny* oder *Die Supermamas*. Die verordnen dem Nachwuchs kurzerhand für eine Stunde die umstrittene Sitztherapie. Für den Fall, dass abends mal ein Superstar auf ein Fischstäbchen vorbeischauen sollte, erklärt uns *Das perfekte Promi-Dinner*, in welchem Essen man getrost mit der Hand rumstochern darf und wie man selbst noch aus einer überfahrenen Hauskatze einen saftigen Braten macht. Aber lassen Sie das nicht den *Top Dog* sehen, denn Deutschlands zukünftiger Superhund fürchtet sonst um sein Leben. Läuft alles nach Plan, ruft man freudig *We are family!* Manchmal geht das alles natürlich auch schrecklich schief. Dann zeigt die Ehe Ermüdungserscheinungen, und Mann denkt über einen *Frauentausch* nach. Spätestens nach der Scheidung steht Berater Peter Zwegat auf der Matte und hilft einem *Raus aus den Schulden*. Mit null Cent in der Tasche und gepfändetem Bankkonto kann man am Ende eigentlich nur noch an *Mein neues Leben* denken, auswandern und sagen: *Goodbye Deutschland!*

Weiß der Himmel, welche absonderlichen Sendungen uns demnächst noch erwarten. Wer sich noch daran erinnert, wo sich der Ausschaltknopf am Fernsehgerät befindet, fragt sich unwillkürlich, warum man sich so viel pralle Normalität unbedingt im Fernsehen anschauen muss. Erleben wir diese langweiligen Alltagssituationen nicht andauernd selbst?

Warum wir lieber anderen beim Leben zusehen, statt uns an dem unsrigen zu erfreuen, hat die Zeitschrift *Brigitte* entschlüsselt. Die neue Lust am Voyeurismus erklärt sie mit dem »Drei-E-Modell«: Erschrecken, Erkenntnis, Entlastung. In der ersten Phase bleibt uns vor Entsetzen die Luft weg, dass es solch unverhohlenen Schwachsinn und so traurige Gestalten überhaupt im Fernsehen zu bestaunen gibt. Dann reift langsam die Erkenntnis: Andere Menschen haben die gleichen Probleme wie wir, oder ihr Leben ist noch chaotischer. Dass es anderen nicht besser geht als uns, beruhigt uns irgendwie und sorgt für Entlastung – widerlegt es doch den verstörenden Ausspruch des Dichters Robert Gernhardt: »Beklage dich nicht, wenn du im Leben zu kurz kommst. Dafür geht es anderen ja besser.«

Die Generation Doof fühlt sich in dem Modell der Reality-Show wohl. Wir lieben das Zuschauen bei Chips und Piccolo, genau wie die alten Römer, die sich bei Brot und Spielen darüber amüsierten, wie andere zu Großkatzenfutter wurden. Heute freuen wir uns, wenn die Bank dem Freak im Fernsehen das Haus wegpfändet, und uns steigen die Tränen in die Augen, wenn eine Mutter ihr Baby im Inkubator zum ersten Mal berühren darf. Gut, dass *uns* so etwas nicht passiert. Um diesen Kick der Katharsis zu bekommen, ziehen wir uns eine Reality-Sendung nach der anderen rein.

Dumm und dümmer – Macht uns der seichte Freizeitvertreib blöd?

Bisher konnte niemand diese Frage zweifelsfrei und sicher beantworten, denn dazu müsste man erst einmal Folgendes herausfinden: Wer war zuerst da, der Freak oder der Fernseher? Es ist wie die Frage nach der Henne und dem Ei. Schlauer macht die Dauerglotzerei jedenfalls nicht, im Gegenteil. Übermäßiger Fernsehkonsum macht uns »dick, dumm, krank und traurig«, meint Christian Pfeiffer, Leiter des Kriminologischen Forschungsinstituts Niedersachsen (KFN). Das KFN hat in einer Untersuchung herausgefunden, dass Fernsehen und Intelligenz auf dem Kriegsfuß stehen. Je früher die Bestrahlung beginnt, desto größer der Schaden.

Welchen Einfluss das Fernsehen vor allem auf den Nachwuchs der Generation Doof hat, lässt sich tagtäglich beobachten, zum Beispiel in der Grundschule. Petra Tabers ist Lehrerin in einer vierten Klasse. »Das Lieblingsspiel der Kinder in der Pause ist heute nicht mehr Fußball oder Verstecken, sondern ›Dieter Bohlen‹«, sagt sie. Wie in der echten Show kaspert ein Kind vor einer dreiköpfigen Jury rum, die dann möglichst lautstark und vernichtend über den Auftritt urteilt. Die Rolle des Dieter Bohlen ist dabei begehrter als ein Part im Weihnachtstheaterspiel. Gewonnen hat am Ende nicht der kleine Kandidat mit der schönsten Stimme, sondern der, der in der Jury am weitesten die Klappe aufreißt. »Sie lernen, wie man den anderen am besten fertigmacht«, sagt Petra Tabers. Es bedarf seitens der Lehrer reichlicher Anstrengung, damit das neue Spiel das Sozialverhalten nicht völlig demoliert. Auswendig lernen die Kinder heute ohnehin allenfalls noch die Sprüche der Stars. Die Darnell'sche Lebensweisheit »Ohne Tasche keine Competition!« kenne beispielsweise jedes Kind in der Klasse, sagt Petra Tabers. Da kann man nur sagen: »Drama, Baby, ein echtes Drama.«

Wissenschaftler an der Albert-Ludwigs-Universität Freiburg haben zudem herausgefunden, dass Fernsehexzesse auch die schulischen Leistungen beeinträchtigen. Kinder und Jugendliche, die in der Freizeit viel Zeit vor der Glotze verbringen, kommen in der Schule oft nicht mit, sind überfordert und schneller gestresst. Ihr Pech, dass Hausaufgaben und Unterricht nicht mit einem mittelmäßigen Blockbuster mithalten können: Es gibt keine aufregenden Verfolgungsjagden, keine Special-Effects (außer im Chemieunterricht), statt schnellen Schnitten verharrt das Bild in einer Einstellung auf dem dickbäuchigen Lehrer, und Schlägereien wie auch Liebesszenen muss man notgedrungen selbst inszenieren. Da kann es filmverliebten Früchtchen schnell langweilig werden.

Dass der übermäßige TV-Verzehr schädlich ist, steht wohl außer Frage. Aber verblödet man deswegen zwangsläufig?

Wir Autoren hatten in den achtziger und neunziger Jahren unsere Sitz-und-Glotz-Zeit, von Sturm und Drang kann man da nicht wirklich sprechen. Unsere Ikonen waren Bruce Willis, Madonna und Schwarzenegger. Statt Gedichte zu lernen schauten wir *Terminator* und *Zurück in die Zukunft* und kannten viele Dialoge auswendig. Wir sind mit Filmen aufgewachsen, die Dummheit feierten wie *Manta, Manta* und sich über Doofe lustig machten. Stephen King war uns immer viel näher als Bertolt Brecht.

Der Einfluss der Medien auf unsere Kindheit war geballt – was auch nicht immer folgenlos blieb. Unsere Eltern fragten sich sicherlich das eine oder andere Mal, ob ihre Kinder nicht ein wenig zu nahe am Wahnsinn gebaut hätten.

Stefan erzählt:

Juli 1986. Ich bin mit meinem Freund Patrick, genannt Patty, auf dem Weg von der Schule zu ihm nach Hause. Heute haben die großen Ferien begonnen, und wir freuen uns wie die Bekloppten. Der Sommer ist bislang perfekt: Die Sonne scheint fast ununterbrochen, und das Thermometer fällt selten unter zwanzig Grad. Die meisten Kinder in unserem Alter toben schon seit Tagen im Freibad herum, machen Arschbomben vom Dreier und holen sich einen respektablen Sonnenbrand.

Wir nicht. Wir haben die letzten Wochenenden und freien Nachmittage in Pattys Zimmer verbracht, im Halbdunkel hinter heruntergelassenen Jalousien. Und wir können uns wahrhaftig nichts Geileres vorstellen.

Patty ist der erste Junge in meiner Klasse, der einen VHS-Videorekorder besitzt und dazu noch einen Fernseher auf seinem Zimmer hat. Seine Mutter hat ihm den geschenkt, als Trostpflaster für eine schmerzhafte Operation an seinen Kronjuwelen. Patty hat es wie ein ganzer Kerl genommen und uns nur die besten Actionfilme mit den coolsten Typen besorgt.

Für das erste Ferienwochenende haben wir eine Marathonsitzung geplant. Pattys Mutter ist nicht da, und wir wollen zwei Tage am Stück durchglotzen. Unser Proviant: zehn Tüten Chips, ein Kasten Cola und zwei Riesentafeln Schokolade.

Nun trotte ich neben Patty her, den Schulranzen und eine Penntüte auf dem Rücken. »Was hast 'n jetzt für Filme bekommen?«, will ich wissen.

»*Terminator*, *Rambo*, *Der weiße Hai* und *Tanz der Teufel*«, antwortet Patty stolz. »In *Tanz der Teufel* hab ich gestern schon mal reingeschaut. Ist echt affengeil, wie da den Typen die Köpfe abgeschlagen werden.«

201

Patty schließt die Haustür auf, und wir gehen die Wendeltreppe hinauf in sein Zimmer. Ich fläze mich auf das Sofa und mache es mir gemütlich.

»Was gucken wir denn zuerst?«, frage ich.

»Mal überlegen«, sagte Patty und kratzt sich nachdenklich am Kopf. Unter seinem rostroten Haaransatz ist auf der Stirn eine Beule zu erkennen. Die habe ich ihm verpasst, als wir neulich mit zwei armdicken Knüppeln das finale Laserschwertduell zwischen Luke Skywalker und Darth Vader nachgespielt haben.

Wir entscheiden uns für *Der weiße Hai*. Verglichen mit dem Zombie-Splatter, mit dem wir uns in den vergangenen Wochen die schulfreie Zeit versüßt haben, ist der Film eigentlich ganz harmlos. Viel Blut, ein paar abgebissene Arme und Beine, ein angeknabberter Kopf ohne Augen. Halb so schlimm das Ganze.

Doch dann kommt die legendäre Stelle, an der der Haijäger Quint auf seinem Schiff vom Hai gefressen wird. Der Riesenfisch macht einen Satz aus dem Wasser, kracht auf das Deck des Fischerboots, und Quint rutscht dem Hai langsam ins Maul. Der beißt genussvoll zu. Erst sind die Beine dran, dann der Bauch, und schließlich nippelt Quint blutgurgelnd ab.

Super Szene, finden wir. »Boah, wie coo...«, setzt Patty an, doch da geht die Tür auf. Pattys Mutter. Ihre Wochenendverabredung hat sich zerschlagen.

»Was seht ihr euch da am helllichten Tag wieder für einen Mist an!«, mosert sie. »Ihr werdet später bestimmt mal total bekloppt.« Dann verschwindet sie mit dem Versprechen, uns später mit einem ordentlichen Mittagessen zu beglücken.

Das stört uns nicht. Wir beschließen, die Szene mit dem Hai nachzuspielen. Patty hat aus dem letzten Mallorca-Urlaub zwei Plastik-Haifischfiguren mitgebracht. An die wollen wir jetzt seine alten Masters-of-the-Universe-Figuren verfüttern. Wir bewaffnen uns mit zwei scharfen Küchenmessern und roter Tinte, damit wir das Blut möglichst echt imitieren können.

Während wir He-Man und Man-at-Arms Arme und Beine abschneiden und dann den Haien in den Rachen stopfen, läuft im Hintergrund die neue Otto-Platte. Wir haben einen Heidenspaß. Bis zu dem Moment, als ich mit dem Messer abrutsche. Bei den Gummi-Spielzeugfiguren muss man einiges an Kraft investieren, um einen glatten Schnitt hinzubekommen. Und so schneidet die Klinge mühelos in meine Daumenkuppe, quer durch den Nagel.

Im ersten Moment tut es nicht mal weh. Ich ziehe das Messer behutsam aus meinem Daumen und beobachte fasziniert, wie sich das Blut recht zügig auf dem Teppich ausbreitet.

»Upps ...«, bringe ich hervor.

»Ist ja echt geil.« Aus Pattys Stimme klingt ehrliche Bewunderung.

Während ich noch überlege, ob ich jetzt sterben muss, öffnet sich erneut die Tür. Pattys Mutter steht im Türrahmen.

Der Anblick: Ihr Sohn und sein bester Freund inmitten von zerstückelten Spielzeugfiguren, deren abgetrennte Arme, Beine und Köpfe im ganzen Zimmer verstreut sind. Die langen Küchenmesser in unseren Händen. Das eine ist blutverschmiert und hat offenbar eben noch in einem Daumen gesteckt, aus dem jetzt ordentlich Blut quillt. Patty sieht mit seinen roten Haaren ohnehin aus wie eine Mischung aus Pumuckl und Chucky, der Mörderpuppe. Der Teppich ist mittlerweile ziemlich rot.

Das Tablett mit dem Mittagessen fällt ihr aus der Hand und kracht scheppernd zu Boden. Sie wird kreidebleich und setzt zu einem Schrei an, der so laut ist, dass in der Nachbarschaft alle Hunde losbellen.

»Hab doch gesagt, dass ihr von dem Videozeug noch bekloppt werdet!«, kreischt sie. »Habt ihr noch alle Tassen im Schrank?«

Dann bemerkt sie endlich, dass ich kurz vor dem Exitus stehe, und will den Krankenwagen rufen. Patty ist pragmatischer. Er rennt in die Kellerwerkstatt und kommt mit einer Tube Sekundenkleber wieder. Den schmiert er mir ohne schuldhaftes Verzögern in die Wunde. Es brennt wie Zunder, aber die Blutung ist gestoppt.

Pattys Mutter hat das Treiben fassungslos verfolgt. »Beide total bekloppt!«, stammelt sie nur noch und fährt mich dann zum Arzt.

Patty und ich sind keine Gewalttäter geworden. Wir haben bis jetzt niemanden erschossen oder auf andere grausame Weise getötet, und wir sind auch nicht völlig auf den Kopf gefallen. Eigentlich erstaunlich, wenn man es recht bedenkt. Dafür habe ich jetzt stets eine Tube Sekundenkleber im Haus. Man weiß ja nie.

Was wir damit sagen wollen: Man kann der völligen Fernsehverblödung durchaus entkommen. Unter bestimmten Voraussetzungen. Als wir Kinder waren, hatten wir noch das Glück, dass sich unsere Eltern einigermaßen regelmäßig um uns kümmerten. Sie konnten uns zwar auch nicht völlig daran hindern, uns die Zeit mit Gewaltfilmen zu vertreiben. Aber wenn sie es bemerkten – und das taten sie meistens –, dann konnten sie uns wenigstens klarmachen, dass wir uns auf dem Weg in die Klapse befanden. Die heutige Elternfraktion der Generation Doof ist da weniger umsichtig, denn sie parkt ihren Nachwuchs oft blindlings vor der Glotze und schaut nicht mehr hin, welchen Programmen oder Filmen die Kids sich hingeben.

Das Kind ist dann schnell in die Röhre gefallen. Eine strengere Kontrolle wäre also durchaus angebracht, zumal die im Rückblick eher lauen Horrorfilme von »damals« heute in den Kinderzimmern längst durch knallharte Ballerspiele ersetzt worden sind. Und die sind scheinbar wesentlich gefährlicher – zumindest, wenn man der Behauptung glaubt, dass hinter jedem Actionspiel-Fan ein Psychopath steckt.

Bang, Bang, You're Dead – Nicht jeder Killerspieler will den Killer spielen

Zum Thema Ballerspiele benötigt man eigentlich keine wissenschaftlichen Studien über deren Wirkungsweise. Wer wie viele Angehörige unserer doofen Generation öfter mal zum virtuellen Schießeisen greift, ist vor allem in den Augen derer, die so etwas noch nie selbst gespielt haben, nicht nur dumm, sondern auch gemeingefährlich und gewalttätig. Alle, die nicht freiwillig den Abgang machen, wenn wir Gamepad-Gringos das Pflaster betreten, sind selbst schuld. Wir haben nämlich einen verdammt nervösen Zeigefinger und klicken schneller mit der Maus, als Windows abstürzen kann.

Selbst wenn wir im Alltagsleben als friedfertig gelten und unsere Mordgelüste nur am Bildschirm ausleben, sieht man uns gelegentlich schief an: Die Nachbarn grüßen nicht mehr, unsere Freunde suchen unser Wohnzimmer mit den Augen nach Waffen ab, und der Lebenspartner fesselt uns abends erst mal an einen Stuhl, bevor er uns den Rücken zukehrt.

Wenn sich das persönliche Umfeld so verhält, dann ist wohl gerade mal wieder ein ganzes Spiele-Genre in Verruf geraten, weil ein Verrückter Amok gelaufen ist und man in seiner Bude Ballerspiele und Actionfilme gefunden hat.

Trösten wir uns. Weltweit geht es Millionen von Computerspielern und Filmfans nicht anders. Der Ruf des Ballerspiels ist ruiniert, also könnten wir eigentlich ganz ungeniert weiterspielen. Doch selbst wenn wir uns trotz des Bodycounts noch für halbwegs normal halten, fragen selbst wir uns manchmal, ob die Berichterstattung nicht doch recht hat – denn bei den Unmengen von Doofen, die es wie wir gerne krachen lassen, ist die Chance, dass tatsächlich ein Amokläufer dabei ist, verdammt hoch.

»Killerspiele« und Gewaltfilme sind beliebt wie selten: Der Shooter *Half-Life 2* brachte es auf über 4 Millionen verkaufte Exemplare, das ähnliche Spiel *Doom 3* auf über 1,7 Millionen. Und die deutsche Spieleschmiede Crytek verkaufte von ihrem Ballerspiel *FarCry* mehr als 2,4 Millionen Exemplare an potenzielle Serienkiller. Den Sandalenschocker *300* sahen hierzulande über 600 000 angeblich empfindungslose Kinobesucher, und das Folterfilmchen *Hostel* zogen sich eine halbe Million deutscher Schmerzfreunde rein. Das sind eine ganze Menge Menschen, die in Verruf geraten, lieber mit der Pumpgun einkaufen zu gehen und ihre Schulnoten mit dem Springmesser zu verhandeln.

> *»Eine Million Deutsche spielen Counterstrike,*
> *das sind doch auch nicht alles Massenmörder.«*
> Cevat Yerli, Mitgründer von Crytek

»Gewalttätige Computerspiele können aggressives Verhalten, aggressive Wahrnehmung und aggressive Gemütszustände fördern«, meint Dr. Tilo Hartmann, der in Los Angeles auf dem Gebiet der Medieninteraktion forscht. Er bestätigt grundsätzlich die These vom Spielefreund, der durchdrehen könnte. »Nach dem Spiel ist die Gewaltbereitschaft gesteigert – die Welt erscheint feindlicher.« Dennoch verschiebt sich unsere Realitätswahrnehmung in den meisten Fällen nicht so stark, dass die Leute gefährdet sind, die wir noch nie leiden konnten.

Wie oft kommt es vor, dass wir nach einer Runde *Counterstrike* in der Dönerbude Außerirdische vom Planeten Pita vermuten, von denen wir glauben, dass sie uns mit dem Tsatsiki-Strahler töten wollen? Wie oft denken wir, dass der Fleischklumpen am Spieß schockierende Ähnlichkeit mit unserem besten Kumpel hat, und pusten deswegen die gesamte Besatzung der Dönerbutze über den Bosporus?

Solche Fälle sind eher selten, wie Sie zugeben werden. Vielleicht sind wir nach dem Genuss eines Computerspiels nicht mehr so geduldig mit unserem dementen Opa und unserer gefallsüchtigen Freundin. Aber deswegen greifen wir noch lange nicht zur Handgranate.

> *»Ich habe in meiner Jugend auch viele Horrorfilme gesehen, aber trotzdem ist die Zahl der Personen, denen ich mit einer Axt den Schädel gespalten habe, überschaubar.«*
>
> Günther Jauch

Verharmlosen sollte man die Effekte von Gewaltfilmen und -spielen allerdings auch nicht: Psychologen der University of Michigan beobachteten in einer Langzeitstudie junge Männer und Frauen, die in ihrer Kindheit besonders viel Gewalt in Filmen oder Spielen mitbekamen. Tatsächlich stellte sich heraus, dass die Jungen in ihrem späteren Leben gegen ihre Freundinnen handgreiflich wurden, wegen eines Vergehens verurteilt oder des Öfteren durch rüpelhaftes Verhalten im Verkehr verknackt wurden. Frauen kamen bei dem Test nicht besser weg, jedoch neigten sie mehr zu indirekter Gewalt, lösten Probleme also eher mit wüsten Beschimpfungen oder einem Griff in die Intrigenkiste.

Ballerspiele sind wohl kaum geeignet, den Gehirnen der Generation Doof zu ungeahnten Höhenflügen zu verhelfen. Ihre Wirkung kann man aber mit der von Schnaps vergleichen. Ein Gläschen hin und wieder hat selbst Oma nicht ins Grab gebracht. Wer sich allerdings jeden Abend ein Fläschchen einverleibt, der wird abhängig und irgendwann debil. Mit Killerspielen ist das ähnlich: Nur wer sich in den Straßenschluchten der Ballerspiele verliert, läuft Gefahr, zu einer Gefahr für sich und andere zu werden. Wer in einem Moment des Kontrollverlusts seine Tastatur zerlegt und sich dabei filmen lässt, könnte allerdings höchstens der nächste YouTube-Hit werden, ähnlich wie der eingangs beschriebene »verrückte Computerspieler«.

Das Gros der Computerspieler gönnt sich allerdings eher nebenbei mal eine Schießerei, wie eine Studie der Spieleschmiede Electronic Arts zutage gefördert hat. Die meisten Videospieler beschäftigen sich häufiger mit Büchern und Zeitungen als mit der Spielkonsole. Sie sind sogar wesentlich aktiver als Nichtspieler: Tatsächlich treiben die meisten von ihnen mehr Sport, gehen häufiger aus und treffen sich öfter mit Freunden. Und jetzt halten Sie sich fest: Hätten Sie gedacht, dass die vielgescholtenen Ballerspiele sogar das Gehirn trainieren?

An der University of Rochester wurden Testpersonen mit Spielen wie *Half-Life* oder *Counterstrike* darin geschult, ihre Aufmerksamkeit zu kontrollieren und sich einen schnellen Überblick zu verschaffen. Und tatsächlich waren sie nach einer Weile in der Lage, auf einem Monitor Wichtiges von Unwichtigem besser zu unterscheiden als eine Vergleichsgruppe ohne entsprechendes Training.

Ballerspiele sind also nicht grundsätzlich doof. Bei ihnen wie beim Fernsehen gilt: Hinsehen statt wegsehen – aber anders als Sie jetzt denken. Statt das Knötterkind aus Bequemlichkeit dem Flimmerkasten oder der Spielkonsole zu überantworten, sollten Eltern sich mit dem Freizeitvertreib ihrer Kinder beschäftigen und diesen in die richtigen Bahnen lenken, damit der fortschreitenden Verblödung Einhalt geboten wird. Voraussetzung dafür wäre natürlich, dass sie selbst erst mal hinter der Glotze hervorkommen.

Game Over –
Wenn die Generation Doof erwachsen wird

Katharina Bauer und ihr Freund Sebastian wirken auf den ersten Blick ganz normal. Sie sind Anfang dreißig, haben einen kleinen Sohn, wohnen in einem beschaulichen Stadtteil von Köln, gehen im Supermarkt um die Ecke einkaufen und jeden Tag zur Arbeit. Wer die beiden näher kennt, weiß aber, dass sie anders sind als die anderen. Ihnen fehlt etwas Entscheidendes. Sie haben nämlich keinen Fernseher.

Können Sie sich *das* vorstellen? Keinen Fernseher!? Nicht nur die GEZ glaubt ihnen das nicht. Dabei geht das jetzt schon seit fünf Jahren so. Wie halten die das durch? Das wollten wir wissen und haben nachgefragt.

Katharina und Sebastian empfangen uns in ihrem Wohnzimmer. Wir sind natürlich ziemlich neugierig zu erfahren, wonach man seine Möbel überhaupt ausrichtet, wenn man keinen Fernseher hat. Der Kulturschock hält sich in Grenzen. Wir nehmen in einer kuscheligen Sofaecke Platz. Wirkt alles ganz gemütlich, lädt zum

Verweilen und zum netten Plausch ein. Ein wenig ungewohnt ist, dass man seinem Gesprächspartner gegenübersitzt und nicht gleich frontal auf den Fernseher starrt, wie das üblicherweise der Fall ist. Man hat normalerweise ja nur ein Sofa, und das parkt natürlich gegenüber der Glotze.

»Und?«, wollen wir wissen. »Wie ist das Leben ohne Fernseher so – vermisst ihr nichts?«

»Na ja, anfangs schon«, sagt Sebastian. »Mit der Zeit haben wir uns aber dran gewöhnt, und jetzt fehlt uns gar nichts mehr.« Früher hatten die Abende bei den beiden fast immer den gleichen eintönigen Ablauf. Katharina kam geschafft von der Arbeit und ließ sich vor der Kiste nieder. Sebastian widmete sich derweil seiner Zweitkarriere als Trainer in *Fußball Manager 2008*. Erst als der Nachwuchs kam, war das der Anlass für die beiden, einen Schlussstrich zu ziehen und die Bespaßungsanlagen einfach rauszuschmeißen. Was für Freaks!

»Womit verbringt ihr denn jetzt eure Abende?!« Wir sind noch immer fassungslos.

»Wir unterhalten uns, lesen ein Buch oder die Zeitung und spielen mit unserem Sohn.« Das wird ja immer merkwürdiger.

»Wird der denn in der Schule von anderen Kindern nicht gehänselt, so ganz ohne Fernseh-Erfahrung?«, fragen wir. »Der kann ja gar nicht mitreden.«

»Nein, da gibt es keine Probleme. Er selbst kennt es nicht anders, weil er ohne aufgewachsen ist«, erklärt Katharina. »Außerdem schauen wir uns zusammen schon mal eine DVD auf dem Computer an oder gehen ins Kino. Wir sind ja nicht völlig weltfremd.«

»Und wie haltet ihr es mit Computerspielen?«

»Spielen darf er natürlich, aber wir schauen ihm genau auf die Finger.« Sebastian grinst. »Ich hab ja vor ein paar Jahren selbst noch wie ein Bekloppter gezockt. Da macht er mir so schnell nichts vor.«

Sebastian und Katharina gehören zu einer neuen Elternriege.

Sie geben ihren Kindern Holzspielzeug, reden schockierenderweise mit ihnen über ihre Schulerlebnisse und überwachen den Medienkonsum der Kids wie Big Brother.

> *»Es gibt nichts Demokratischeres als einen Fernsehapparat: Man kann einschalten, umschalten und ausschalten.«* Günther Jauch

Noch sind Sebastian und Katharina leider eine Ausnahmeerscheinung – die sich allerdings bald zu echten Konkurrenten der Generation Doof entwickeln könnte. Denn als größte Schwachstelle im Umgang mit den neuen Medien machen Experten immer noch die Eltern aus.

»Der Beratungsbedarf ist enorm«, sagt Christine Feil, Medienexpertin beim Deutschen Jugendinstitut in München. Bei vielen Eltern herrscht Ratlosigkeit über das, was ihr Sprössling mit dem Computer treibt und welche Filme und Fernsehsendungen sich der Pubertätsanwärter täglich einverleibt. Es mangelt uns an Medienkompetenz. Mühe und Einarbeitungszeit ist vonnöten, wenn man das ausufernde Unterhaltungsangebot überblicken und entscheiden will, was für den Nachwuchs geeignet ist und was nicht. Das ist kein Spaß, wenn man Glotze und Spielkonsole sonst gerne mal als bequeme Erziehungshilfe verwendet und keine Zeit oder Lust hat, sich über den Umgang der Kinder mit Medien allzu viele Gedanken zu machen.

Die Generation Doof hätte ironischerweise gerade *wegen* ihrer vielfältigen Fernseh- und Computerspielerfahrung die Chance, ihrem Nachwuchs eine veritable Fernbedienung mit Kindersicherung oder ein Kinderschutzprogramm für den PC zu sein. Wer selbst mit *Rocky* und *Stirb Langsam* aufgewachsen ist und bis zum Erbrechen *Summergames*, *Doom* und *Tomb Raider* gespielt hat, könnte einfacher entscheiden, was man dem eigenen Kind zumuten kann. Die Voraussetzung dafür ist natürlich, dass wir unser Gehirn nicht auf Stand-by geschaltet haben und kapieren, dass so viel seichter TV-

Schwachsinn als alleiniger Freizeitvertrieb auf Dauer die geistigen Fähigkeiten schrumpfen lässt.

Die Chancen, dass sich ein Großteil der Generation Doof mit der Zeit von der medialen Kanalisation abwendet, stehen gar nicht so schlecht. Grundsätzlich sind wir Doofen lernfähig. Wir müssen es nur wollen und den Hintern von der Couch erheben.

So wie Katharina und Sebastian. Der wahre Grund, warum sie sich vom Fernsehen verabschiedet haben, war recht simpel: Sie hatten das Gefühl, es gäbe einfach nichts Neues mehr zu sehen. »Wenn man fünfundzwanzig Jahre lang fernsieht, ins Kino geht und Computer spielt«, sagt Sebastian, »dann hat man irgendwann das Gefühl, in einem Loop gefangen zu sein.« Katharina, die den Fernseher früher vor allem zur unkontrollierten Berieselung verwendet hat, kennt noch einen anderen Grund, warum sich Abschalten lohnt: Die ohnehin knapp bemessene Freizeit ist ihr inzwischen zu schade. »Ich wollte früher abends nicht mehr groß nachdenken. Mir war eigentlich egal, was gerade in der Glotze lief, Hauptsache, da brabbelte einer beruhigend auf mich ein«, erinnert sie sich. »Irgendwann hab ich dann aber gemerkt, dass mein Leben genauso vor sich hinplätscherte wie das Fernsehprogramm.« Der Beschluss war bald gefasst, die Abende wieder aktiver zu gestalten und mehr gemeinsam zu unternehmen.

Wenn man sich zu erinnern versucht, wann zuletzt etwas revolutionär Neuartiges im Fernsehen ausgestrahlt wurde, raucht einem bald der Kopf, denn es ist unter Umständen sehr lange her. Mit dem Internet ist es ähnlich: Wer seine Freizeit komplett im Chat verbringt oder seine Erlebnisse im Blog ausführlich kommentiert, der ist durchaus mit einem japanischen Fototouristen vergleichbar, der seine Reise nur durch die Linse der Kamera wahrnimmt. Genauso geht es uns, wenn wir unseren Medienkonsum nicht selbst sinnvoll steuern: Wir müssen uns dann nämlich fragen, ob wir das Internet nutzen, um unser Leben darzustellen, oder ob wir das Leben nutzen, um es im Internet darzustellen.

Das Ende des medialen Blödsinns könnte also auch dank schlichter Desillusionierung kommen.

> *»Was einem heute im Fernsehen geboten wird,*
> *ist von einer solchen Erbärmlichkeit, dass ich*
> *den Apparat fast gar nicht mehr einschalte.*
> *Ich habe mir das Fernsehen nahezu völlig*
> *abgewöhnt.«*
>
> Loriot

Vielleicht ergeht es uns einmal so wie der Figur Truman Burbank in dem Film *Die Truman Show*. Truman lebt seit seiner Geburt in einem gigantischen Fernsehstudio, ohne es zu wissen. Sein bisheriges Leben wurde in alle Welt ausgestrahlt, vierundzwanzig Stunden am Tag, sieben Tage die Woche. Truman hat am Ende des Films die Wahl: Er kann in dem bequemen, geisttötenden Käfig des Fernsehstudios bleiben oder durch einen Ausgang in die richtige Welt fliehen.

Die gesamte Generation Doof steht vor einer ganz ähnlichen Entscheidung. Entweder wir machen es uns bequem und lassen uns weiterhin bereitwillig von seichter Unterhaltung einlullen, oder wir gehen den Weg, den wir ohnehin schon eingeschlagen haben, konsequent zu Ende. Denn vom flüchtigen Nebenbeisehen ist es nur ein kurzer Weg zum Wegsehen bei den schlimmsten dämlichen Shows, Internetvideos oder Videospielen. Besser wäre: abschalten, wegklicken oder gar nicht erst kaufen.

Die Generation Doof ist intensiv genug mit den neuen Medien aufgewachsen, um insgeheim zu wissen, dass man sich genauso leicht von ihnen befreien kann, wie sie einen in ihren Bann schlagen. Das muss nicht zwangsläufig bedeuten, dass man sich vollkommen davon befreit wie Katharina und Sebastian. Aber man muss auch nicht jeden hanebüchenen Schwachsinn anschauen. Falls sich dann demnächst auf einem Privatsender mal wieder eine lispelnde Blondine mit einem süßen »Guten Abend!« und gesammeltem Boulevardschrott bei uns meldet, machen wir es wie Truman, der sich am Ende für die Freiheit entscheidet. Wir schalten den Fernseher aus und verabschieden uns mit den Worten: »Falls wir uns nicht mehr sehen sollten: Guten Tag, guten Abend und gute Nacht!«

Gute Nacht? Aber sicher doch. Wer ausschaltet, kann seine Freizeit sinnvoller verbringen – unter anderem mit klassischen Gesellschaftsspielen wie Liebe, Sex und Zärtlichkeit. Ein klarer Vorteil, wenn wir den Partner fürs Leben und dauerhaftes Glück suchen. Dabei lernt auch die Generation Doof schnell die wichtigste Spielregel: Mehr Zeit ist gut, denn wer länger kann, kann besser.

KAPITEL 5

Liebe – Für die einen ist es Sex, für die anderen ist es das längste Kuscheln der Welt

»*Liebe ist ein Wort. Elefantenscheiße auch.*«

Graffito

Es steht außer Frage: Ohne Liebe und Sexualität wäre unser Planet ein besserer Ort. Der Anblick von Partnerlook bliebe uns erspart, Eifersucht wäre nicht mehr eines der beliebtesten Mordmotive, Kollegen bräuchten sich nicht mehr in Abstellkammern zu treffen, und die Helden in Actionfilmen müssten nicht dauernd ihrer entführten Geliebten nachjagen, die sich die Stimmbänder aus dem Hals kreischt.

Wenn es keine Liebe gäbe, hätte man endlich mehr Zeit für den Weltfrieden und die Auswahl der günstigsten Telefontarife, und niemand müsste sich jemals wieder in das enge Zwangskorsett einer Zweierbeziehung mit lauter faulen Kompromissen zwängen.

Doch der Planet muss in Bewegung bleiben: Ohne Liebe und vor allem ohne Sex wäre es aus mit der Fortpflanzung – diesem Dilemma kann auch die Generation Doof nicht entkommen. Vor die Vermehrung hat der liebe Gott nun mal die Partnerbeziehung gestellt, wenn sie auch mitunter von äußerst kurzer Dauer sein mag.

Wie der Rest der Erdbevölkerung verfährt auch die Generation Doof: Wir sind auf der Suche nach dem Menschen, der uns so liebt, wie wir sind. Die Voraussetzung ist nur, dass dieser Mensch in Liebesbeziehungen entweder den gleichen Dilettantismus an den Tag legt wie wir, oder, noch viel besser, überhaupt nicht bemerkt, wie dämlich wir uns in Sachen Partnerschaft anstellen.

Denn mit der Liebe hält es die Generation Doof wie mit allen anderen Lebensbereichen. Wir reduzieren sie auf das Wesentliche: Nur so viel Bildung wie gerade nötig, um zu wissen, dass Minestrone kein italienischer Minister, sondern eine Gemüsesuppe ist; Erziehung, bei der man die Kinder vor dem Fernseher parkt, weil man es möglichst ruhig haben will; und Unterhaltung, die unsere Gehirnzellen lahmlegt, damit wir abschalten können. Warum sollten wir uns in Herzensdingen mehr Mühe geben?

Die Liebe ist für uns eine Insel, auf die wir uns vom Alltag aus gesehen zurückziehen können, oder eine Möglichkeit, körperliche Grundbedürfnisse auszuleben. Kurz: Entweder wir kuscheln, bis der Arzt kommt, oder wir geben beim Vögeln Gummi, ohne darauf zu achten, mit wem wir das tun.

> *»Es ist schon toll, was heute alles möglich ist in der Welt der zwischenmenschlichen Beziehungen.«*
> Heike Makatsch

Unser Partner braucht dafür nicht sonderlich clever zu sein, im Gegenteil. Überschäumende Intelligenz wirkt auf uns eher abtörnend. Wir stehen viel zu gerne selbst im Mittelpunkt, und da stört es nur, wenn der Partner abends die intellektuelle Keule auspackt und Fellini statt Fellatio will. Wir suchen lieber jemanden, der in Beziehungsdingen für das Wesentliche zur Verfügung steht.

Ein kleines Beispiel: Annes Mitbewohnerin Anuschka hatte einen ziemlich schlauen Freund. Harkan war Jurist und wusste zu allem was zu sagen. In Anuschkas Oberstübchen hingegen brannte nur recht selten Licht. Die WG-Mitbewohner rätselten über die Fähigkeiten, die sie in die Beziehung einbrachte. Ihre Neugier wurde gestillt, als Anuschka eines Tages stolz erzählte, ihr verstaubter Collie namens Dusty sei sehr eifersüchtig und sensibel. Immer, wenn sie und Harkan sich näherkämen, würde der Köter anfangen zu bellen.

Fortan konnten die WG-Genossen es nicht mehr überhören: Dusty bellte jeden Sonntagmorgen in der Zeit von halb elf bis elf. Man konnte die Uhr danach stellen. Für so viel leidenschaftliche Hingabe war Harkan also bereit, nicht nur den Hund, sondern auch Anuschkas Marotten zu ertragen und über ihre Beschränktheit hinwegzusehen. Sie muss einige beachtliche Tricks draufgehabt haben.

Als die beiden eines Sonntagmorgens verliebten Blickes die Gemeinschaftsküche betraten, gab Harkan zu erkennen, dass er sehr wohl wusste, welche Fähigkeiten er an seiner Anuschka besonders schätzte, und wo ihre Grenzen lagen.

»Anni, mein Glücksbärchi«, sagte er mit ernster Miene und schnitt sich eine Scheibe Biobrot ab. »Heute brauche ich deine Hilfe. Es ist etwas, das nur du so gut kannst, und deswegen bin ich ganz auf dich angewiesen.«

»Ach, Harki«, säuselte Anuschka ergriffen. »Sag mir nur, was ich machen soll.«

Sie war schon halb auf dem Weg zurück ins Bett, als er einen Zettel aus der Hosentasche zog. »Ich brauch dich, um die Lottozahlen anzukreuzen. Nicht nachdenken und einfach sechs in neunundvierzig Stellungen. Das kannst du doch so gut!«

Eines ist sicher: Außer auf dem handelsüblichen Weg haben sich Harkan und Anuschka in ihrer Beziehung nicht gegenseitig befruchtet. Ihre Unzulänglichkeiten konnte Anuschka bei Harkan stets mit ein paar geschickten Handgriffen wettmachen – und der ertrug dafür im Gegenzug ihre Doofheit. Im Manager-Jargon heißt ein solcher Deal »Win-win-Situation« nach geschickter Partnerwahl; im biologischen Sinn wäre es nur die Symbiose zweier amöboider Einzeller.

Schöne Bezeichnungen für einen faulen Kompromiss, der für die Generation Doof typisch ist: Wir sind Meister im Verdrängen von Nachteilen, wenn wir dabei das bekommen, was uns selbst am wichtigsten erscheint. Unsere eigenen Bedürfnisse stehen im Vordergrund, und deren Befriedigung machen wir uns gerne so einfach wie möglich. Eine Partnerschaft darf für uns daher nicht zu anstrengend sein, sonst suchen wir schnell das Weite.

Die Generation Doof hat zwei Typen solcher Liebesminimalisten hervorgebracht: Die eine Hälfte reduziert Zweisamkeit auf das, wofür sie ursprünglich mal gedacht war, nämlich auf die körperliche Zuwendung vornehmlich zum Spaß, seltener zur Fortpflanzung. Sex, das ist des Luders Kern, würde wohl Faust sagen, wenn er sich das Drama der Liebe heute anschauen würde. So offen und schamlos, wie wir heute über Stellungen, Maße, Reibungswärme, Schmierstoffe und andere Flüssigkeiten sinnieren, so intensiv und unverbrämt suchen wir auch nach geeigneten Sexualpartnern, die mit uns in die Kiste springen, ohne zu zögern. Ein simples Vergnügen. Wer keine tieferen Beweggründe hat, der braucht sich – außer mit den Weichteilen seines Partners – mit den weichen Faktoren einer Beziehung nicht herumzuquälen.

Traute Zweisamkeit über einen längeren Zeitraum durchzuhalten, daran ist die Sex-Fraktion der Generation Doof nicht interessiert. Warum in aller Welt sollten wir eine Unterschrift unter einen Ehevertrag setzen, der uns später mal teuer zu stehen kommen kann, wenn wir den gleichen Spaß gratis bekommen können, und das auch noch völlig unverbindlich? James Bond ist schließlich auch in jedem Film mit mindestens zwei Frauen im Bett gelandet. Das klingt vielleicht nicht nett, ist aber für viele von uns durchaus ein einleuchtender Gedankengang.

> *»Anscheinend sind tiefe Bindungen ›out‹ und*
> *der wo verlassen wird, ist dann der Dumme.«*
> Dagobertus auf liebeskummerpillen.de

Diese egozentrischen Spätausläufer der »Love, Sex and Harmony«-Bewegung aus den Sechzigern sind freilich nicht jedermanns Sache. Damals wie heute zieht es daher mindestens ebenso viele Paare der Generation Doof zum Kuscheln lieber in die heimischen vier Wände als in die freie Natur. Diese Hälfte der Liebenden geht allerdings noch wesentlich geschmackloser mit dem Partner um als die selbsternannten Sex-Götter: Sie führt symbiotische Dauermonogamie-Beziehungen, die den ästhetischen Genusswert einer Diddl-Tasse besitzen. Dazu gehören kuschelig-langweilige *Tatort*-Fernsehsonntage auf dem Sofa, das Einigeln am Wochenende in der eigenen Butze, haarsträubende Kosenamen wie »Pupsmaus«, »Schnullerbacke«, »Hasenbär« oder »Zuckernippelchen«, das Verschenken von Plüschtieren unter Volljährigen und Kommunikation in einer Stimmlage, die mit dem menschlichen Ohr kaum noch wahrnehmbar ist. All dies zeigt: Auch hier ist echter Austausch zwischen Mann und Frau nicht gefragt.

Solche Paare sind der Gegenpol auf der Liebesskala der Generation Doof. Diese Hyperromantiker – für die nicht der Partner, sondern das Gefühl im Vordergrund steht – haben ebenso wie die Sex-Anbeter den Wunsch nach einem simpleren Leben. Sie sind allerdings nicht auf schnelle und unverbindliche Bedürfnisbefriedigung aus, sondern suchen in Wahrheit Geborgenheit und Schutz vor dem bösen Alltag, der immer hektischer, grauer und aggressiver wird.

Den beiden Fraktionen ist gemein, dass der Partner nur ein Spiegel unserer Eitelkeiten ist. Er zeigt, dass wir nicht allein sind, und bestätigt unsere Attraktivität. Seine inneren Werte zählen für uns wenig.

Viele scheinen zu blöd für die richtige Liebe zu sein, die darin besteht, dass man den anderen akzeptiert und als Partner mit seinen Wünschen und Bedürfnissen ernst nimmt. Aus Unzulänglichkeit versuchen manche Vertreter der Generation Doof, das große Gefühl entweder durch reine Körperlichkeit oder durch überschwänglichen Kitsch und süßliche Worte zu ersetzen. Wichtig ist allein, dass da jemand ist, der sie erträgt und den sie begatten oder betüddeln können.

Allem Anschein nach gibt es in der Generation Doof also zwei Hauptströmungen, zwei unterschiedliche Lebensentwürfe, die mehr oder weniger friedlich nebeneinander existieren: zum einen süßlich-infantile Liebesbeziehungen, zum anderen eine stetig härter, schneller und unverbindlicher werdende Sexualität, die von Plakatwänden und aus dem Fernsehen in unser Leben drängt. Beide Ausrichtungen haben jedoch die gleichen Wurzeln: Dummheit und Egozentrik.

Nur wenige suchen nach der echten Alternative, dem Ausweg aus der Venusfliegenfalle. Viele entscheiden sich unreflektiert für das eine oder das andere Extrem – Kuscheligkeit oder knallharten Sex.

Erste doofe Liebesregel: Sex, Sex, Sex

Auf der Suche nach Inspiration für das Kapitel Sex und Liebe in diesem Buch begeben wir uns eines Abends in eine verrauchte Kneipe, um das bereits Geschriebene zu besprechen und Brainstorming zu machen. Jenseits der Promillegrenze stockt der Ideenfluss zwar noch ein wenig mehr, aber wir sind wohlgemut und freuen uns darüber, dass der Laden sich zu später Stunde langsam füllt – in dem Gedränge kann man zumindest nicht mehr so leicht umfallen. Während wir zwei weitere Bier bestellen, zwängt sich eine junge Dame im knappen Top unter Zuhilfenahme ihrer Ellbogen zwischen uns.

»Krigg'no'n' Pils!«, lallt sie dem Mann hinter der Theke zu.

Während der sich an der Zapfanlage zu schaffen macht, kramt sie in ihrem pinkfarbenen Unterachseltäschchen und zückt schließlich ein Handy. Leicht schwankend, die Augenlider auf halbmast, hält sie uns das Ding unter die Nase.

»Hey, isch bin die Gina. Kuck ma' wie geil«, stößt sie hervor. Wir betrachten perplex, was das Handydisplay hergibt. Eine junge Frau vollführt am besten Stück eines jungen Mannes eine recht eindeutige Serviceleistung.

Wir staunen nicht schlecht. Das ist eindeutig Gina, die da ihr Mundwerk nicht still hält. Sie lässt uns jedoch keine Zeit für eine ausführliche Filmkritik, sondern greift sich ihr Bier, zieht ab und hält dem Nächsten das Handy unter die Nase.

Betrunken grinsen wir uns an. Gina ist die Inspiration, die wir gesucht haben! Manchmal muss man eben Glück haben, dann kommt der Berg zum Proleten – oder umgekehrt.

Bei weiteren Nachforschungen erweist sich dann schnell, dass Gina kein Einzelfall ist, sondern ein repräsentatives Beispiel für die Sex-Fraktion der Generation Doof. Die kennt keine Scham, besitzt ein natürliches Mitteilungsbedürfnis bezüglich ihrer sexuellen Vorlieben und potenziert diese Eigenschaften oft und gerne durch ein Quäntchen Alkohol.

> *»Hier krieg ich alles, ich muss hier nicht mal*
> *weg, hier hab ich Drogen, Freunde und Sex.«*
>
> Sido

So wie Gina ticken viele: Im sonst eher beschaulichen Züricher Oberland filmten sich unlängst etliche Schüler bei Oral- und Gruppensex, zeigten die Handyfilme dann auf dem Pausenhof herum und wunderten sich, als die Pornos wenig später im Internet und auf dem Schreibtisch des Schuldirektors landeten. Ähnliches spielte sich im eigentlich als züchtig bekannten Bayern ab, als die Polizei nach einer Razzia an einer Hauptschule in Immenstadt rund zweihundert Schülerhandys mit Sexfilmchen beschlagnahmte. Und im Ländle flog ein Mädchen von der Schule, weil es Pornovideos auf dem Handy hatte, die so brutal waren, dass sie unter das Strafgesetz fielen.

Den Schulhofpornografen kann man eigentlich keinen Vorwurf machen. Sie wissen es nicht besser, denn sie sind täglich von Sex umgeben: Brüste an Plakatwänden, Brüste im Fernsehen, Brüste auf Speiseeis-Packungen und Brüste auf Webseiten. Und dazwischen ein Ständer mit Hochglanzmagazinen, in denen es heiß hergeht, und jede Menge knackige Popos in Musikvideos und an jeder zweiten Litfaßsäule. So viel ungenierte Fleischbeschau wie heute gab es noch nie.

> *»Wo fing es an und wann?*
> *Was hat dich irritiert?*
> *Was hat dich bloß so ruiniert?«*

Die Sterne

Früher zog sich Großvater wenigstens noch anstandshalber mit dem Pornoheft in den Hobbykeller zurück, und Oma lief beim Anblick von nackten Tatsachen im Fernsehen puterrot an.

Heute schämt sich niemand mehr. Lust ist öffentlich, alle wollen an der großen Orgie teilhaben oder wenigstens mitreden. Sex wird an jeder Ecke und zu jeder Tageszeit präsentiert, für Alt oder Jung, schmuddelig oder steril, als Abo fürs Bezahlfernsehen oder *to go* wie der Kaffee im Fastfood-Restaurant. Wir diskutieren über »Neue Monogamie« – die nichts weiter ist als erlaubtes Fremdgehen, das es schon in der Zeit der freien Liebe gab.

Wir informieren uns in der *Cosmopolitan* über »169 Wege, Männern den Verstand zu rauben« – was nichts anderes ist als ein Ratgeber für Sexdienstleistungen, bei denen Frau lernt, wieder Lustobjekt zu sein. Was wir davon an unserem Liebsten ausprobiert haben und wie er unsere Leistung einstuft, bequatschen wir dann in der Schlange beim Bäcker oder mit der Freundin in der Bahn. Was ist schon dabei? Sex ist Fun, und nichts weiter – das wird uns zumindest eingeredet. Gefühle kehren wir dabei lieber einfach unter den Teppich.

223

Liebe ist für viele Vertreter unserer Generation Doof offenbar ein großer Spaß. Das bedeutet aber auch, dass wir unseren Partner nicht ernst nehmen können oder wollen, denn unser Frauen- oder Männerbild ist von einschlägigen Sendungen im Fernsehen weich gekocht, in denen sekundäre Geschlechtsmerkmale in die Kamera gehalten und stetig Begehrlichkeiten nach dem schnellen Vergnügen ohne Verpflichtungen geweckt werden.

Sich nur mit dem zu beschäftigen, was dem Körper einen Heidenspaß beschert, heißt, die eigenen Bedürfnisse zu erfüllen, ohne den Rattenschwanz an Problemen zur Kenntnis zu nehmen, die der Liebespartner eventuell in die Beziehung einbringt. Mit der verkorksten Familiengeschichte des Flirts aus der Großraumdisko brauchen und wollen wir uns schließlich nicht auskennen.

Eine länger andauernde Beziehung wäre für uns eine Belastung, denn man müsste sich ja auf die Eigenarten und Probleme des Partners einstellen und Kompromisse eingehen. Bevor es problematisch wird, ziehen wir deswegen lieber die Reißleine und führen Beziehungen im *Sesamstraßen*-Format: kurz, bunt, lustig.

»Ich hatte schon über zwanzig Freundinnen und war mit mehr als vierzig Girls im Bett«, brüstete sich DSDS-Finalist Max Buskohl in der Jugendzeitschrift *Popcorn* mit seinen Bettgeschichten. »Für manche klingt das krass, aber ich kann nun mal nicht genug kriegen!«

Der flotte Max war zu diesem Zeitpunkt erst süße achtzehn Jahre alt. Vielleicht noch zu jung, um zu wissen, dass man nicht jede Journalistenfrage mit einer ehrlichen Antwort würdigen muss.

Aber dank Max' Freimütigkeit wissen wir, auch ohne die Zahl seiner Sexualkontakte mit seinem Alter gegenzurechnen, dass die einzelnen Frauenfreundschaften des angehenden Superstars nicht lange gedauert haben können. Wichtig ist ihm, wie vielen Angehörigen der Generation Doof, anscheinend nur eines: seine Manneskraft zu betonen, möglichst viele Bräute flachzulegen und dabei das Maximum an Spaß herauskitzeln. Oder, wie es in der Werbung einer bekannten Chips-Marke lange hieß: »Einmal gepoppt, nie mehr gestoppt.«

Voraussetzung fürs Poppen ohne Reue ist eine willige Partnerin, die eine solche Primaten-Balznummer mitmacht. Aber gibt es in der Post-Alice-Schwarzer-Generation denn tatsächlich Frauen, die auf so viel simples Potenz-Geprotze reinfallen? Offenbar schon. Denn überraschenderweise bahnen sich mindestens ebenso viele Frauen den direkten Weg zum Begattungsritual, indem sie dem Objekt ihrer Begierde einfach ihre zwei überzeugendsten Argumente ins Gesicht halten.

Wie man das am besten macht, lernt man bei archaischen Bräuchen, wie sie zum Beispiel an Karneval im Rheinland gepflegt werden. Pirscht man sich heimlich wie Heinz Sielmann an die jecke Herde heran, wenn sie gerade an der Tränke steht, kann man nach kurzer Beobachtung eine Typisierung vornehmen, die hilfreich fürs gesamte Liebesleben ist. Unter Alkoholeinfluss und ungebremstem Genuss geschmackloser Musik zeigt sich nämlich das wahre Wesen von Herrn und Frau Doof.

Mirja, achtundzwanzig, eine waschechte Kölnerin, hat mit ihrem Freund ausgemacht, dass Karneval als Auszeit von der Beziehung gilt. Sie gehen getrennt aus, und wenn etwas passiert, das einen von ihnen in die Bettstatt einer Karnevalsbekanntschaft führt, dann zählt dies nicht als Seitensprung, sondern als ein Spaß, den man sich in der Ausnahmesaison gern gestatten darf.

»An Karneval ist nur Feiern, nicht Nachdenken. Das ist echt angenehm – da will doch jeder nur seinen Spaß haben. Das ist nix

Ernstes«, erklärt Mirja mit breitem Grinsen. Ihre Verkleidung ist dementsprechend so offenherzig wie in der kalten Jahreszeit nur möglich.

> *»Weisstu, manche haben viel mehr Liebe als*
> *nur für ein' Partner.«* Ferris MC

Wenn wir uns Mirja und ihre Geschlechtsgenossinnen genau ansehen, stellen wir fest, dass es im Grunde genommen nur zwei Arten von Frauen gibt: diejenigen, die im Karneval als Krankenschwester gehen, und die anderen. Die jecken Weißkittelchen setzen darauf, dass ihre weiblichen Reize die niederen Instinkte der Betrunkenen so verwirren, dass sie nicht in die Verlegenheit kommen, tiefschürfende Gespräche führen zu müssen. Hier wird demonstrativ der direkte Weg zur sexuellen Vereinigung gewählt.

Das Kostüm der pflegenden Zunft ist im Paarungsritual erstaunlich erfolgreich. Inzwischen ist hinlänglich bekannt, dass der männliche Durchschnittsdeutsche, könnte er sich eine Berufsgruppe aussuchen, am liebsten eine Krankenschwester mit ins Bett nehmen würde – immerhin 54 Prozent wünschen sich das.

Im Karneval gibt es natürlich auch noch eine Menge anderer Kostüme, in denen sich reichlich Spaß für eine Nacht versteckt. Aber warum sind trotz der großen Auswahl die knapp bekleideten Pflegerinnen immer noch die beliebteste Beute? Krankenschwestern gelten schlichtweg als attraktive Mischung aus züchtig und enthemmt. Dass das Berufsbild derart erotisch aufgeladen ist, mag damit zu tun haben, dass man als Patient der Pflegerin und ihrem aufopferungsbereiten oder resoluten Wesen hilflos ausgeliefert ist. Gedanken an eventuelle Doktorspiele nicht ausgeschlossen. Das bietet genügend Stichworte zum Kontaktknüpfen.

»Darf ich ma dein' Puls messen?«, fragt da eine Blondine an Weiberfastnacht einen angetrunkenen Piraten. Unter dem Kittel trägt sie Netzstrümpfe und ist stolze Besitzerin eines Dekolletees, bei dessen Anblick dem Piraten glatt der Unterkiefer runterklappt. Er nickt und streckt ihr die Hand entgegen.

»Nein«, sagt sie und zieht einen schiefen Schmollmund, der nur dürftig verbirgt, wie viel sie schon getankt hat. »Nich da ... tiefer!«

Zwei Bier später verschwinden die beiden mal kurz an die frische Luft und werden erst einige Zeit später mit einem beseelten Grinsen wieder gesehen.

Der drollige Verkleidungs-, Bagger- und Alkoholmarathon lässt sich nahtlos auf das gesamte Liebeswerben der Generation Doof übertragen, denn wohl zu keinem anderen Zeitpunkt gibt man die eigene Geisteshaltung so bereitwillig preis wie im bierseligen Ausnahmezustand.

Nun ist ja nicht dauernd Karneval, werden Sie sicherlich denken, und das nicht ganz zu Unrecht. Aber dann waren Sie vielleicht schon länger nicht mehr in einer Disco oder einer Eventkneipe. In den Trink- und Tanztempeln, die von der Generation Doof frequentiert werden, ist das ganze Jahr über Karneval. Das Angebot orientiert sich an den Gästen, und die wollen vor allem feiern, den Alltag vergessen und abschleppen.

Die Generation Doof kann ihre Karnevalserfahrungen daher in fast jedem Baggerschuppen anwenden, in dem ganzjährig Begattungsstimmung herrscht. Ob es die »Klapsmühle« ist oder der »Donnerbalken«, ob bei einer Schaumparty im »Beachclub« in Badehose oder knappem Bikini – es funkt wie am Fließband, und das am heftigsten in Verbindung mit Alkohol. Wir wissen, was wir dem Wochenende schuldig sind: Bier aufreißen und jemanden ins heimische Nest abschleppen.

Köln, Party im Westpol-Gewölbe. Ein junger Mann mit öligem Haar und weißem, nicht mehr ganz blütenreinem Hemd betritt den Raum. Er hat sich offensichtlich schon ordentlich einen hinter die Binde gekippt und bewegt sich, als würde er auf den eigenen Eiern laufen. Dabei versucht er immer wieder vergeblich, im Takt mitzuwippen. Er nähert sich seinem ersten Opfer, einer groß gewachsenen, schlanken Blondine, die ihn noch nicht zur Kenntnis nimmt. Als er beginnt, sie mit hoch erhobenen Händen anzutanzen, weicht sie erst zurück, dann beginnt sie auf seine Bewegungen einzugehen. Die beiden tanzen ein, zwei Minuten, dann raunt er ihr etwas ins Ohr. Sie schüttelt den Kopf und dreht sich weg. Er, nicht faul, geht ihr hinterher und versucht es noch einmal gewitzter: Er stößt einen Schrei aus, der nach brünstigem Tyrannosaurus Rex klingt und sogar die Musik übertönt. Dann wankt er weiter zur nächsten Futterstelle.

Wenn Sie dies für eine wenig erfolgreiche Strategie halten, sei gesagt, dass während der Performance des Vollidioten im versabberten Hemd bereits zwei Männer die Blondine ins Visier genommen haben. Sie geben ihr nun auf den Schock erst mal einen Kakao aus. Heute Abend, das sieht man genau, wird sie nicht allein nach Hause gehen.

Die Frauen der Generation Doof sind allerdings nicht die willenlosen Objekte, für die man sie gerne halten würde, sondern gehen mit dem gleichen vorsätzlichen Paarungswillen in Diskotheken, Kneipen und Bars wie ihre männlichen Gegenstücke. Gerne tragen sie dabei bauchfreie Tops und Hosen, die so tief sitzen, dass man zwischen Speckröllchen und breitem Goldgürtel den Ansatz der Intimfrisur erkennen kann.

Die Lokale, die sie aufsuchen, versprechen Sex *und* Alkohol. Große Schilder verkünden tolldreist *Gangbang!* im Kölner »Fifi-

Choo-Club«, *Blowjob meets Pornstar* im »Edelpink« oder *6vor6* im »Nachtflug«. Im beschaulichen Unistädtchen Heidelberg geht es dagegen auf der *Chauvi & Schicksen-Party* im »Mel's« noch geradezu zahm zu.

Der Generation Doof ist's recht, denn so wissen wir gleich, wo der Abend hinführen soll. Unsere Väter und Mütter wären wohl niemals zu einer Party gegangen, die ins Deutsche übertragen »Gruppensexparty« heißt und die – dies sei noch mal betont - nicht in einem Puff stattfindet.

Uns stört das wenig. Die Titel der Partys klingen für diejenigen von uns harmlos, die den *Arschficksong* von Sido, *Lutsch mein' Schwanz* von Kool Savas oder *Die Nutte* von Frauenarzt mitgrölen. In solchen Liedern werden Frauen als Huren bezeichnet, Fäkalien spielen eine übergeordnete Rolle, und auch die Potenz des Vortragenden ist nicht selten ein Schlüsselmotiv der Gossen-Poplyrik. »Meine Bälle wiegen gemeinsam vier Zentner«, singt Kool Savas da nassforsch. Und während sich der geneigte Zuhörer noch fragt, wie der Gute überhaupt von der Stelle kommt, wird in der nächsten Zeile auch schon klar, dass ihm nur kein besserer Reim eingefallen ist: »Du denkst, du hast es drauf, doch du rammelst wie ein Rentner.«

> *»Fürs Clubben bin ich leider zu doof.«*
> Oliver Maria Schmitt

Große sprachliche Fähigkeiten sucht man bei uns Doofen ohnehin vergeblich. »Wie, Gangbang?«, fragt Heike, die wir vor dem »Fifi-Choo« treffen, und gluckst. »Das hat doch irgendwas mit Sprengstoff zu tun. Weiß nisch. Klingt halt geil.« Wie soll sie es auch besser wissen – die einzige andere Englischvokabel, die ihr einfällt, heißt *American Pie*. Den hat sie auf DVD und glaubt vermutlich, dass Dr. Oetker Regie geführt hat.

Vielleicht hätte Heike den Begriff mal googeln sollen. Da wäre ihr sicherlich geholfen worden, denn Sex ist im Internet überall Gesprächsthema, und dabei nimmt die Generation Doof kein Feigenblatt vor den Mund.

> *Gast 7625*: Wie blase ich ihm ein?
> *Only_friendship*: So lange pusten/blasen, bis er dir sagt, dass er jetzt kalt genug ist.
> *Harpokrates205*: Dr. Sommer rät: »Nimm ihn in den Mund und sag ›Ich liebe dich‹.«

Im Grunde müsste man im Alltag jedes zweite unserer Wörter mit Sternchen unkenntlich machen, um beispielsweise ein verschämtes Erröten der Wurstfachverkäuferin zu verhindern, wenn man sagt: »Geben Sie mir bitte von der ver****ten Bärchen-Mortadella.«

Der inflationäre Gebrauch von Fäkalsprache und sexualisierten Kraftausdrücken wirkt sich auch auf unser Denken aus. Vor allem, was die Liebe betrifft, kann dies die Zärtlichkeit im Keim ersticken und manches überholte Rollenbild wieder aus der Mottenkiste hervorholen.

Die Sprache, die wir verwenden, erzeugt beim Gegenüber ein Bild von unseren Vorstellungen und Wünschen. Vor allem bei Mädchen, die eine taffe, tabulose Sprache verwenden, entsteht so mit der Zeit ein merkwürdig zwiespältiges Selbstbild: Sie wirken einerseits cool, weil sie noch härter fluchen als die Jungs. Andererseits degradieren sie sich selbst unbewusst zu reinen Sexobjekten, weil ihre Flüche oft recht abwertende Frauenbilder enthalten.

»Wenn uns langweilig wird, dann fangen wir an: du Schlampe, du Hure un so«, erzählte eine junge Dame in einem Beitrag von 3Sat über Mädchengangs. »Und wenn sie uns so schief anschauen, dann fang' wir die Schlägerei gleich an. Das is einfach jetzt zurzeit unser Hobby geworden.« Was wurde bloß aus Tischtennis, Fenster-bildern und Makramee?

Noch deutlichere Worte nahmen einmal zwei junge Damen in den Mund, die eine Sitzreihe vor uns im Flugzeug nach Hamburg saßen. Beide waren Anfang zwanzig und diskutierten schon seit ein paar Turbulenzen die Probleme ihrer Beziehungen aus.

»Ey, isch sach dir, wenn der Addi abends nach Hause kommt, is der immer voll angesickt vonner Arbeit«, erzählte die Dame auf dem Gangplatz.

Darauf ihre Nachbarin: »Is ja krass, ey. Is bei uns genauso. Aber isch blas dem jetzt immer einen, wenn er scheiße drauf is. Dann isser wieder zufrieden.«

»So einfach? Fett, das probier isch auch mal aus.«

Nicht nur die Frauenbewegung dachte bislang, dass wir so et-was hinter uns gelassen hätten. Aber eine große Klappe muss eben nicht zwangsläufig bedeuten, dass dahinter auch ein großer Geist steckt. Und dass wir den lieben langen Tag mit sexistischen Begrif-fen um uns werfen, heißt nicht, dass wir tatsächlich wissen, wovon wir da reden. Auch in Sachen Liebe und Sex ist die Generation Doof Meister im Kompetenzvortäuschen.

Studien wie *Jugendsexualität 2006* der Bundeszentrale für ge-sundheitliche Aufklärung (BZgA) zeigen, dass den heutigen Teen-agern trotz aller markigen Sprüche oft schlicht die Praxiserfahrung fehlt. Entgegen dem Eindruck, den sie gern vermitteln, haben sie auch nicht viel früher Sex als die Generationen vor ihnen, und wenn es dann einmal richtig zur Sache geht, ist der Schaden schnell angerichtet.

Aufklärung tut not – sonst werden aus Kindern schnell selbst Eltern. Das Risiko, in jungen Jahren Mutter zu werden, ist vor allem für Mädchen aus schwächeren sozialen Schichten höher. Viele Eltern sehen offenbar keine Notwendigkeit darin, ihre Kin-der aufzuklären, da wir in einer Zeit leben, in der Sex ein Dauer-thema ist. Sie fürchten, sich lächerlich zu machen, wenn sie beim

Thema »Das erste Mal« ihrem dreizehnjährigen Sohn gegenüber-
sitzen, der ein Shirt mit der Aufschrift »Good Fucker« trägt, auf
dessen Rückseite zu lesen ist: »Gigolo Latino – 1000$ – first night
free«. Was, wenn der mehr weiß als ich?, denkt sich dann mancher
Vater.

»Die klär'n sich doch heute selbst auf«, hörten wir kürzlich beim
Anstehen an der Kasse im Supermarkt eine Frau mittleren Alters
sagen, die mit der Kassiererin schwatzte. »Auffe Straße und mitte
BRAVO«, behauptete sie im Brustton der Überzeugung.

Eine solche Behauptung verursacht bei vielen Lehrern, mit
denen wir gesprochen haben, Sorgenfalten. So hat zum Beispiel
Susanne Karl, Biologielehrerin an einem Freiburger Gymnasium,
recht zweifelhafte Erfahrungen mit dem Thema Sexualität in ihren Klassen gemacht. »Wenn ich in Sexualkunde zum ersten Mal
Holzpenis und Kondom auspacke, sehen mich die meisten Kinder erstaunt an«, berichtet sie. »Viele reden zwar andauernd über
Sex, weil das Thema in den Medien omnipräsent ist. Aber wirklich
aufgeklärt sind sie nicht – gerade bei der Verhütung gibt es große
Wissenslücken.« Früher sei wesentlich eher und häufiger über das
Thema Sex in den Familien gesprochen worden. Wer erinnert sich
nicht an Aufklärungsbücher wie *Peter, Ida und Minimum*, die unsere Siebzigerjahre-Eltern uns mit bemüht lockerem Lächeln vor-
gelesen haben?

Die Eltern der Generation Doof dagegen vertrauen ganz auf die
Schule und die Öffentlichkeit. Leider ein Problem, das sich fort-
pflanzt: Wer heute nichts über Sex weiß, der wird es morgen ver-
säumen, die eigenen Kinder aufzuklären.

Dass die Generation Doof den Sex aus der Schmuddelecke
in die Öffentlichkeit zerrt, bedeutet also nicht automatisch, dass
wir in Liebessachen die Experten sind, die wir vorgeben zu sein.
Wir sind bemüht, erwachsen zu wirken – und machen dabei eine
schlechte Figur. Immer so zu tun, als wüsste man alles, weil man
zu cool ist, um Wissenslücken zuzugeben, ist eine kindische Stra-

tegie, die voller Tücken ist. Zudem nehmen wir dem Thema Sex die Spannung. Sex wird immer langweiliger werden, wenn wir ständig darüber reden, und bald überblättern wir Tests wie »Welcher Sextyp sind Sie?« in unserer Lieblingszeitschrift nur noch. Dann kennen wir schon alles – ob Analverkehr oder Aquasutra, bei dem man beispielsweise das Sexpotenzial des menschenleeren Hotelpools entdecken soll.

Machen wir uns also keine Sorgen über das kontaminierte Schwimmbecken unseres Dreisternehotels an der türkischen Riviera: Den Ferkelchen wird die Lust wahrscheinlich bald vergehen. Genauso wie denjenigen, die ihr Glück in der kuscheligen Zweisamkeit suchen. Denn ein Partner, der nur Zierde ist, kann auf Dauer doch nicht glücklich machen. Oder?

Zweite doofe Liebesregel:
Kuscheln, bis der Arzt kommt

»Ein Intellektueller ist jemand, der etwas Interessanteres als Sex gefunden hat« – diese interessante Erkenntnis soll Edgar Wallace einmal formuliert haben, und zwar lange bevor er der Generation Doof mit der Filmkomödie *Der Wixxer* ein Begriff wurde, einer Parodie auf die Edgar-Wallace-Verfilmungen der fünfziger und sechziger Jahre.

Falls Sie sich für intellektuell halten, überprüfen Sie im Geiste an dieser Stelle Ihr Sexleben. Sie halten sich für gefühlvoll und mal tiefgründig, Sex ist Ihnen nicht so wichtig? Aha.

Sie gehören ganz eindeutig zum hyperromantischen Teil der Generation Doof. Hyperromantiker träumen davon, sich in ein Wunderland zurückzuziehen und den grauen Alltag auszusperren, allein mit sich und dem Schatz, den sie so eifrig hüten. Das ist Balsam für ihre Seele. Keiner verlässt das Haus, aber dafür bleibt auch die Unbill der Welt draußen.

»Am Wochenende will ich mir mit meinem Süßen ein Nest bauen«, sagt Svenja, die Ende zwanzig ist und schon seit ihrer Ausbildung als Sachbearbeiterin im Finanzamt arbeitet. »Da schauen wir Filme, machen uns was Leckeres zu essen und sperren die Welt einfach mal aus.«

So wie ihr geht es vielen.

Die konservative Kuscheldecken-Zweisamkeit, bei der man sich wieder altmodisch verlobt, Reisen ins Pauschalferienparadies plant und gemeinsam Zukunftspläne schmiedet, bietet für viele Paare einen Panzer gegen die Kälte des Alltags, in dem sie mit sexueller Unverfrorenheit (»Poppen?«) und kühlem oder langweiligem Arbeitsalltag (»Haben Sie die Akten für Meyerdirks schon rausgesucht?«) zu kämpfen haben.

Die Lösung der Generation Doof: Rückzug in die eigenen vier Wände und knuddeln, was das Zeug hält. Rosamunde Pilcher wäre stolz auf uns.

Viele von uns wollen im Privaten eine Auszeit von einer Welt, die sich immer schneller dreht und in der wir stets beherrscht, präsent und wachsam sein müssen, damit sie uns nicht über den Kopf wächst.

Die Zeit mit dem Partner wird zum Pausenknopf, mit dem man den Lauf der Dinge zumindest abends und am Wochenende für eine Weile anhalten kann. Und man ist nicht alleine. Denn dann müsste man sich ja vielleicht mit sich selbst auseinandersetzen oder sich – was für eine schreckliche Vorstellung! – ein Hobby suchen. In einer Beziehung hat man dafür Schatzi sei Dank keine Zeit. Das ist was für Singles.

> *»Ich hab Sie nun zu den Akten gelegt und hoffe durch meine Hoppy's wieder abstand von IHR zu gewinnen. Ich hoffe auch bald eine neue Stelle zu finden, wo keine Frau mehr ist die einen den Kopf verdreht.«*
>
> User B12 auf liebeskummerpillen.de

Zwischen den Sexfreaks und den Kuschlern besteht im Grunde genommen kein großer Unterschied. Auch Letztere kennen keine Scham, was Gefühlsäußerungen angeht – aber diese spielen sich auf einer anderen Ebene ab. In der trauten Teddybärenhöhle dürfen wir in jeder Minute Kind sein, kuscheln, liebkosen, den Dackelblick aufsetzen und unsere Schmusebedürftigkeit der Umwelt mitteilen.

Bei der gegenseitigen Betüddelung ist uns Kuschlern nichts peinlich. Um unserem Partner unsere Anhänglichkeit zu demonstrieren, schrecken wir nicht davor zurück, ihm alberne und kindische Kosenamen zu verpassen – und das selbst in fortgeschrittenem Alter. So ist Sonja für den Dirk jetzt nur noch »Hase« und scheint in seiner Gegenwart gerade mal über die geistigen Fähigkeiten einer zurückgebliebenen Dreijährigen zu verfügen. Eine solche Rückbesinnung auf unsere ersten Lebensjahre würde niemanden stören, wenn sie sich auf die eigenen vier Wände beschränkte. Doch wie so oft lässt es sich die Generation Doof nicht nehmen, ihr Privatleben an die Öffentlichkeit zu tragen. Dass manche Dinge besser im stillen Kämmerlein bleiben, leuchtet vielen von uns nicht ein. Da muss man nicht nur mit anhören, wie »Pussischnupsi« im Supermarkt für die Bestellung an der Wursttheke gebrieft wird, sondern hört im Radio, wie sich »Pupsmeister« für »Knuddelhase« ihren gemeinsamen Song wünscht, und liest im Stadtmagazin die Anzeige zum dreijährigen Bestehen der Verbindung von »Sahneschnegge« und »Knutschi«.

Noch peinlicher wird es, wenn die Generation Doof beginnt, im Internet über die Kosenamen für den Partner zu diskutieren. Dahinter steht unser natürliches Mitteilungsbedürfnis. Und es findet sich immer ein Doofer, der unsere Frage beantwortet:

Fuzzman: »Diesmal ging mir so durch den Kopf, wie Ihr Euern Partner wohl nennt? Goldstück? Hase? Spatzl? Pupsi?

Ich nenn meine charmantere Hälfte übrigens liebevoll den ›Sack‹. (na, in wirklichkeit sag ich auch ganz kitschig ›babe‹)«

Carina.Joris: »Ich nenne meinen Mann immer Stinker, hat sich so eingebürgert bei uns, weil er nach der Arbeit immer so stinkt. Handwerker halt.«

m.zentner: »Stinki !!!! aber nicht weil ers tut ... einfach um ihn damit zu ärgern ... und er nennt mich Ossi ... ja, doch weil ich einer bin ...«

Romy_Linke: »Also ich nenne meinen Mann entweder Hase oder Schmusi, und ich bin halt seine Maus oder sein Knutschi (Knutschtier). Nicht schön aber selten. *g*«

Stern_chen22: »Schatzi, Schäflein, Schaf, Käfer, Baby, Schnubbel, Bunny alles o.k. Aber die grausamen sind wirklich höllisch. der schlimmste: Pupsi, gefolgt von: Schnurzel, Röschen, Dickerchen.«

Was hier an geballtem Kosenamen-Schleim an die Oberfläche drängt, zeigt, wie sich die wahre Liebe für viele von uns Doofen anfühlt. Wir suchen nach Wegen, unsere überströmenden Gefühle auszudrücken, und dabei behelfen wir uns häufig mit überteuertem, schmalzigem Kitsch aus dem Kaufhaus. Aber ist wahre Liebe wirklich käuflich?

Nein, denn das große Herzflimmern steckt leider nicht in Häschenbüchern, die Titel wie *Weißt du eigentlich, wie lieb ich dich habe?* tragen. Ebenso wenig findet man die Liebe, indem man sich auf Kissen bettet, die mit dem Konterfei des oder der Angebeteten bedruckt sind, oder indem man aus ineinanderpassenden lilafarbenen »Ich hab dich lieb«-Herztassen trinkt. Auch die flauschigen Plüschtiere, die in Asien extra für verliebte Westeuropäer hergestellt werden, verströmen allenfalls Giftstoffe, aber keine Zärtlichkeit.

Seit wann kann Sondermüll Gefühle ausdrücken? Gehen Sie einmal ernsthaft der Frage nach, ob Romeo seiner Julia solchen Krempel geschenkt hätte. Oder Tristan seiner Isolde? Mitnichten. Für so einen Quatsch wäre denen ihre knapp bemessene Zeit zu schade gewesen.

Dennoch lernen wir nichts daraus und werden auch dem nächsten Partner mit selbst gekauftem Kitsch unsere tiefe Zuneigung beweisen, der irgendwann nach Ablauf des Verfallsdatums der Beziehung auf dem Flohmarkt oder im Kellerregal landet. Der oder die Angebetete soll wissen, dass die rosarote Wolke, die unseren Kopf zurzeit vernebelt, dort mindestens so lange bleiben wird, wie ausgebrannte atomare Brennstäbe strahlen. Und wir versuchen uns selbst weiszumachen, dass so etwas wie die ewige Liebe tatsächlich existiert.

Doch weit gefehlt: Was die langfristige Planung angeht, macht Liebe die Generation Doof nicht blind, sondern eher kurzsichtig. Der Partner von heute kann morgen schon Schnee von gestern sein. Da stehen die Kuscheltierchen den Sexprotzen in nichts nach. Sobald Probleme auftauchen und die bunte Welt einzustürzen droht, fliegen wir lieber weiter zur nächsten Blüte und lassen Mausilein einfach im Herzschmerz zurück.

VERDAMMT NOCHMAL ICH HASSE DICH ABER ICH LIEBE DICH!!!!!!!
JA ICH LIEBER DICH ÜÜÜÜÜÜÜÜÜ-ÜBBBBBBBERRRRRRRRRRR
AAAAAAAAALLLLLLLLLLLLLEEEEEEEEEEEEEESSSSSSSSSS

BITTE KOMM ZU MIR ZURÜCK ICH WÜRDE ALLES DAFÜR TUN!!!!! AAAAAAALLLLEEEEESSSSSSS!!!

HILF MIR LIEBER GOTT!!!!!!
DU WEISST SCHON WEN ICH MEINE UND WEN ICH WILL!!!!!!!!!!!!!!! ICH WILL NUR IHN!!!!!!!!!!!!!!!!

HILF MIR BITTE
guest-mausilein @ 06.08.2004, 11:45

Ob die Trennung mit Mausileins Doofheit zu tun hatte, wissen wir nicht. Intelligent muss der Partner für den Loop im luftleeren Raum jedenfalls nicht unbedingt sein, egal, ob wir ihn nur für den schnellen Sex oder zum Knutschen brauchen. Jemand Dummes tut's auch, und das ist sogar bequemer. Falls unser Partner zu blöd ist, unseren Namen zu behalten – macht nichts, denn wie wir gesehen haben, tun es ja auch Namen wie Stinker oder Müffi, Alter oder Schlampe.

Blödmann, keiner macht mich mehr an – Warum wir Dumme lieben

Wo kämen wir als Generation Doof hin, wenn wir uns ausgerechnet in der Liebe auf Intelligenz verließen? Glaubt man Edgar Wallace, dann kann Intelligenz für das Sexualleben sogar schädlich sein – ein Graus für diejenigen unter uns, die der unverbindlichen körperlichen Vereinigung huldigen. Und jemand Intelligentem würde es nach ein paar kuscheligen Wochenenden mit Vorträgen in Babysprache wahrscheinlich auch langweilig werden.

Das Objekt unserer Zuneigung suchen wir daher nicht unbedingt mit dem IQ-Test in der Hand aus, sondern mit einer Mischung aus dem, was wir für unseren eigenen Geschmack halten, und jenen fremdgesteuerten Sehnsüchten, die uns aus den Medien entgegenschwappen. Gepaart mit dem, was unser Freundeskreis toll oder abstoßend findet, und einem gerüttelt Maß an Materialismus, mit dem wir genau taxieren, wer von all den Vollnullen wohl das geilste Auto hat, ergibt sich eine mehr oder weniger komplexe Geschmacksstruktur. Was als begehrenswert gilt und was als absolutes No-go, das verändert sich ständig – ein guter Grund, seinen Partner häufiger mal zu wechseln.

Intelligenz nimmt auf der Rangliste der gewünschten Qualitäten denn auch nur einen mittleren Stellenwert ein. Gerade bei der Sexfraktion der Generation Doof erstaunt dies nicht, denn hier glaubt man immer noch, dass jemand, der weniger Gehirnzellen besitzt, der hemmungslosere Bettgespiele ist. Und auch Hyperromantiker lieben dumm, denn wir mögen keine Widersprüche. Was wollen wir mit jemandem, der einem ständig ins Wort fällt und die traute Idylle mit schöngeistigem Geschwafel stört?

»Mir ist es eigentlich recht egal, wie intelligent oder eben nicht intelligent mein Partner ist«, schreibt zum Beispiel ItGirl85 im Internet.

lynx68 stimmt ein: »Wenn er weniger intelligent ist, ist das für mich aber auch nicht so schlimm. Wichtiger finde ich, dass er einfühlsam ist und fürsorglich.«

Der User Weee ist hingegen der Ansicht: »Ungleichheiten bez. intellektuellem Niveau sind eine Belastung für viele Partnerschaften – zumindest war es in meiner Erfahrung immer so. Im Partnerschaftsgeschäft ist es gut, ein bisschen dumm zu sein.«

Weee hat vollkommen recht: besser ein bisschen doofer, dann bekommt man nicht so viel mit. Wer hingegen lieber mit jemandem zusammen sein will, der einige Gehirnzellen weniger besitzt als er selbst, hat meist ein Problem mit der eigenen Unsicherheit: Wir erhöhen das eigene Ego, indem wir uns jemanden suchen, auf den wir herabschauen können und der alles, was wir tun, bestaunt, weil er es selbst nicht so gut könnte.

Es scheint daher gerade so, als sei es den meisten Männern wie Frauen nicht nur egal, ob ihr Partner sie mit seinem Allgemeinwissen oder mit besonderen Geistesblitzen blendet, sondern sogar sehr recht, wenn er oder sie das unterlässt. Wir sind bereit, uns mit vielem abzufinden, wenn unsere Grundbedürfnisse befriedigt werden. Verständnis, Ehrlichkeit und Toleranz sind gefragt, also alles Werte, die stark auf uns selbst bezogen sind, weil wir unmittelbar davon profitieren, wenn sie uns gegenüber angewandt werden.

Auch eine Studie der Partnervermittlungsagentur ElitePartner vom Januar 2007 deutet darauf hin, dass Cleverness von minderer Bedeutung ist. Die von ElitePartner befragten Männer und Frauen legen zwar Wert auf niveauvolle Eigenschaften wie »Kann über Emotionen reden« und »Hat Tag und Nacht ein offenes Ohr für meine Probleme«, doch leider fehlt unter den Top-Five-Qualitäten folgende Kernqualifikation: Mein Partner sollte nicht dümmer sein als mein Frühstücksbrötchen.

Ohne den IQ verschiedener Gebäckstücke analysieren zu wollen, kann man feststellen, dass Intelligenz auf der Balz nicht gefragt zu sein scheint: Für Männer ist eher das Äußere der Traumschnitte entscheidend. Frauen sind da weniger oberflächlich veranlagt. Klar, es wäre schön, wenn er aussähe wie Tom Cruise, aber Quasimodo tut's auch, wenn er sie mit romantischen Ideen überrascht. Ob der Partner so schlau ist, dass er die Kernspaltung in drei Sätzen erklären kann, oder zu dumm, um ein Kondom richtig herum abzurollen, scheint den hoffnungsfrohen Partnerschaftsanwärtern beiderlei Geschlechts egal zu sein.

Für den Suchenden ist es außerdem immens wichtig, dass sich der oder die Liebste nicht zu sehr in den Vordergrund spielt: An zweiter Stelle auf der Skala wichtigster Eigenschaften rangiert bei beiden Geschlechtern »Ist nicht zu stark von sich selbst eingenommen«. Die eigene Bedeutsamkeit hat also Priorität. Oder auf Doof gesagt: Wenn der andere sich gerne selbst reden hört, komme ich selbst ja kaum zu Wort.

Dass unsere bessere Hälfte auch Bedürfnisse haben könnte, empfinden wir als äußerst lästig, denn wir selbst sind uns schließlich näher als die Person, die neben uns liegt. Nebeneffekte unserer Egomanie sind Selbstüberschätzung und Geschwätzigkeit. Mit diesen Charakterschwächen braucht man einen Partner, der stillhält und einem nicht die Show stiehlt. Zwei Schwätzer neutralisieren sich schnell gegenseitig.

Eine wesentliche Voraussetzung dafür, dass der Partner ausreichend Beifall klatscht, ist allerdings, dass er genügend Zeit hat, uns zu bewundern. Für den männlichen Teil der von ElitePartner Befragten (mit 60 Prozent auf dem dritten Platz) ist es daher besonders wichtig, dass die Frau ihrer eigenen Karriere keinen zu hohen Stellenwert einräumt. Vermutlich, weil die Lust auf Sex proportional zur Arbeitsbelastung sinkt. Eine Studie des Instituts für Gesundheitsaufklärung ergab, dass 80 Prozent der Frauen sich häufig zu gestresst für Sex fühlen.

Dass echte Frauchen wieder gefragt sind, wissen wir ja schon, seit Eva Herman *Das Eva-Prinzip* geschrieben hat. Frauen, die Heim und Herd freiwillig zu ihrem natürlichen Lebensraum erklären, sind die It-Girls der Generation Doof.

Um es noch mal in aller unromantischen Deutlichkeit zu sagen: Der Partner, den wir suchen, soll doof, schön, stumm und häuslich sein. So weit, so gut. Aber jetzt wird es kniflig: Wo finden wir so jemanden? Auf der Pirsch müssen wir entscheiden, wer dem gesuchten Profil entspricht, und wen wir lieber links liegen lassen. Irgendwo unter den 11,2 Millionen Singles in Deutschland ist ganz bestimmt die Naddel im Heuhaufen verborgen.

Die Generation Doof müsste eigentlich bei der Partnerwahl besonders erfolgreich sein, denn die Auswahl an potenziellen Kandidaten, die über ein fragwürdiges Denkvermögen verfügen, ist naturgemäß größer als die der Nobelpreis-Anwärter. Dabei ist bloß zu beachten, dass man sich keine dumme Nervensäge einfängt. Denn dann helfen nur noch die goldenen Regeln aus dem großen BILD-Ehereport.

Gutmütige Dumme lassen sich hingegen eher an Heim und Herd ketten, halten ganz sicher den Mund, wenn wir reden, und machen sich auch besser als Erfüllungsgehilfe unserer Lüste. Weniger Hirn ist eben manchmal mehr. Einer landläufigen Meinung zufolge kann man Dumme auch eher abschleppen, weil sie nicht so viel Widerstand leisten.

> *»Mein Herz tanzt*
> *Und jedes Molekül bewegt sich*
> *Und mein Herz tanzt*
> *Und jede Faser biegt und dreht sich«*   MIA

Die einfache Argumentationskette des Teilnehmers in einem Internetforum beweist diese Theorie: »Es gilt sicherlich nich für alle, aber weiblich wesen mit n bissl weniger auf'm kasten kann man leichter abschleppen, weil sie sich durch weniger begeistern lassen und somit bekommt man die leichter ins bett und somit sind sie besser zu fick*n.«

Da er online ist, hat er es bei der Partnerwahl ohnehin leichter als diejenigen, die noch nicht »drin« sind. Fündig wird man im Netz schnell, denn Internet sei Dank ist Liebe heute nur einen Mausklick entfernt. Mit dem Router geht's schneller zum Ziel, wenn man bereit ist, auch etwas fürs Lieben zu löhnen.

Can buy me love – Liebe als Konsumware

Der Frühling ist von jeher die Zeit der Verliebten. Doch so wie sich im Klimawandel die Jahreszeiten verschieben, verändern sich offenbar auch die Gefühle, die damit einhergehen. Im vergangenen April wurde der Liebesklimawechsel besonders deutlich.

In unserem Freundeskreis grassierte eine heftige Trennungswelle, die offenbar ansteckend war. Von wegen Frühlingsgefühle: Innerhalb von zwei Wochen gaben sich gleich drei Paare nacheinander den Laufpass. Lukas setzte Stefanie vor die Tür, weil sie jeden Abend vor der Mattscheibe verbrachte; zwei Tage später platzierte Karina in einer nächtlichen Aufräumaktion Thorstens geliebte Plattensammlung auf dem Rasen vor dem Haus, weil er nie etwas mit ihr unternahm und lieber Computer spielte; und kurz darauf trennten sich auch Markus und Petra, die keine Lust mehr hatten, jeden Abend mindestens fünf Bier zu trinken, nur um ein halbwegs unterhaltsames Gesprächsthema zu finden. Drei Paare – ein Problem: die Interesselosigkeit am Partner artet in Bequemlichkeit aus.

Anstatt über ihre Probleme zu reden, wählten alle die einfache Lösung und gingen getrennte Wege. Die Generation Doof bekommt Liebe und Kommunikation nicht unter einen Hut, weder in der Beziehung noch danach.

Ebenfalls typisch für uns ist das Gefühl, dass Liebe, Sex und Partnerschaft alltägliche Konsumgüter sind. Verlieben, Zusammenleben, Trennen – automatisch, praktisch, kühl. »Wir haben uns in gegenseitigem Einvernehmen getrennt«, erklärten Markus und Petra; Karina sah bei Thorsten »keine Entwicklung mehr«, und Steffi und Lukas fehlte »die langfristige Perspektive«. Für uns klang das wie eine Pressemitteilung. Das weitere Beziehungsmanagement unserer Freunde orientierte sich dann auch an der Personalpolitik großer Unternehmen – binnen weniger Wochen hatten die meisten von ihnen neue Begatter und Schmusehäschen eingestellt.

Sommer 2007. Mein Freund Markus und ich sitzen in unserem Lieblingsbiergarten. Markus hat gerade mit Petra Schluss gemacht – nach sieben Jahren glücklicher, aber ein wenig langweiliger Partnerschaft.

Markus sieht jedoch nicht aus wie ein frisches Trennungsopfer.

»Vermisst du Petra eigentlich gar nicht?«, frage ich nach einer Weile.

»Nö. Gibt ja schließlich noch genug andere Frauen«, erwidert er mit leuchtenden Augen und trinkt noch einen Schluck Bier. »Zum Beispiel Lisa. Ich sag dir, die hat 'ne Oberweite, dagegen sind die Alpen 'ne Blümchenwiese ...«

Markus verschlingt eine Handvoll Pommes und redet mampfend weiter. »Außerdem ist da noch Jessica. Hab ich am Wochenende kennengelernt, die hat's echt drauf. Und Andrea sieht auch nicht schlecht aus, die treff ich morgen Abend.«

Ich bin baff. Markus hat zwar vor seiner Beziehung mit Petra nie was anbrennen lassen, aber dass er mit Mitte dreißig noch mal so durchstartet, überrascht mich. Mit meiner monogamen Langzeitbeziehung, Heirat nicht ausgeschlossen, komme ich mir plötzlich ziemlich bieder vor.

»Das ist ja der Wahnsinn! Wo hast du die denn alle her?«, bringe ich nur heraus.

»Alter«, stöhnt Markus. »Lebst du eigentlich total hinterm Mond? Aus dem Internet natürlich!«

»Und warum wollen die alle gleich mit dir in die Kiste?« Das kommt mir dann doch ein wenig dubios vor.

»Ganz easy. Du musst nur den richtigen Filter setzen.« Während ich noch überlege, ob Markus jetzt zum Thema Kaffeekochen übergegangen ist, fährt er fort: »Du gibst an, wonach du suchst. Das ist ein bisschen wie Online-Shopping.«

»Und wonach ›filterst‹ du?«

»Na, worauf ich halt abfahre: blond, grüne Augen, gute Figur.« Markus ist ganz hingerissen von seiner cleveren Methode. »Dann guck ich mir erst mal die Fotos an und sortier die Hässlichen aus. Und dann mail ich ihr und frag, ob sie poppen will.«

Markus ist nicht der Einzige, der sich die große Liebe oder den kurzen Wochenendflirt über die DSL-Leitung herunterlädt. Mit der Liebe von heute ist es wie mit Pizza: Die Generation Doof kauft lieber fertige Dinge, anstatt sie selber zu machen. Die scheinbaren Vorteile bei der Partnerwahl per Internet: Sie ist einfacher. Man minimiert das Risiko, enttäuscht zu werden, denn man bekommt in den meisten Fällen das, was man bestellt hat. Und man spart jede Menge von dem Gut, das heutzutage so kostbar geworden ist: Zeit. Schließlich können wir die gewonnenen Stunden wieder zum Einkaufen und Bummeln nutzen.

Bevor wir uns selbst auf die mühsame Suche nach einem passenden Sex- oder Liebespartner machen, lassen wir lieber jemand anderen für uns suchen, oder nutzen Veranstaltungen und Verkupplungsdienste, bei denen wir aus einem bestehenden Angebot auswählen können. Ob Dating-Seiten oder organisierte Verabredungen à la »Blind Date Cooking« oder »Blind Date Golfkurs« – wir greifen ins Regal der Verliebtheit, als ob sich das alles mit einer einzigen speckigen EC-Karte erledigen lassen könnte.

Aber woher rührt unsere Ausverkaufshaltung in der Liebe? Ganz einfach: Wir haben schon als Kinder gelernt, dass Gutes seinen Preis hat und wir gegen Geld alles auf dem Silbertablett präsentiert bekommen. Kein Wunder, dass wir auf Dating-Makler abfahren, die uns weismachen wollen, es gebe die große Liebe gegen einen monatlichen Pauschalbetrag. Zudem prägen Ungeduld und Unrast unser Verhalten. Wir haben das Gefühl, wir hätten keine Zeit für eine aufwändige Suche, und werfen daher schnell das Handtuch, wenn es nicht gleich beim ersten Mal funkt. Oder anders ausgedrückt: Wir sind überfordert. Wir müssen ja nebenbei auch noch arbeiten, mit der Fusselrolle über den alten Angorapulli gehen, die Wohnung putzen und *CSI: New York* schauen. Und wenn sich keiner findet, der uns seine Handynummer freiwillig gibt, um hemmungslosen SMS-Verkehr zu haben, dann soll sich bitte wenigstens jemand für uns auf die Suche machen, am besten ein Profi. »Hier werden Sie geholfen« und »Vielleicht hätte er/sie jemanden fragen sollen, der sich damit auskennt« – diese Werbebotschaften haben sich tief in unser Stammhirn eingegraben.

Die Lösung für unsere Probleme scheinen Dating-Seiten im Internet zu sein. Sie bieten uns eine schnelle und unkomplizierte Bedürfnisbefriedigung, denn wir können uns den perfekten Lebenspartner nach unseren Wünschen aus dem virtuellen Warenhausregal aussuchen. Das jedenfalls wird uns vorgegaukelt, und wir glauben es gerne.

Die modernen Online-Kuppelunternehmen sind idiotensicher und machen die Partnersuche auch für die Generation Doof zu einer lösbaren Aufgabe. Und so funktioniert Liebe für Dummies: Wir füllen auf der Dating-Seite einen kurzen Test aus, anhand dessen dann automatisch unser Persönlichkeitsprofil erstellt wird. Diese Methode soll wissenschaftlich wirken und uns das beruhigende Gefühl geben, dass alles mit rechten Dingen zugeht. Parship will beispielsweise wissen, zu was wir uns spontan eher hingezogen fühlen: zu einem Dreieck oder einem Rechteck. Wir sollen unsere emotionale Einstellung testen und Fragen zu unserer Zukunftsplanung beantworten. Unsere möglichen Partner haben ebenfalls einen solchen Test gemacht, und im nächsten Schritt werden die Profile abgeglichen. Der Computer stellt fest, wer eine möglichst große Übereinstimmung mit unserem Persönlichkeitsprofil aufweist. Auf diese Weise sollen wir den oder die Richtige finden, wenn dessen Profilneurose zu unserer passt.

Während die Software für uns arbeitet, können wir anonym bleiben, und dies macht den großen Reiz des Verfahrens aus. Durch die Distanz, die das Medium aufbaut, ist es besonders leicht, seine Fantasien, Träume und Wünsche auf den anderen zu projizieren. Zum Verliebtsein gehört in der Anfangszeit ohnehin eine Idealisierung des Partners; der Flirt per Internet verstärkt diese Projektion.

Wenn uns die Internetseite nach längerer Berechnungszeit vermeintlich passende »Partnervorschläge« unterbreitet, genügen oft schon kleinste Übereinstimmungen im Persönlichkeitsprofil, um unsere Paarungsfantasien auf Hochtouren zu bringen: »heiter, werte-bewusst, einfühlsam« sind Standardangaben im Persönlichkeits-test, ebenso »Ausgehen, Freunde treffen, Hobbys nachgehen«. Das verrät uns im Grunde so gut wie gar nichts über Charakter und Freizeitvertreib des anderen – hat er oder sie aber zufällig das Glei-che angekreuzt wie wir, dann haben wir soeben Kontakt mit unse-rem potenziellen Traumpartner aufgenommen. Und wer schon mal sehnsüchtig auf die E-Mail eines Unbekannten gewartet hat, weiß, wie prickelnd das sein kann – auch wenn wir nur in unserer Fanta-sie und nach den Algorithmen des Computers zueinander passen.

Wie bereits erwähnt, spart die elektronische Balz dem moder-nen Doofen jede Menge Zeit – und auch Nerven: Wir müssen uns nicht mehr zwangsläufig aufbrezeln und unsere Abende in lauten Discos und miefigen Kneipen verbringen. Peinliche Anmachsprü-che wie: »Kennen wir uns nicht irgendwoher?« gehören der Vergan-genheit an. Lange Gespräche, bei denen man sich an den anderen herantastet, sind ebenfalls hinfällig. Zwei, die sich nach computer-generierter Übereinstimmung treffen, wissen schon, dass sie grund-sätzlich zueinander passen, und es kann ohne lange Umschweife gleich zur Sache gehen. Unsere Freundin ist dabei die altmodische Ehrlichkeit: Das erste Date könnte ein schnelles Ende finden, wenn unsere Bekanntschaft auf Orlando Bloom gewartet hat und dann einem explodierten Fraggle gegenübersteht.

Die elektronische Form der Liebesanbahnung hat noch einen Vorteil: Gefällt uns der Partner nicht, den die Software nach dem Interessenabgleich vorschlägt, klicken wir ihn oder sie einfach weg, löschen ihn aus unser Freundesliste oder lassen ihn ohne Erklärung links liegen. Immerhin haben wir ja Geld für diese Auswahl gezahlt, und da sind wir über jedes mittelmäßige Angebot enttäuscht. Wir fühlen uns wie im Supermarkt, wo wir der Verkäuferin an der Käsetheke schließlich auch nicht behutsam erklären müssen, warum wir ihren müffelnden Brie nicht wollen.

Online-Dating bedeutet Freiheit: Die Möglichkeit, unverbindlich Verbindungen für den Moment einzugehen und von der virtuellen Welt wieder Abstand zu nehmen, wann immer es uns passt – das erleichtert uns die anstrengende Gegenwart.

Die Internet-Kuppelei hat Hochkonjunktur: Die Zahl der Nutzer von Angeboten wie parship.de, neu.de und flirt-fever.de wächst stetig, denn die Aussicht auf kuschelige Zweisamkeit lockt Kunden zuhauf an. Immerhin 5 Millionen Singles lassen sich bei neu.de darauf ein, bei parship.de sind es 3 Millionen; Friendscout24.de registriert 3,8 Millionen Mitglieder in Deutschland, und bei dem Jamba-Portal iLove.de sind es in Deutschland, der Schweiz, Österreich, Russland und Polen insgesamt 4,5 Millionen Mitglieder. Die Plakate der Internet-Firmen hängen überall und locken mit dem Versprechen vom schnellen Glück. »Wenn Sie sich nach einer lang anhaltenden, erfüllenden, glücklichen Beziehung sehnen, sollten Sie nichts dem Zufall überlassen – denn die wahre Liebe kann nicht warten!«, wirbt beispielsweise der Internet-Kuppler be2 verheißungsvoll. Pro Stunde entstehen heute sechsundvierzig Beziehungen in Deutschland über das Internet, wie die Zeitschrift YAM ausposaunte. Wie lange diese halten, weiß nur das allmächtige Netz.

Kniffliger als beim betreuten Dating ist es, wenn wir uns im Internet allein auf die Suche machen. Bei unvorbereiteten Treffen im Chat prallen schon mal unterschiedliche Erwartungen aufeinander:

Natürlich sind nicht alle Liebessuchenden im Internet auf dem Sprung ins Bett. Manche erwarten schon ein wenig mehr als einen kurzen One-Night-Stand. Da gibt es zum Beispiel Günther, der erst sich und dann die Damenwelt beschreibt: »Ist 29 jahre sie gut aus, und hoffe auf diesem Weg meine Traumfrau zu Finden! Bitte nur ernst gemeinte Fraun«, formuliert er forsch und hoffnungsfroh ins Netz hinein. Na dann, viel Glück, Günther!

Auch außerhalb von Kontaktbörsen und Flirtseiten ist das Internet ein einziges Ehe- oder Kopulations-Anbahnungsinstitut, das Liebe und »Fun« gerne miteinander verbindet. Die beliebten Online-Rollenspiele haben beispielsweise den Vorteil, dass die Teilnehmer wenigstens schon mal gemeinsame Interessen hegen. Im Fantasy-Rollenspiel *Dark Age of Camelot* gehen regelmäßig ungewöhnliche Pärchen den virtuellen Bund der Ehe ein: »Wir, Astidan und Eowinae Lockheart, möchten uns nun auch auf Logres im großen Kreise das JA-Wort geben und möchten unsere Freunde dazu recht herzlich einladen (Da es ja auch immer solche gibt, die Feierlichkeiten gerne runterputzen oder uns nicht mögen und denn sich drüber schrottlachen wollen, die bitte ich das ganze einfach zu Ignorieren. Vielen Dank).«

Geglückte virtuelle Beziehungen wie im Fall von Astidan und Eowinae sind keine Seltenheit. »Freunde finden« ist laut einer Studie des Stanford Institute das oberste Ziel der Rollenspieler – immerhin ein Drittel von ihnen hat das vor. Und wenn nebenbei noch eine Partnerschaft abfällt, dann umso besser!

Es scheint einfacher zu sein, sich mit einer Fee namens »Hesperia Sternenzart« oder einem Zwerg namens »Elfregg Axthieb« und deren Erlebnissen auseinanderzusetzen, als Uschi aus dem Fitnessstudio und Rainer von der Steuerfahndung live und unverbrämt kennenzulernen. Die Leidenschaft für eine Fantasiefigur ist außerdem weitaus unverbindlicher, da im Notfall ja alles nur ein Spiel ist (»Das Techtelmechtel mit dem pickligen Gnom? Das war doch gar nicht echt!«).

Darüber hinaus entfällt auch der Aufwand, den man im Normalfall betreibt. Wanja, einunddreißig, Anwältin in Bremen, hat im echten Leben schlechte Karten: »Ich arbeite meist bis in die späten Abendstunden. Dann bin ich zu müde, um mit jemandem zu reden. Wo und wann soll ich denn da bitte noch eine Frau kennenlernen?«

Fürs gemütliche Anbandeln bleibt nicht viel Zeit. Im Temporausch gefangen, ziehen uns obskure Zweisamkeitsstifter wie Speed-Dating, SMS-Flirt-Hotlines auf VIVA und Dating-Shows im Fernsehen magisch an.

Im Internet bietet die Seite webdater.de Singles an, sich für denselben Abend oder einen der folgenden Tage zu verabreden. Man gibt an, wann man Zeit hat und in welchem Umkreis man einen Partner sucht, und umgehend erscheinen Fotos, aus denen man sich sein Wunschdate aussuchen kann. Über die gefilterten Partner namens »Feelgood«, »Muckel« und »toto2007« erfährt man zwar nichts, was über deren Alter und Aussehen hinausginge, doch sie liegen immerhin in der Auslage und warten auf unsere

Nachricht. Um erotische Kontakte geht es bei den Flirtanzeigen des Anzeigenportals kijiji.de, wo mehr als eindeutige Angebote zu finden sind:

> »Hallo welche Einzelne Sie Er oder Paar Möschte sich Morgen Früh auf dem Parkplatz Aachener str hinter Königsdorf gerne vor der Arbeit Abgreifen Lassen no Sex. Dann geht die Arbeit besser von der Hand wen man oder sie schon die Freuden des Morgens Hatte jeder Kann sich melden. es wied alles sehr Zährtlich von statten gehen. Ausehen, Alter Grösse, Gewicht Nat, alles ist nebensache. wir Treffen uns haben spass und Fahren wieder. KFI PS nochmal kein Sex nur bei dir Abgreifen bis zum .... Mfg«   Anzeige auf Kijiji.de

Wem diese Form des Schnelldates nicht ökonomisch genug erscheint, der kann sich auch ein Mehrfachdate besorgen: schnell, schneller, Speed-Dating. Das kostet nicht nur etwas, nämlich pro Dating-Abend je nach Veranstalter zwischen zwanzig und fünfzig Euro, sondern wir werden auch selbst in dem Verfahren zur Ware.

»Kommerz und Romantik rücken dabei eng zusammen«, erklärt Ralf Westhoff, der Regisseur des Films *Shoppen*, in dem es um Speed-Dating geht, ein ebenso simples wie unromantisches Verfahren, bei dem die Teilnehmer nur ein paar Minuten miteinander verbringen, ehe sie zum nächsten Teilnehmer weiterrücken und wieder von vorn mit dem Plaudern anfangen müssen. Wie viele segensreiche Erfindungen, die unser Leben vereinfachen, kommt dieser Jux aus den USA.

Natürlich kann man in wenigen Minuten nicht herausfinden, ob der- oder diejenige einen zauberhaften Charakter hat oder wie umfangreich das Spezialwissen des jeweiligen Gegenübers über Pfeilgiftfrösche im Amazonasgebiet ist.

Jedenfalls nicht, wenn man nur die üblichen doofen Fragen stellt, bis die Zeit abgelaufen ist:

- Was schätzt du, wie alt ich bin?
- Was machst du beruflich?
- Was machst du gerne in der Freizeit?
- Warst du schon mal bei einem Speed-Dating?

Es wäre ja auch unfair, wenn man für eine solch schlichte Gesprächsführung belohnt würde. Ob wir erfolgreich mit der Trophäe – einer oder mehreren Telefonnummern – nach Hause gehen, entscheidet jedoch nicht unsere Kreativität oder unser Hirn, sondern wie üblich unser Aussehen.

Wissenschaftliche Untersuchungen haben ergeben, dass für den persönlichen Erfolg eines Speed-Dating-Teilnehmers sein ansprechendes Äußeres verantwortlich ist. »Attraktivität beeinflusst den ersten Eindruck sehr stark«, erklärt beispielsweise Lars Penke von der Berliner Humboldt-Universität und erklärt damit das Dilemma des Speed-Datings: Viel mehr Zeit als für einen ersten Eindruck bleibt nicht, und unser Äußeres entscheidet, ob der andere uns wiedersehen will oder nicht.

Wie Romantik und Umwerben wirklich funktionieren, wissen wir nicht mehr. Nicht umsonst brauchen wir Nachhilfe vom »Flirter« Phillip von Senftleben, der uns bundesweit von Radio Hamburg bis Hitradio RTL Sachsen zeigt, wie man eine Frau während eines Anrufs auf der Arbeit binnen weniger Minuten so einwickelt, dass sie ihre private Telefonnummer herausgibt. Manch ein Angestellter würde in Gehaltsverhandlungen sicher einiges für dieses Talent geben. Und er könnte es erlernen, denn der Flirter gibt Seminare, in denen er seine Kunst weitergibt.

Das ist Ihnen zu niederträchtig? Zu absichtsvoll? Seien wir doch ehrlich: Wir haben Nachhilfe dringend nötig!

Radio und Fernsehen geben uns die Möglichkeit, von anderen zu lernen. Der Musiksender MTV zum Beispiel zeigt in der Sendung MTV *Next*, wie grausam man seinen Flirt abservieren darf. Das Verfahren funktioniert ähnlich wie das Speed-Dating: MTV organisiert fünf Dates für den Kandidaten oder die Kandidatin, die er oder sie mit dem Ruf »Next!« beenden kann, sobald man vor Langeweile gähnt, vor Ekel reihert oder einem vor Entsetzen die Kinnlade runterklappt. Daran nimmt sich die Generation Doof gerne ein Beispiel, denn kurzen Prozess zu machen ist praktisch: Warum sollte ich meinem Gegenüber Respekt entgegenbringen? Auch im Fernsehen darf ich doch meinem Flirt nach einem verkorksten Date »Schlampe« hinterherrufen.

In solchen Sendungen lernt man wenig über die wahre Liebe. Im Gegenteil: Wer sich diese Fernsehshows ohne psychologische Betreuung ansieht, könnte sich emotional schnell zu einem zweiten Dieter B. entwickeln und immer genau jene Beleidigung wählen, die sein Schnuckelhäschen am meisten verletzt.

Für Gefühlslegastheniker der Generation Doof bieten Shows wie MTV *Next* daher genau die richtige Kost, denn wir finden es lustig, andere herunterzuputzen. Dieses Prinzip hat wohl auch ProSieben verinnerlicht: In der Sendung *Avenzio* düsen superlockere Singles durch die Wohnungen von anderen superlockeren Singles und durchforsten deren Inneneinrichtung daraufhin, ob sie zu einem passen könnten. Wenn dem besuchenden Single der Flokati in der Wohnung nicht gefällt, kann er nicht nur ein Treffen ablehnen, sondern er darf auch noch alles Garstige sagen, das ihm zu dem hässlichen Teppich einfällt. Privates wird durchwühlt und bisweilen mit verächtlichem Blick in die Kamera gehalten. Die Sendung könnte daher auch heißen: *Avenzio: Singles finden deine Sex-Toys* oder *Avenzio: Deutschlands schönste Schimmelflecken unter der Matratze.*

Daraus ist inzwischen eine Kultur der Gehässigkeit entstanden, in der man über den Geschmack der anderen nach Belieben herziehen darf. Gut, mag sein, dass einige der vorgestellten Singles tatsächlich geschmacklos sind. Und man muss wirklich doof sein, wenn man sich mitsamt seiner Wohnung im Fernsehen zur Diskussion stellt. Aber rechtfertigt das die öffentliche Zurschaustellung?

Es zeigt auf jeden Fall, dass Zuneigung bei der Generation Doof nicht nur vom Äußeren des Partners, sondern auch von anderen Äußerlichkeiten abhängt. *Avenzio* demonstriert eindrucksvoll, wie man an materiellen Werten ablesen kann, ob jemand für uns infrage kommt, wenn man auf Intellekt und Persönlichkeit nicht den geringsten Wert legt. First comes the Wohnung, then the Person. Doof findet Doof eben über die Größe des Heckspoilers, die richtigen Markenklamotten oder das zwerchfellerschütternde »Bumm-Bumm« des Subwoofers im Wohnzimmer.

Der Vorteil liegt klar auf der Hand: Wer nur nach Äußerlichkeiten auswählt, braucht keine langen Reden zu schwingen. Die Entscheidung für einen Partner wird so auch objektiver und damit leichter vor anderen zu rechtfertigen, wenn nach Fakten entschieden wird, ob mir jemand gefällt. Und auch in diesem Punkt kommen Internet, Schnelldates & Co. unserer Neigung entgegen. Ein erfolgreiches Date bedarf nicht mehr vieler Worte. Wir landen mit wenigen Mausklicks zielgenau auf der Matratze. Warum auch sollte man sich den Mund fusselig reden, wenn die Vereinigung mit weniger Aufwand vonstattengehen kann?

Der Tag ist gekommen. Wir sind nun seit zwei Monaten zusammen. Ein romantisches Abendessen, nur mein Traumprinz und ich.

Er beugt sich zu mir. »Ich … äh …«

Ja?

Ganz sanft küsst er meine Nase. »Ich l….«

Hm?

»Ich l….l…«

Mein Gott, das ist ja nicht mit anzuhören! Mach schnell, ich hab die Haare schön. Press es raus, Baby!

»Ich liebe dich«, souffliere ich zärtlich. So macht man das. Ohne Einsatz kein Erfolg. Hat auch gar nicht wehgetan.

»Hm, das ist ja schön«, antwortet er gleichmütig. »Ich lauf nur schnell aufs Klo. Wenn ich wiederkomme, können wir ins Bett gehen.«

Dass große Worte nicht zu den Stärken der Generation Doof gehören, wissen mittlerweile auch die Betreiber einschlägiger Bagger-Börsen. Sie warten mit der passenden Lösung auf: Bei einer »Farbe sucht Farbe«-Party wie in den Hamburger Mozartsälen weisen uns Aufkleber oder Armbänder mit Farbcodes den Weg ins Bett oder in die Langzeitbeziehung. Rot steht für »Liebe«, gelb für »eine Nacht«, grün für »Küss mich!« und blau – sehr originell – für »Drink?«. Das ist simpel und selbst von denjenigen zu durchschauen, die ihr Gehirn gerne im Handtäschchen aufheben.

Diese farbliche Direktheit wirkt sich auch in sprachlicher Unmittelbarkeit aus. Die Flirttechnik der Generation Doof zielt geradewegs auf das ab, was wir erreichen wollen. Wenn wir also jemanden nach Hause mitnehmen möchten, fragen wir ihn frei heraus: »Kommst du mit zu mir?« Sehen wir jemanden mit einer knusprigen Kehrseite, dann teilen wir ihm das – meist kräftig unter Alkoholeinfluss stehend – ebenfalls unverblümt mit … und fangen uns damit oft nicht mal eine Ohrfeige ein.

Wir haben keine Probleme damit, unsere Bedürftigkeit offen auszuleben. Haben wollen? Unverzüglich! Wir nehmen kein Blatt mehr vor den Mund. Und wenn dabei alle Welt unsere peinlichen Liebeseskapaden mitbekommt, ist das nicht schlimm, denn wir stehen gerne im Rampenlicht.

Love Is All Around You – Liebe in der Öffentlichkeit

Wir wissen heute viel mehr über Sex, Liebe, glückliche Beziehungen und unangenehme Herzenssprünge anderer, als wir jemals darüber wissen wollten. Die Zwangsaufklärung prasselt multimedial auf uns ein: Reality-Shows und Aufklärungsartikel in Zeitungen wie BILD (Anne West: *Lassen Sie uns über SEX reden! Heute: Was ist frauenfreundliches Spielzeug?*), explizite Songtexte von »Pornorappern« wie Sido und Bushido, oder Mittagstalks, in denen besprochen wird, wer wen mit wem wie und in welchen Stellungen betrogen hat. Die Zeitschrift *Fit for Fun* präsentiert uns den »Sex-Knigge«, in Internetforen wird über die Vor- und Nachteile von Intimrasuren philosophiert, und die Sprüche aus *Sex and the City* kommen uns schon morgens vor der ersten Konferenz flüssig über die Lippen.

Da wir vor allem in den Medien und in der Werbung ständig von Sex, nackten Brüsten, eingeölten Sixpacks und diversen Körperflüssigkeiten verfolgt werden, ist es für die Generation Doof schwer auszuloten, was wir selbst erotisch finden. Statt Komplimente oder Zuneigungsbekundungen abzusondern, plappern wir immer häufiger Schamlosigkeiten nach, die uns die Medien soufflieren. Dabei wird eines gern vergessen: Aufklärung ist gut, aber sie bedeutet auch Desillusionierung. Und Liebe lebt wenigstens zum Teil von der Illusion.

Die Generation Doof hat verinnerlicht, dass Sexualität heute salonfähig ist. Wenn Superstars vor laufender Kamera ihr Sexleben ausbreiten, dann müssen auch wir nicht länger schweigen. Tabus sind etwas für Leute von gestern. Wir schreien in die Welt hinaus, was uns gerade in den Sinn kommt – egal, ob es die anderen interessiert oder besser unausgesprochen bliebe.

Für die Liebe ist das schlecht, denn je mehr Intimes wir gleich am Anfang preisgeben, umso uninteressanter werden wir für einen möglichen Partner. Wer vor jedem sofort die Hosen runterlässt, dem ist nichts mehr geheimnisvoll. Aus Geheimnissen werden platte Peinlichkeiten, denn wenn Vertraulichkeiten nicht mehr exklusiv sind, verlieren sie an Wert. Dennoch gilt es bei der Generation Doof als verklemmt, seine Konflikte im Geheimen auszutragen. In Zeiten, in denen selbst Intimschmuck zum Talkshowthema taugt, wollen wir möglichst cool und abgebrüht wirken, indem wir schamlos mitreden.

Ein Beispiel für fehlende Grenzen und sinnloses Sex-Geschwafel ist die auf YouTube veröffentlichte Pilotfolge der Sendung *Wahrheit oder Pflicht*, gegastgebert von einer, wie es den Anschein hat, bis zum Anschlag betrunkenen Charlotte Roche.

Stellen Sie sich das gemütlich-miefige Ambiente einer klitzekleinen Wohnung vor. Es klingelt ein paarmal, und »uns Charlotte« läuft aufgeregt an die Tür, um nacheinander Roger Willemsen, Mieze von der Popgruppe MIA, den Rapper Ferris MC und Kim Fisher zu begrüßen. Ziel des Abends: systematische alkoholische Betankung aller Gäste und gemeinsame Inszenierung des alten Teenager-Geburtstagsspielchens Flaschendrehen.

Der Abend beginnt mit dem Bekenntnis, dass Charlotte selbst findet, ihr aufregendstes Körperteil sei die Klitoris. Roger Willemsen antwortet darauf ganz ungeniert: »Du Sau!« Während die Zeit voranschreitet, versuchen sich die Spieler gegenseitig beim Tabubruch zu überbieten. Charlotte geht mit Roger Willemsen gemeinsam aufs Klöchen, derselbe steckt unter großem Gejohle seiner Spielgefährten den Fuß in die Keramik und erzählt vor laufenden Kameras in aller Ausführlichkeit ein erhebendes Poposex-Erlebnis, bei dem eine wertvolle alte Kredenz und eine Kerze tragende Rollen spielten. Mit seiner Anekdote kann er jedoch Charlotte nicht zufriedenstellen. »Ich bin sehr enttäuscht von deiner Anal-Geschichte«, mault sie. »Weil ich meinte natürlich, ob du schon mal was in deinem Arsch hattest.« Und als ob das als Erklärung nicht ausreichen würde, präzisiert Charlotte: »Deinen blöden Schwanz innem blöden Arsch. Nee, ich will wissen, ob jemand schon mal in deinem Arsch war.« Später zollt sie seiner Offenheit dennoch Respekt: »Der Roger, der ist total super da drin, diese ganze Pornoscheiße so rumzuphilosophieren.«

Schamhafter verhält sich da schon Kim Fisher – wie passend, schließlich wird sie ja auch aufgefordert, über ihr Schamhaar zu sprechen: »… ein bisschen rechts weg, links weg, oben weg und … also … kurz.« Mehr Einsatz wird dem etwas träge wirkenden Ferris MC abverlangt. Nach dem Klamottentausch mit Roger Willemsen sieht er auf einmal aus wie ein hoffnungsfroher Banklehrling, und es macht ihm offenbar nicht das Geringste aus, das Knie der Sängerin Mieze zu küssen. Als Bonustrack bringt er obendrein noch seine Wunschvorstellungen von freier Liebe zu Gehör: »In jedem Land 'ne Olle, die ich poppen kann, das kann auch 'ne Art von Liebe sein, die mich erfüllt.«

Der Liebesthese des melancholischen Musikers zufolge steht Geld an oberster Stelle der Prioritätenliste, Gefühle sind zweitrangig: »Wenn sie mich nur wegen meines Geldes liebt und ich das Geld habe, und ich aber sie liebe, weil sie sie ist und auch weil sie mein Geld liebt, ist mir das scheißegal, Hauptsache, wir könn' bis ans Ende meines Lebens glücklich werden und fertig aus. Und zum Schluss sterb ich allein.«

Alles klar?

Eindeutig sind sie, die insgesamt vier Videos zu dieser Sendung, und sie spalteten die YouTube-Community. Über mangelndes Interesse kann sich Charlotte Roche nicht beklagen, die mit der Sendung wirklich etwas geleistet hat: »Es ist so wahnsinnig schwer, sich Scheiße auszudenken für Leute.«

Und so wird sie sich vermutlich über die positiven Kommentare amüsiert haben, die die YouTube-Besucher abgaben.

Schniatzel freut sich übers C-Promi-Flaschendrehen: »haha kranker scheiß alle sehr sympatisch, da' möchte man doch glatt mitmachen.«

»Ich find das absolut geil«, pflichtet royalicecream bei.

Makeuppoint hat sich offenbar den Jargon der Pilotfolge abgeschaut: »Man sollte sie durchbumsen.«

90tage weist auf eine Möglichkeit für Folge zwei hin: »Niveaulos hin oder her, das ist einfach lustig. Solange die da nicht auf den Teppich kacken. Sowas hat doch jeder schon gemacht, und Prominente dabei zu sehen ist einfach super. Schade, dass das Fernsehen jeden gefakten Scjeiß zeigt, aber nicht sowas echtes.«

Jonathanstock fasst noch mal zusammen: »ich find das voll die nette runde, man möchte sich gerne dazusetzen und mitmachen. gute Idee!«

Und Nonkeynes entwickelt eigene Sexfantasien: »Nachdem ich das gesehen habe, bin ich nun nicht mehr sicher, ob ich mir den richtigen Beruf ausgewählt habe. Mir würde Flaschendrehen und ab zu mal eine lecken besser gefallen. Wenn ich dabei gewesen wäre, hätte ich als Pflicht alle Damen geknallt (auch anal). Na ja, aber diese Art von Unterhaltung gibt es ja schon (›nur‹ noch nicht für unter 18-Jährige).«

Trotz all der positiven Kommentare der YouTube-Kleinbuchstaben-Fetischisten hat es bis heute keine weitere Folge der Sendung gegeben. Doch gerade die letzten beiden Beiträge zeigen: Wir wollen mit den Promis gleichziehen und sind es gewöhnt, deutlich zu sagen, wonach uns der Sinn steht. Sex verliert dabei an Bedeutung, er wird zu einer weiteren netten Freizeitbeschäftigung, die etwa so unerotisch ist wie Freeclimbing oder Klöppeln.

Welches Tabu soll man noch brechen, wenn keins mehr da ist? Wir reden selbstverständlich über alles und erfahren in den Medien alles über unbekannte oder neuartige sexuelle Spielarten. Bei Talkshow-Themen wie »Fett in Strapsen macht mich an«, »Vaterfrage – wer hat meine Frau geschwängert?«, »Sexklusive Geheimnisse«, »Affären-Check: Sag mir, wer dein Lover ist« oder »Mein Busen ist der schönste« zucken wir nicht einmal mehr mit der Wimper.

Genauso ungeschminkt und ungefiltert wie Sex und Liebe auf uns einströmen, so geben wir sie auch wieder ab. Und so kann jeder jeden Tag mit ansehen und zuhören, wie Beziehungen der Generation Doof verlaufen, denn wir tragen unsere Liebesangelegenheiten am liebsten vor Publikum aus, egal, ob es um Liebesfreud oder Liebesleid geht. Mit der Offenbarung liegt die Verantwortung für die Beziehung nicht mehr bei dem Paar, sondern bei der Öffentlichkeit. Die weiß ja schließlich, was man falsch oder richtig gemacht hat. Immerhin sind doch bei *Kallwass* auch ganz viele Zuschauer dabei.

261

»Ich spiele den unglücklich Verliebten. Sie ist
der moderne unromantische Typus, immer am
Computer und am Handy.«

Gérard Depardieu in Chanson d'Amour

Weil wir's öffentlich mögen, ist das wichtigste sexuelle Hilfsmittel ohne Zweifel das Mobiltelefon. Dank dieser tragbaren Abhöranlagen war Feldforschung am liebenden Objekt noch nie so einfach. Denn die Generation Doof telefoniert überall: im Zug, auf der Straße, im Café. Das Handy hat den öffentlichen Raum längst durchdrungen, und so denkt der Telefonierende gar nicht daran, dass alle Konflikte, die er in der Straßenbahn am Handy austrägt, unfreiwillige Zuhörer finden.

Andrew Monk, Wissenschaftler an der University of York, hat herausgefunden, dass man einem Handytelefonat genau deswegen lauschen muss, weil man bei solchen Gesprächen nur eine Seite der Geschichte hört. Der Wissenschaftler vermutet, dass man versucht, den Rest des Gesagten zu ergänzen, um für sich selbst einen Sinn herzustellen – oder dass man wachsam bleibt, weil bei einer einseitigen Ansprache nie ganz klar ist, ob man als zufälliger Zuhörer nicht doch gemeint ist.

Wer allerdings kein Forschungsinteresse hat oder einfach nur dasitzen und einen Kaffee trinken will, für den ist das ständige Geklingel und Geblubber oft einfach nur lästig. In einem Straßencafé war neulich folgendes akustische Feuerwerk zu vernehmen:

Ein junges Mädchen, angetan mit einer khakifarbenen Hose und Basecap, liest ihrer Freundin die SMS des jungen Mannes vor, von dem sie sich offenbar kurze Zeit zuvor getrennt hat.

»Isch sag dir«, erzählt die junge Dame ihrer Gefährtin, »der hat mir eine Simse nach der anderen geschriebn.«

»Hmm«, antwortet die solchermaßen Angesprochene.

»Schau mal, schickt der mir 'ne SMS, wo steht: WO BIST DU?«, fährt die Erste fort und lacht. »Und dann: WO BIST DU DENN?«

Sie kichert. »Da hatta angerufen, und hab isch nisch abgenommen.« Seufzt theatralisch. »Hatta misch angerufen. Was ruft der misch an?« Sie schüttelt angewidert den Kopf. »Eh, der soll misch doch nisch anrufn. Dann schickt er mir die hier: RUF MICH MAL ZU-RÜCK. Was denkt der sich denn, dass isch ihn zurückruf? Und jetzt, hör mal: ISCH LIEB DISCH DOCH! Weißt du ...«

Während der Rest der Botschaft im hemmungslosen Gekicher der beiden untergeht, ist wieder eine Schlacht gegen die Intelligenz geschlagen. Aber im Krieg und in der Liebe ist ja bekanntlich alles erlaubt.

Interessant an diesem Beispiel ist vor allem folgender Gedankengang, der den Verlassenen offenbar bewegt hat: Sie hat ein Handy, warum ist sie dann nicht erreichbar? Der Gedanke, sie hätte ihm nicht antworten *wollen*, kommt ihm so abwegig vor, dass er sich in der Folge total lächerlich macht, indem er eine SMS nach der anderen verschickt.

Seine dämlich anmutende Reaktion zeigt einen weit verbreiteten Trugschluss unserer durch den technischen Fortschritt mit allerlei Gerätschaften vermüllten Zeit. Dieser besteht aus einer Gewissheit und einer Folgerung:

Gewissheit: Die Frau besitzt ein Mobiltelefon.
Folgerung: Sie muss Tag und Nacht erreichbar sein.

Diese Annahme der ständigen Verfügbarkeit und der daraus resultierende Irrglaube, Spontaneität bilde den Kern des Erfolgs, tötet jede Leidenschaft und macht anderen das Leben zur Hölle. Wer immer und zu jeder Zeit erreichbar ist, schafft kein Begehren. Wir sind wie kleine Kinder: Ich will dies, ich will das, ich will dich, und das sofort. Dabei wissen wir aus leidvoller Erfahrung: Das, was man nicht bekommt, will man umso leidenschaftlicher.

Doch es ist zu verführerisch, denn die Liebeserklärung per Handy kann so einfach sein. Man braucht sie nicht einmal selbst zu formulieren: Für Liebesbotschaften per SMS gibt es im Internet praktische Formulierungshilfen mit hundertfünfzig Zeichen. Das Verschicken von romantischen SMS wird auf diese Weise zum Spaziergang. Je heißer die Liebe glüht, desto mehr Text schreibt man ab – zwei SMS kosten schließlich mehr als eine!

Vier fertig vorformulierte SMS, die man am liebsten nie bekommen würde

1. »Mein lieber Schatz: Ich liebe dich sehr, bitte sei mein Knuddelbär. Denn ich will dich nicht missen, sondern nur mehr küssen ...«
2. »Ich mail dich an, es macht piep, piep, ich hab dich nämlich ganz toll lieb!«
3. »Mein Handy ist stumm, es piepst nicht mehr! Unsere Liebe gibt es nicht mehr. Und dennoch solltest du wissen: ich werd dich ewig vermissen!«
4. »Ähm, d... d... die. is... f... fffüadich! Ahoi! Bald tu ich dich entern kommen!«

Wie Liebespost wirklich aussehen sollte, darüber können wir in der guten, alten BRAVO *Girl!* etwas lesen. Zum Handyverkehr in der Beziehung geben die geneigten Redakteure der Leserin Folgendes mit auf den Weg: »Lies dir immer das Geschriebene mehrmals durch und achte auf Rechtschreibfehler! Mach genügend Absätze, sodass die Zeilen gut lesbar sind.« Wenn dieser Ratschlag öfter beherzigt würde, gäbe es im Netz weniger Emotionsrhetoriker, für die Orthografie nur ein Wort ist: »so schönnnn das : ich gense haut davon bekomme ober hammer !!!« Und auch ernsthafte Geständnisse kämen gelegentlich besser an: »Mein Penis ist krum.«

YouTube, Clipfish, MyVideo und ähnliche Plattformen sind voll von Liebesschwüren und Beteuerungen ewiger Zuneigung, die jedoch meist weit am Ziel vorbeigehen und eher in einer öffentlichen Peinlichkeitsorgie münden. Wie würden Sie sich fühlen, wenn sich Ihr »Schatzi« im Internet vor aller Welt Cursor mit folgenden Sätzen zu Ihnen bekennen würde:

Babsi (15) an Burschi: »An meinen süßen Schatz! Bärchen, ich wollte dir sagen, dass ich dich unendlich liebe und dich nie verlieren will. Wir haben so viel durchgemacht, und hiermit möchte ich dir zeigen und sagen, dass ich DICH UNENDLICH LIEBE, ÜBERGLÜCKLICH MIT DIR BIN UND DIR FÜR ALL DIE ZEIT DANKE. Und ich hoffe, dass uns keiner auseinanderbringen kann, denn du bist der wichtigste Mensch in meinem Leben. Danke noch mal für alles – und hoffentlich glaubst du mir, dass ICH DICH UNENDLICH LIEBE – NUR DICH UND DAS FÜR IMMER UND EWIG!
Dein Baby«

Nachdem Babsi dreifach wiederholt hat, dass sie ihn unendlich liebt, hat der junge Mann, um den es geht, gar keine andere Wahl, als die Beine in die Hand zu nehmen und zu rennen. Denn sonst ist Babsis nächster Schritt in Richtung Geschmackshölle ein selbstgedichtetes und mit bebender Stimme vorgetragenes Lied bei *Nur die Liebe zählt*.

Wenn es uns drängt, unsere Liebesbekenntnisse online zu stellen, kann dies auch der Wunsch nach Sicherheit und Verbindlichkeit sein. Wer sich heute nicht in der Kirche das Jawort gibt, weil er nicht an Gott glaubt oder sich (noch) nicht ehelich binden will, für den ist die Liebeserklärung auf YouTube ein Bekenntnis zu seinem Partner vor den Augen der Welt.

Seltsamerweise sind es eher Mädchen, die ihren Gefühlen auf diese Weise freien Lauf lassen. Unter der Überschrift »Nur für dich, mein Schatz« oder »Bitte geb' mir noch 'ne Chance« findet man lauter lustige oder grässliche Videobotschaften: Ganz vorne clippen und texten Userinnen wie SarahConnor14 oder MukkeStyleGurL. Und die Reaktionen der User auf ihre Bekenntnisse bleiben nicht aus.

»Boah«, heißt es beispielsweise dort als Reaktion auf einen zusammengeclippten Film über ein Liebespärchen, »ich wünsch euch beiden echt alles liebe ihr seit so süss ... ich könnt mia das video ohne ende anschaun und das lied hab ich mia auch schon runtergeladen ...«

Und eine eifrige Bewunderin des Videos schreibt: »Wooow ... so schöne video :) hoff iehr blibet für immer zämme :)«

Auf einem der Portale wird der Besitzerstolz eines Clip-Freundes überdeutlich: »Ich danke Gott das mir so ein wünder schönen engel geschickt hat ... Ich glaub Gott wollte angeben wo er dich erschaffen hat never lose you.« Hier verbindet sich falsch verstandene Religiosität mit grobem Schwachsinn.

Internet ist die neue Talkshow. Hier hat keiner Angst, sich lächerlich zu machen, es ist einfacher zu realisieren als ein Auftritt im Fernsehen, und es ist cool. Die Generation Doof bloggt und clippt, was das Zeug hält, und macht ihre Liebe öffentlich. Wenn alle Welt sich dafür interessiert, wer Paris gerade beglückt, dann soll sie auch erfahren, was in unserem Bett in Peine, Pattensen und Piesenhausen vor sich geht. Und da es bei einem Telefonat immer nur wenige Umstehende gibt, ist es sicherer und praktischer, sein Liebesleben übers Internet kundzutun – unverbindlich, kurzlebig, austauschbar. Die Generation Doof ist ihr eigener Held in ihrem eigenen Film. Und Filme brauchen Zuschauer.

Doch was ist jenseits der Leinwand aus den wahren Gefühlen geworden? Gibt es noch eine Chance für die Liebe?

»Ein Ring, sie zu knechten und ewig zu binden« – Von Hochzeiten, anderen Katastrophen und wahrer Liebe

Wäre die Welt wirklich schöner, wenn es keine Liebe gäbe? Wir glauben es nicht. Die Liebe mag uns zwar manchmal wie eine üble Erfindung erscheinen, trotzdem brauchen wir sie. Körperliche Zuwendung tut dem Immunsystem gut, und solange wir uns nicht wie in den USA zu einer sogenannten »Cuddle Party«, einer Kuschelparty, treffen, sind wir gezwungen, allein auf die Suche nach Streicheleinheiten zu gehen. Ein Partner kann da nicht schaden, doof hin oder her.

Machen wir uns nichts vor: Niemand ist zurechnungsfähig, wenn er frisch verliebt ist, ganz gleich, ob doof oder nicht. Was aber geschieht, wenn wir es mittels oder trotz unserer ungelenken Liebesbezeugungen auf einigen Umwegen doch noch geschafft haben, das Herz eines anderen Menschen zu gewinnen? Und was, wenn wir unser Loveboat in den Hafen der Ehe steuern und uns das Ding dann mit Vollgas gegen die Kaimauer knallt?

> *»Die Ehe ist ein Vertrag zum wechselseitigen und ausschließlichen Gebrauch der Geschlechtsteile zwischen Mann und Weib.«*
>
> Immanuel Kant

Apropos Ehe: Mit dem verbindlichsten aller Liebesschwüre hat die Generation Doof so ihre Probleme. Manchmal ist schon der vermeintliche Anfang des Glücks der Beginn einer Reise ins Nirgendwo. Vor dem Tor einer Kirche in Bergisch Gladbach hatten Freunde eines frisch verheirateten Paares ein Plakat mit der Aufschrift »Auf zur letzten Etappe« aufgehängt. Wir finden, hoffnungsfrohe Wünsche für eine gemeinsame Zukunft sehen anders aus. In solchen Fällen ist in Sachen Heiraten Skepsis angebracht.

Kaum zu glauben – nach dem Erlebnis im Biergarten und durchwachten Nächten in Internet-Partnerbörsen hat mein Kumpel Markus tatsächlich die Richtige gefunden. Alexa heißt sie, ist fünfundzwanzig Jahre alt, will eigentlich Model werden, arbeitet tagsüber bei Starbucks und tanzt nachts als Go-go-Girl in einer angesagten Disco. Dort hat Markus sie auch kennengelernt. Er wollte nach Hause, sie hatte Feierabend. Beide tranken ein Jever am Eingang. Sie sahen sich an, erkannten, dass sie die gleiche Biermarke bevorzugten, und es funkte. Das musste Schicksal sein. Die ganz große Liebe. Und das jetzt schon seit acht Monaten.

Ich stehe mit Markus auf der Treppe des alten Kölner Rathauses. Standesamtlicher Hochzeitstermin. Eigentlich ein perfekter Tag. Die Sonne scheint, stahlblauer Himmel, und auf dem Platz vor dem Rathaus hat sich schon eine kleine Menge von Verwandten und Schaulustigen versammelt, die gespannt auf den großen Moment warten. Wir warten auch. Schon seit einer Stunde. Auf Alexa.

Markus wird langsam nervös, und nach dem dritten Beruhigungspils bilden sich große Schweißtropfen auf seiner Stirn. Um die Gäste bei Laune zu halten, haben wir schon mal die ersten Flaschen Sekt freigegeben. Markus' Mutter ist beim vierten Glas und stimmt jetzt mit den anderen Wartenden den Karnevalsschlager *Poppe, Kaate, Danze, datt kannste* an. Frei übersetzt auf Hochdeutsch: »Poppen, Kartenspielen, Tanzen, das kannste.«

»Wann kommt die denn endlich?«, meint Markus und tritt nervös von einem Bein aufs andere.

»Keine Sorge, die ist bestimmt gleich da«, will ich ihn beruhigen, doch da blubbert plötzlich sein Handy – Markus hat den furzenden Fisch als Klingelton. Eine SMS.

Er schaut auf das Display, liest den Text und wird kreidebleich.

Ich reiße ihm das Handy aus der Hand. Die Nachricht stammt von Alexa: »Hej, du! Komme heute nicht. Habe Papa geschickt. Der erklärts dir. Machs gut. Lg Alex.«

Markus lehnt sich an meine Schulter und fängt an zu weinen. Unten auf dem Platz schmettern die Karnevalssänger »Die Karawane zieht weiter, der Sultan hat Durst«. Während mir allmählich der ganze Umfang der Katastrophe bewusst wird, kommt wie aufs Stichwort Alexas Vater die Treppe hochgestiefelt – in weißem Ripp-Shirt, verwaschener Jeans und mit offenem Hosenstall.

Er drückt Markus kurz an sich und versucht sich dann an einer Erklärung: »Jung, tut mir schrecklich leid. Aber du weiß ja, wie die Weiber sin. Kannste nix machen«, meint er in breitem Rheinländisch. »An den Kosten für heut beteilije isch misch. Is ja Ehrensache. Aber isch konnt die Alex auch nich umstimmen.« Er tätschelt Markus noch ein paarmal aufmunternd die Schulter, dann wendet er sich zum Gehen.

Auf der Treppe dreht er sich noch einmal kurz um. »Ach, was isch noch vergessen hatte. Die Alex is übrigens schwanger. Wir melden uns dann noch mal.«

Seitdem muss Markus jeden Monat eine Aufwandsentschädigung für seine Tochter entrichten und rät jedem zur Vorsicht, der aus Liebe eine Unterschrift leisten möchte. Kinderlosen geht es mitunter nicht besser. Dies konnte man beim ProSieben-Wedding-Planner Frank erleben, der für Uta und Andreas aus Berlin die Traumhochzeit ausrichten sollte, sie Friseurin, er Lagerist. Das Problem dieses Paares: Sie wollten ihren speckigen Köter im Standesamt dabeihaben, weil sie ihn wie ein Kind lieben, doch das Viech war nicht zugelassen. Moderator Frank Matthée gab alles, und so wurde es doch noch ein Traumtag.

Es gibt also Fälle, in denen die Feierlichkeit glattgeht, es ein Happyend gibt und das Paar in den siebten Flitterwochenhimmel entschwindet. Dann ist alles gepackt, die Gäste sind bewirtet und verabschiedet, und das junge Paar müsste sich eigentlich nur noch auf die gemeinsame Zukunft freuen. Doch stattdessen fühlen die beiden sich verpflichtet, alle auf dem Laufenden zu halten. Kaum an ihrem Flitterwochenziel, der Karibik, angekommen, ortet das Liebespaar mit sicherem Blick den Computer in der Lobby und schreibt allen Freundinnen und Freunden Rundmails.

In der ersten Mail erzählt Lisa stolz, dass sie zuvor eigens einen Verteiler namens »Hochzeitsgäste« angelegt hätte, um auch niemanden zu vergessen. Sie schreibt, dass sie gut angekommen seien, dass das Wetter super sei und so fort – drei DIN-A4-Seiten lang ist der Reisebericht und unendlich langweilig.

Warum haben die beiden nicht wenigstens eine erotische Geschichte über ihre Hochzeitsnacht verfasst? Oder saßen sie da auch am Computer? Hoffentlich nicht, denn eigentlich sollte man sich als frischvermähltes Paar auf dem herzförmigen Bett eines Hotels räkeln und von der schönen Landschaft und dem Computer in der Lobby frühestens am Abreisetag etwas sehen. Zwischendurch darf man höchstens eines oder zwei Eingeborenendörfer besichtigen, um danach gleich wieder in den Freuden des jungen Eheglücks zu schwelgen.

Warum hat die Generation Doof so große Probleme damit, einfach ganz gewöhnliche Liebesbeziehungen zu führen – sich verlieben, verloben, verheiraten, ohne die übrige Welt ständig über die eigene Befindlichkeit in Kenntnis zu setzen? Warum muss unsere Generation den Partner bei jeder Gelegenheit mit dem eigenen Ego oder der Kuschelmanie verprellen, oder gleich jedes paarungsfähige Subjekt bespringen, das die Straße kreuzt?

Der Unterschied zwischen uns und vorherigen Generationen ist der, dass wir Doofen nicht wie in früheren Zeiten auf eine große Lovestory aus sind, sondern dass wir die Problematisierungsstrategien von Fernsehserien wie *Gute Zeiten – Schlechte Zeiten* übernehmen. Unser Lebenspartner steht unter ständiger Beobachtung, wir nehmen jedes kleinste Detail unserer Beziehung unter die Lupe, in alles und jedes interpretieren wir etwas hinein. Das Drama regiert wie in den Fernsehserien: Die Lesbe aus dem ersten Stock, deren leukämiekranker Bruder gerade im Koma liegt, leidet Höllenqualen, weil sie sich in den Inhaber der Wäscherei verliebt hat, einen alleinerziehenden Vater. Quälende Therapiegespräche über ihre kaputte lesbische Langzeitbeziehung folgen. Nach der hemmungslosen Vereinigung mit dem Wäscher folgt die tränenreiche Versöhnung mit der Lebensgefährtin ... So kennen wir es aus dem Fernsehen, und genau das Gleiche erwarten wir von unserem eigenen Leben. Wir sind nicht glücklich ohne Drama – aber mit Drama auch nicht.

Die Fernsehserie schlägt den Film als Vorbild für reale Liebesfiguren. Wir übernehmen die Liebes- und Streitkultur aus Seifenopern, die das echte Leben nachahmen. Wirklichkeit und Fiktion vermischen sich schnell, und wir können bald nicht mehr zwischen Drehbuchdrama und wahrer Liebe unterscheiden. Warum wir uns überhaupt die Mühe machen sollten, uns auf jemand anderen einzulassen und mit ihm zusammenzuleben, vergessen wir dabei schnell:

»Fuck off!

Liebe? Mit 16 kann man noch dran glauben ...

der Rest: Bequemlichkeit.

Angst vorm alleine sein.

Beziehungen sind doch nur ein Alibi für Affären. Ohne Beziehung würde das rumficken und sich nach anderen umschauen doch gar keinen spass machen.

scheiss drauf.

und am ende weisst du immer:

du bist alleine.«

Guest, unregistered, auf liebeskummerpillen.de

So desillusioniert kann nur jemand sein, der die Liebe mit der groben Kelle serviert bekommen hat. Vielleicht hat dieser Forumsgast eine große Enttäuschung erlebt, vielleicht hat die Offenheit der Medien ihn den gesamten Spaß an der Liebe gekostet.

Wenn man sich die Bedingungen für die moderne Liebe und den Öffentlichkeitswahn ansieht, möchte man für sein Liebesleben am liebsten einen Privatkanal wählen. Doch wie wir nur zu gut wissen, läuft da nach 20:00 Uhr bloß noch unverbindlicher Sex. Wie finden wir zurück zu einem romantischen Liebesverständnis?

In der Liebe gibt es leider keine Pfandrückgabe. Jeder kennt das frustrierende Gefühl, das zurückbleibt, wenn eine Beziehung den Bach runtergeht: All das, was man mal investiert hat, verschwindet auf Nimmerwiedersehen im Lokus der Liebe.

Die Liebe ist jedoch wie so vieles ein großes Trial-and-Error-Verfahren. Bis man den Partner fürs Leben gefunden hat, muss man einige Nullnummern in Kauf nehmen. Wie es richtig geht, merkt man erst nach ein paar Anläufen. Aber wenn wir erst mal wissen, wo die Tücken liegen, können wir versuchen, sie zu vermeiden. Man ist ja nicht gezwungen, seine Zeit damit zu verschwenden, die Kosenamen seines Liebsten im Internet zu veröffentlichen.

Es liegt an uns. Wenn wir uns ein wenig verantwortlicher für unser Liebesleben und unseren Partner fühlen, dann wird er oder sie uns ebenfalls Respekt entgegenbringen.

Bisher hatte die Generation Doof jedoch ein Paradox für sich gepachtet: Wir wissen, es erträgt uns nur jemand, der uns wirklich liebt. Wenn wir diese Person gefunden haben, dann benehmen wir uns jedoch so, als wollten wir sie gleich wieder in die Flucht schlagen. Schön blöd, oder?

Anspruchshaltung, Egomanie und Ruppigkeit werden auf Dauer nirgendwo hinführen. Wir müssen unserem Partner gegenüber wieder mehr Mitgefühl zeigen. Mitgefühl heißt jedoch nicht, ihn oder sie zu einem unmündigen Kuscheltierchen zu erniedrigen. Wir müssen unser Gegenüber ernst nehmen, mit seinen Bedürfnissen, seinen Leidenschaften, seinem Wesen – auch wenn das unmodern klingen mag. Respekt ist beispielsweise einer der Grundsteine des Hip-Hop – wie Love, Unity, Peace und Toleranz – und daher gar nicht unmodern. Und seinen Partner zu respektieren ist eigentlich gar kein schlechter Gedanke, wenn auch die Medien mitspielen würden und diese Haltung statt Sensationslust und Schamlosigkeit mehr in den Vordergrund stellen würden.

Es bleibt die Frage nach dem richtigen Partner. »Vielleicht ist es auch alles scheißegal«, singt Annett Louisan, »und das Glück gibt's tausendmal und es endet immer gleich ...« Der Liedtext spricht dafür, dass man nicht unbedingt mit einer Person all das Übel dieser Welt aufarbeiten muss. Das Leben ist kurz, und man hat ja schließlich nicht ewig Zeit.

Was die Generation Doof allerdings übersieht: Ewig wieder von vorn anzufangen kostet unglaublich viel Zeit. Doofe Beziehungen sind vielleicht ein Grund für den Kindermangel in der heutigen Zeit. Die Beziehungsdauer ist einfach nicht lang genug fürs Kinderplanen und -bekommen. Lassen wir uns deshalb wieder richtig auf jemanden ein und lernen ihn oder sie kennen. Und wenn es nicht der oder die Richtige ist, dann sollten wir warten, anstatt das Glück zu erzwingen. Wir täten besser daran, eine Weile Single zu sein, um herauszufinden, was und wen wir wirklich wollen.

> *»Nur im Urlaub gibt es die ewige Liebe für vierzehn Tage.«* Uschi Glas

Wir selbst sind die Einzigen, die Verantwortung für unser Liebes- und Sexualverhalten übernehmen können, denn das tut sonst nicht mal unser Kondomhersteller. Die »anderen« sind unerheblich, egal ob sie uns einreden wollen, dass unsere Beziehung spießig ist oder dass wir uns wie der letzte Idiot aufführen, weil wir mit dem Handy Liebesbotschaften hin und her simsen, bis der Daumen brennt. Feste Bindung sucks? Unverbindlichkeit rules? Nur wir allein können entscheiden, wen und wie wir lieben.

Versuchen Sie, Ihre Angebetete oder Ihren Angebeteten mit Feinfühligkeit und geistiger Reife auf Ihre Seite zu ziehen: Sätze wie »Hey, du, isch, fikifiki?« können zwar größere Missverständnisse verhindern, machen sich aber beim Objekt der Begierde nicht so gut.

Wenn wir uns bei der Partnerwahl nicht allzu doof verhalten, ist das für uns persönlich ein kleiner, schmalziger Schritt ins Glück, aber ein großer Schritt für die nächste Generation. Denn Liebe und Sex sind hilfreich bei der Verbreitung der eigenen Gene. Mit dem richtigen Partner können wir auch endlich Kinder bekommen – und darauf hat Deutschland ja nur gewartet.

Also doch ein großes Happyend? Mitnichten.

Wenn die Blagen erst mal Sauerstoff geschnuppert haben, setzt der Ärger ja erst richtig ein. Dumme, die erziehen, sind schlimmer als Dumme, die gar keine Kinder kriegen. Und blöde Eltern, die ihr Handwerk nicht verstehen, gibt es in der Generation Doof leider mehr als genug.

KAPITEL 6

Erziehung – So leicht, dass sie sogar in Milch schwimmt

»Wenn man Frau von der Leyen hört, gewinnt man den Eindruck, dass der Bundesadler demnächst von einem Storch ersetzt werden soll.«

Guido Westerwelle

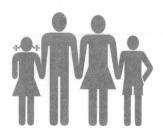

Er macht zwar einen recht ausgeglichenen Eindruck, aber Günther Jauch, Journalist, Schwiegermutter-Liebling und vierfacher Vater, hat seinen Eltern offenbar nicht nur Freude bereitet. »Ich war ein schwer erziehbares Kind, und es war keine witzige Zeit«, gestand er Maybrit Illner im ZDF.

Der clevere Moderator ist kein Einzelfall. Heute ist jedes Kind, das etwas auf sich hält, schwer erziehbar – vor allem sind es die Kinder der Generation Doof. In Schulen und Kindergärten wimmelt es nur so von kleinen Kotzbrocken, Konzentrationskatastrophen, Konsumkids und Krawallmachern.

Ein aufmüpfiges Kind ist kein Stein des Anstoßes mehr – im Gegenteil. Wer mit seinem Kind richtig Furore machen will, der sollte für das Balg ein Syndrom erfinden, über das sogar Fachartikel verfasst werden können.

Sie finden das albern? Von der Realität ist es leider nicht allzu weit entfernt. Neben einer Vielzahl von Syndromen wie ADS (Aufmerksamkeitsdefizitsyndrom) gibt es noch einen weiteren Grund dafür, dass Kinder verzogen, aufmüpfig oder nervig sind: ihre Eltern. Die sind uns ja aus der eigenen Kindheit noch bestens bekannt als Nervensägen, Besserwisser und Hüter des schlechten Geschmacks. Hätten sie allerdings zum Wohle der Menschheit und zum persönlichen Schutz vor Geschlechtskrankheiten stets auf Kondome zurückgegriffen, dann gäbe es uns nicht. Heute sind wir die Eltern – die Generation Doof. Wir stehen in der Pflicht und verwechseln dabei Erziehung nur allzu schnell mit Kinderverziehung.

Doch bevor man Eltern wird und jemanden erziehen kann, muss man das Erziehungsobjekt erst mal in die Welt setzen. Das scheint heute alles andere als einfach zu sein – und es hat nichts mit Geburtsschmerzen zu tun. Das Übel beginnt bereits vor der ersten Presswehe: Die Generation Doof konnte sich noch nie besonders gut entscheiden. Solider Ausbildungsberuf oder Studium? Und wenn Studium, dann welches Fach? Liebe oder Solistendasein? Kind oder lieber kinderlos? Letztere Entscheidung ist besonders heikel. Denn das Zeitfenster fürs Kinderkriegen ist zumindest beim weiblichen Teil der Bevölkerung vergleichsweise klein. Eine schnelle Entscheidung ist gefragt, sonst entscheidet die Biologie.

Viele scheinen sich davor zu scheuen, ein Kind zu bekommen, denn seit Mitte der neunziger Jahre gibt es in Deutschland deutlich mehr kinderlose Paare als Familien. Inzwischen entscheiden sich fast jeder vierte Mann und jede siebte Frau für ein Leben ohne Kinder.

Warum fällt uns die Entscheidung für ein Kind so schwer? Denn eigentlich liegen uns die kleinen Schreihälse doch allen am Herzen. Vielen Frauen treten Tränen in die Augen, wenn sie im Fernsehen eine Werbung für Windeln sehen. Sie feiern zwar nicht den »Tag der Familie« am 15. Mai, nehmen ihn aber durchaus zur Kenntnis. Und wie oft sieht man in der Straßenbahn jemanden mit dem Baby schäkern, das die Frau gegenüber auf dem Schoß hält? Geradezu reflexartig wandert unser Blick in den Kinderwagen, der am Nachbartisch im Café steht. Und selbst hartgesottene Staatsanwältinnen verspüren ein eigenartiges Ziehen im Herzen, wenn sie an einem Geschäft für Babymoden vorbeikommen. Doch wenn es darum geht, sich für ein Kind zu entscheiden und sein Leben darauf einzustellen, dann fallen uns tausend gute Gründe ein, warum es gerade jetzt nicht geht. Wir wollen nicht akzeptieren, dass es den perfekten Moment zum Kinderkriegen einfach nicht gibt – und warten oft vergeblich auf ihn.

Kinder sind dank Aufklärung, Pille und Pariser für uns eine bewusste Entscheidung. Doch ein Grundproblem der Generation Doof ist, dass wir uns nicht entscheiden können. Wir wollen einfach nicht erwachsen werden.

> *»Ich will fünf Kinder! Und ich hätte so gern eine Familie. Aber ich kann mich nicht entscheiden.«*
> Claudia Rusch

Unser Zögern hat einen Grund: Wir sind es gewohnt, nur unter den richtigen Vorzeichen ein echtes Wagnis einzugehen. Anders als unsere Eltern mussten wir in unserer Kindheit keine Entbehrungen ertragen; Mama und Papa räumten immer alle Steine für uns aus dem Weg. Jetzt müssen wir den Laden selber schmeißen und unsere Probleme selbst lösen, was uns ziemlich viel Zeit kostet und mühevoll ist. Wie soll man sich zwischen Haushalt, Beruf, Partnerschaft und Power-Yoga-Kurs noch um ein Kind kümmern?

Die Blagen sorgen darüber hinaus dafür, dass wir selbst nicht mehr im Mittelpunkt stehen. Aber warum sollten wir freiwillig mit jemandem zusammenleben, der uns nicht nur die Haare vom Kopf frisst, sondern darüber hinaus auch noch die Show stiehlt? Kein Wunder, dass uns die Entscheidung für ein Kind schwerer fällt als die für den richtigen Job, den passenden Partner oder das geeignete Shampoo. Die Generation Doof mag es unverbindlich und bequem und ist daher nicht gut als Nachwuchsproduzent geeignet.

Gute Gründe sind nicht von schlechten Eltern – Die besten Ausreden für Kinderlose

Ist es wirklich wahr, dass wir keine Kinder wollen und Familie spießig finden? Bisweilen kommt es einem so vor, als ob die Kinderlosigkeit und die demografische Entwicklung die Erfindung irgendeines weltfremden Statistikers wären, der ein bisschen zu tief ins Glas geschaut hat. Ein geburtenschwacher Jahrgang soll den nächsten jagen? Kaum zu glauben, wenn man am Prenzlauer Berg in einem Café sitzt, wo einem die Blagen um die Beine wuseln. Wenn so ein putziger kleiner Schreihals einem die Fingerchen entgegenstreckt, die gerade noch den Inhalt der eigenen Windel erforscht haben, möchte man statt Bewunderungsrufe auszustoßen lieber Ferien auf Sagrotan machen. Mitunter würde man sogar am liebsten eine Petition für die Kinderlosigkeit der deutschen Akademikerinnen unterschreiben, die am Nebentisch gerade über die Erfahrungen aus dem PEKiP-Kurs sprechen und darüber, dass Kinderkriegen zwar auch eine Verantwortung gegenüber der Gesellschaft ist, aber vor allem sooo erfüllend.

> *»Das Angenehme an den Kindern von Verwandten ist, dass sie am Schluss nach Hause gehen.«*
> Cliff Richard

Doch die Statistik hat recht, und die eigene Wahrnehmung trügt. Mütterballungsgebiete wie die Stillcafés am Prenzlberg und anderswo sind nicht repräsentativ für den Rest der Republik. Sie zeigen nur, dass bestimmte Bevölkerungsgruppen keine Hemmungen mehr haben, mit ihrem Nachwuchs am öffentlichen Leben teilzunehmen.

Das Bundesinstitut für Bevölkerungsforschung ermittelte in der Studie *Kinderwünsche in Deutschland. Konsequenzen für eine nachhaltige Familienpolitik*, dass die Deutschen im Vergleich zu anderen

Europäern den geringsten Kinderwunsch haben. Anders als Frauen aus Polen und Finnland, die im Schnitt mehr als zwei Kinder möchten, pendelt sich der Kinderwunsch der deutschen Frauen zurzeit bei einem Mittelwert von 1,75 Kindern ein. Männer wollen sogar noch weniger Kinder. Das Hamburger Institut für Freizeitforschung fand heraus, dass immer weniger junge Männer eine Familie gründen und Verantwortung übernehmen wollen.

»Bildung macht frei«   Graffito

Ingrid Hamm, die Geschäftsführerin der Robert-Bosch-Stiftung, nennt im Vorwort der Studie noch einen anderen Grund für die lasche Lust auf Nachwuchs der gebär- und zeugungsfähigen Menschen in Deutschland: Nicht nur die sozialen und politischen Rahmenbedingungen seien alles andere als ideal. Vor allem schränkten Kinder den persönlichen Spielraum ein, und dies sei vor allem für die befragten Frauen ein Grund gewesen, sich gegen Nachwuchs zu entscheiden. Die Zauderer möchten also nicht auf den gemütlichen Sonntagmorgen und die Karriere im Marketing verzichten. Sie wollen ihr sauer verdientes Geld nicht in Babygläschen und Babykindersitze stecken, sondern lieber in ein seidiges Babydoll und den neuen Baby-Cayenne aus Zuffenhausen.

Wir wollen Spaß, keine Herdprämie. Und wir wollen ihn uns nicht durch die Fürsorgepflicht für einen kleinen Schreihals verderben.

Bevor man also seinem mühsam und schmerzvoll in die Welt gepressten Kind einen so pompösen neudeutschen Namen verpassen kann wie Lorraine Chantal Meierdirks oder Tyrone Wesley Schmidt, muss man sich erst mal dazu durchringen, die eigenen Ansprüche aufzugeben.

> *»Ich hab zwei kleine Kinder zu Hause,*
> *das ist für mich Unterhaltung pur!*
> *Das geht beim Frühstück los und hört auf,*
> *wenn sie ins Bett gehen.«* Franz Beckenbauer

Eine schwere Entscheidung, denn zwischen dem Moment, an dem das erste richtige Gehalt auf dem Konto eingeht, und dem letzten Tick-Tack unserer biologischen Uhr liegt leider nicht allzu viel Zeit. Nach dem Studium oder der Ausbildung wollen erst mal eine Reihe unbezahlter und nach sechs Wochen ins Unendliche verlängerte Praktika absolviert werden, und das erste Gehalt von etwa 1200 Euro netto verdient diesen Namen nicht – es ist nicht viel mehr als eine magere Aufwandsentschädigung. Das Taschengeld, das uns der Arbeitgeber zahlt, ist jedenfalls kein gutes Argument, um eine kinderreiche Familie zu gründen – vor allem, wenn man erst mal eine Weile in dem Beruf arbeiten möchte, den man erlernt hat. »Keiner hat die Generation Praktikum darauf vorbereitet, dass es für sie auch mit zwei Einkommen nicht für Kinder reicht«, so die Chefin der Zeitschrift *Eltern* im Gespräch mit der *Süddeutschen Zeitung.*

Wir brauchen unser Geld selbst. Sind wir deshalb alle Egoisten? Oder sind unsere Ansprüche einfach zu hoch? So oder so, es gibt genügend Gründe dafür, lieber kein Kind in die Welt zu setzen:

Acht gute Gründe gegen Kinder (falls es eines Tages gerecht geregelte Elternzeiten und kostenlose Kitaplätze geben sollte):

1. Kindheiten sind immer verkorkst. Bevor Sie nicht ein erkleckliches Sümmchen für den späteren Psychotherapeuten angespart haben, können Sie natürlich auch kein Kind in die Welt setzen.

2. Ein sehr guter Grund ist natürlich die Klimakatastrophe. Wirbelstürme, Flutkatastrophen, Hagelschlag: Schon bald wird es nicht mehr möglich sein, sich mit Freundinnen und deren Kindern auf ein gemütliches Schwätzchen im Park zu treffen.

3. Wenn Ihr Kind in die Pubertät käme, kommt Ihr Partner gerade in die Midlife-Crisis. Irgendwann wollen Sie doch auch mal Zeit für sich haben.

4. Die Gentechnik ist noch nicht so weit, um Ihrem Kind auf dem schrumpfenden Arbeitsmarkt einen echten Vorsprung zu verschaffen.

5. Verweisen Sie auf das Patenkind in Afrika, dem Sie Ihre gesamte Freizeit opfern. Für solche Patenkinder spricht außerdem, dass sie steuerlich voll absetzbar sind.

6. Sie haben ein echtes Platzproblem: Wo sollen Ihr Diätplan und die Einkaufsliste hin, wenn an der Kühlschranktür lauter selbst gemalte Bilder hängen?

7. Sie haben bereits zwei Babys in *Second Life*. Daher müssen Sie jetzt dringend wieder zurück in Ihre virtuelle Existenz.

8. Sie hatten eine schwere Kindheit (ein Totschlagargument) und müssen erst ausgiebig Ihre Pubertät nachholen.

Egal, welcher Grund nun tatsächlich für die niedrige Geburtenrate in Deutschland verantwortlich ist – man sollte sich tunlichst von seinen diesbezüglichen Vorurteilen verabschieden. Es stimmt nämlich nicht, dass der Kinderwunsch bei Mantafahrerbräuten überdurchschnittlich stark ausgeprägt ist und dass Akademikerinnen sich weniger nach Kindern sehnen als andere Frauen.

Bei Akademikerinnen tritt der Kinderwunsch in vielen Fällen lediglich später auf als bei anderen Frauen. Viele Studien lassen außer Acht, dass die fünfundzwanzigjährige Studentin, die man befragt, noch über zehn Jahre Zeit hat, sich für oder gegen Nachwuchs zu entscheiden. Ob sie sich ihren Kinderwunsch später zwischen dreißig und vierzig erfüllt, darüber geben die meisten Studien keinen Aufschluss. Erst das *Sozio-oekonomische Panel* (SOEP), eine wissenschaftliche Untersuchung, die von Bund und Ländern finanziert wird, befragte dieselben Personen mehrmals über einen bestimmten Zeitraum hinweg und berücksichtigte so Entwicklungen in deren Lebenslauf. Das SOEP kommt zu folgendem Schluss: Weniger als dreißig Prozent der Uni-Absolventinnen bleiben wirklich kinderlos, viele von ihnen bekommen ihre Kinder jedoch erst recht spät – mit Ende dreißig.

Wahrscheinlich wägen die Ex-Studentinnen nicht nur länger ab, ob es der richtige Zeitpunkt ist, sondern auch, ob sie den richtigen Mann gefunden haben. Sie kämpfen mit ihrer Unentschiedenheit so lange, bis sie eingesehen haben, dass es das Brad-

Pitt-Körperdouble mit dem Intellekt von Michel Foucault in ihrer näheren Umgebung nicht gibt. Bevor Frau Doktor vierzig wird, muss eine praktische Lösung her: Besser ein langweiliger Partner mit bildungsbürgerlichem Hintergrund, Plauze und Geheimratsecken zum Kinderzeugen als gar keiner.

Aber auch bei den Männern der Generation Doof liegt einiges im Argen. Von ihnen ist in den Studien selten die Rede, obwohl sie immerhin zur Hälfte am Zeugungsvorgang beteiligt sind.

Man kann es drehen, wie man will, aber Y-Chromosomen-Träger haben einfach länger als ihre weiblichen Gegenstücke die Möglichkeit »Hm. Jetzt noch nicht« zu sagen, wenn es ums Zeugen geht. Die *Brigitte*-Redakteurin Maike Dinklake stellt in ihrem Buch *Der Zeugungsstreik* den Typ Verweigerer vor, der die drohende Frage aus verschiedenen Gründen so lange aufschiebt, bis die Uhr der Partnerin schon lange nicht mehr tickt. Dann heißt es entweder: jüngere Frau, oder: kinderlos bis ans Ende. Zeugungsverweigerer können oder wollen sich nicht für Nachwuchs entscheiden, weil sie zu lahm sind, weil sie ihre Freiheit und ihren Spaß nicht aufgeben wollen, weil sie kein positives Bild von Familie haben. Was auch immer der Grund ist: Mit solchen Männern ist nicht gut Kinderkriegen.

Fünf Männertypen, von denen man unter keinen Umständen schwanger werden sollte:

Das Spielkind: Er will selbst versorgt werden und braucht von seiner Frau entsprechenden Zuspruch. Dieser Mann beschäftigt sich vorzugsweise mit sich selbst und wird nie lernen, wie man Fläschchen gibt, weil er selbst eine Flasche ist.

Der Spätzeuger: Er verschiebt Kinder gern auf einen späteren Zeitpunkt – nämlich bis zur nächsten Frau. Wenn Sie das merken, haben Sie ihm bereits Ihre zehn fruchtbarsten Jahre geopfert.

Der Geizhals: Von ihm sollten Sie sich fernhalten. Sobald er erfährt, dass Sie schwanger sind, erstellt er Ihnen erst mal einen Fünfjahresplan, wie Sie das durch Ihren Arbeitsausfall verlorene Geld wieder reinholen.

Der Wankelmütige: Ein Kind? Das findet er im ersten Moment dufte. Doch dann packen diesen Kerl die Zweifel. Lassen Sie sich nicht einschüchtern. Als Schwangere haben nur Sie selbst ein Anrecht auf abrupte Stimmungsschwankungen, Heulkrämpfe und unlogische Argumentationsketten.

Das Arbeitstier: Falls Sie Ihre Kinder allein großziehen wollen, dann ist er Ihr Mann! Wenn Sie einen Partner suchen, den Sie erst in den Rentenjahren richtig kennenlernen werden, und der die Namen Ihrer zwei Kinder regelmäßig verwechselt (selbst wenn es sich dabei um Tochter und Sohn handelt), dann – und nur dann! – sollten Sie sich diesen Mann angeln.

Bei den Frauen sieht es auch nicht viel besser aus. Schwarze Mutterschafe gibt es überall.

Fünf Frauentypen, auf deren Bauch man nicht zählen kann:

Die Mamma: Sie kocht gut. Sie putzt hervorragend. Sie ist die perfekte Hausfrau – genau wie Ihre Mutter. Aber will man wirklich mit seiner Mutter Kinder haben?

Die Unentschiedene: Sie kann nichts allein entscheiden. Das wäre ja noch zu ertragen, wenn sie *Sie* um Rat fragen würde. Aber wenn ein Problem auftritt, ruft sie immer ihre Mutter an – oder ihre beste Freundin aka »Die größte Nervensäge des Jahrhunderts«.

Das Betthupferl: Na, wo haben Sie sich dieses Häschen denn aufgerissen? Sie kann ja nicht mal alleine aufs Klo gehen, weil sie dann nicht weiß, wo sie beim Pinkeln ihre Handtasche hinstellen soll. Diese Frau ist für den Job als Mutter ungefähr so geeignet wie Paris Hilton als Eheberaterin.

Die Beautyqueen: Bevor diese Frau sich mit einem Baby die Figur ruiniert, friert die Wüste zu. Also begraben Sie Ihre Träume vom gemeinsamen Wunschkind.

Die Powerfrau: Wenn etwas in ihrem Bett brummt, ist es ihr BlackBerry. Sex allein ist schon schwierig im Terminkalender unterzubringen, aber mit dieser Frau Kinder zu bekommen, heißt, sich auf ein Dasein als alleinerziehender Vater einzustellen. Denn sie würde selbst aus dem Wechseln der Pampers eine Windel-Windel-Situation machen.

Wenn es uns schließlich doch gelungen ist, die Reproduktion mit einem Partner zu vereinbaren, kommt der Nachwuchs nicht mit dem Storch angerauscht – nein, man muss sich erst noch zum ernst gemeinten Zeugungsakt ohne Weichteilschutz durchringen.

War die Fusion wider Erwarten erfolgreich, dann hat die Generation Doof trotzdem Probleme, sich mit der Elternrolle abzufinden. Der Ernst des Lebens geht uns ab, und so wollen wir auch in der Kindererziehung stets Spaß haben. Wir wollen viel lieber die Freunde unserer Kinder sein anstatt spießige Mütter und Väter. Denn wir wissen: Freunde dürfen auch mal was falsch machen. Und sie werden gemocht. »Freunde« klingt nach Spaß, nicht nach anstrengender Erziehung. Wir möchten keinesfalls die Bestimmer sein.

Wenn das Küken erst mal geschlüpft ist, fangen die Probleme für die Generation Doof deswegen erst richtig an. Gut, wir haben uns zu einer Entscheidung durchringen können, oder sie ist uns durch ein dummes Missgeschick abgenommen worden. Im besten Fall wollten wir das Kind, und jetzt haben wir eins. Aber was nun? Es erwartet doch wohl keiner von uns, dass wir die kleinen Nervensägen auch noch eigenhändig erziehen. Oder etwa doch? Nur dumm, dass wir davon keinen blassen Schimmer haben. Unsere Eltern oder Großeltern, die uns mit Rat und Tat zur Seite stehen könnten, haben entweder gerade entdeckt, wie schön es sein kann, dass keiner mehr Ansprüche an einen stellt, oder sie wohnen Hunderte von Kilometern weit weg. Also müssen wir mit den jaulenden Kleinen allein fertig werden.

Absolute Bestimmer –
Kinderverziehung aus Bequemlichkeit

Kinder kommen leider ohne Gebrauchsanweisung auf die Welt und können ganz schön anstrengend sein. Da ist es für uns Doofe bequemer, jedem Wunsch nachzugeben oder die Verantwortung für die Erziehung abzuschieben.

Denn obwohl wir auf unseren Nachwuchs – der uns ja so ähnlich sieht – gebührend stolz sind, kommt einem früher oder später der Tinnitus in die Quere. Die lieben Kleinen, die gerade noch so hübsch anzusehen waren, erzeugen nämlich bei ihrer Selbstentfaltung den Lärmpegel eines Airbus A-380. Und ähnlich wie der A-380 kommt auch ein Kind nicht ohne Wartung und liebevolle Pflege aus. Eltern der Generation Doof scheinen jedoch auf den Autopiloten zu vertrauen. Vielleicht hatten Mutti und Vati bei der Konstruktion des kleinen Marlon oder der süßen Sophie-Cheyenne mehr Spaß als die Ingenieure des Airbus. Und sie mussten im Gegensatz zu diesen auch nur neun Monate auf die Lieferung warten. Doch was die Instandhaltung betrifft, sind Kinder genauso aufwändig wie Flugzeuge.

Würde einer der Ingenieure seinen kleinen A-380 übers Rollfeld toben lassen, wie er wollte? Natürlich nicht. Trotzdem nehmen Eltern heute nur selten den Steuerknüppel fest in die Hand und nötigen ihren Sprösslingen den eigenen Willen auf. Der Grund dafür ist entweder Bequemlichkeit, falsch verstandene Toleranz oder Hilflosigkeit. Mami ist beispielsweise gerade zu sehr ins Gespräch mit ihrer Freundin vertieft, als dass sie das Geschrei ihrer Tochter unterbrechen könnte, die gerade mit vollem Körpereinsatz die Überraschungseier im Supermarkt zerdeppert.

Vielleicht hat die schlechte Erziehung auch damit zu tun, dass die Eltern der Generation Doof keine Lizenz zum Erziehen besitzen, die sie dazu befähigt, ihren kleinen Airbus auch zu steuern. In Deutschland muss man zwar für so ziemlich alles einen Befähigungsschein nachweisen – nur einen Elternführerschein muss niemand vorlegen. Immer öfter werden daher in den Medien Rufe nach Elternkursen oder Erziehungshilfen laut.

Aber vielleicht wäre es gar nicht gut, wenn jemand unser Wissen in diesem Bereich testen würde. Die meisten Eltern der Generation Doof würden wahrscheinlich durch die Prüfung rasseln. Aus Zeitmangel sind wir immer weniger bereit, dem Nachwuchs konsequent Manieren beizubringen, denn das ist anstrengend und erfordert eine ganze Menge Spucke, Schweiß und Nerven. Dabei könnte man den Bewegungsdrang der nervigen Kleinen schon mit ein paar einfachen Tricks zum Erliegen bringen. In hartnäckigen Fällen helfen die Ratschläge einer Hundeerziehungsseite im Internet.

Bei bissigen Kindern bitte beachten:

Wer ein Kind hat, muss es auch erziehen. Das heißt nicht, dass das Kind tolle Kunststücke lernen soll. Viel wichtiger sind die Regeln des täglichen Zusammenlebens.

Diese Regeln sollten Sie einmal aufstellen und sich konsequent daran halten, zum Beispiel:

- Das Kind darf keine Leute anspringen
- Das Kind darf nicht in die Küche
- Das Kind darf nicht ins Schlafzimmer
- Bei Tisch wird nicht gebettelt
- Es wird nicht in Mülleimern gewühlt
- Das Sofa ist tabu

Es ist nicht besonders schwer, dem Kind diese und andere Alltagsregeln beizubringen, solange Sie konsequent sind.

Das hört sich einfach an, doch meist haben wir Eltern der Generation Doof gleich einen Vorwand parat, wenn wir unsere Kinder nicht ermahnen. Sandra Pustet, dreiunddreißig Jahre, eine überlastete Vollzeitmutter aus Bremen, erklärt, warum sie Carlotta, vier

Jahre, die klaren Vorzüge des Stillsitzens und Mundhaltens nicht nahebringt: »Die anderen sagen ihren Kindern doch auch nicht, dass sie das lassen sollen. Warum sollte Carlotta denn schlechter dran sein als die?«

Dieses Argument stinkt, denn es ist so alt wie ein guter französischer Käse. Und auch die Antwort hat einen Bart. Sie lautet: »Und wenn alle von einer Klippe springen, springst du dann hinterher?«

Sandra ist eine der Mütter, die bald an einem Burn-out-Syndrom leiden werden, weil das Kindererziehen so nervenaufreibend ist. Sie und ihre Schwestern im Geiste sind im Regionalverkehr der Bahn unterwegs und kosten kinderlose Mitreisende den letzten Nerv:

Ein sonniger Nachmittag in den Zügen des Verkehrsverbunds Rhein-Sieg. Die Menschen fahren nach getaner Arbeit nach Hause. Alles ist wunderbar, alles ist schön. Alles? Nein. Ein kleiner Teil des Waggons hat sich abgesondert und bietet der Stille und Gemütlichkeit Paroli. Zwei Kinder jagen sich kreischend durch das Abteil. Die dazugehörigen Mütter verharren abgeschlafft auf der gepolsterten Sitzbank.

Mutti Nummer eins hebt die Schultern und sagt seufzend zu Mutti Nummer zwei: »Also, ich weiß echt nicht mehr, was ich jetzt noch machen soll.«

Die andere nickt verständig und seufzt ebenfalls leidend. »Ja, was soll man auch tun? Die machen ja doch, was sie wollen.«

Die Kinder rennen derweil weiter durch das Abteil. Keine der Mütter unternimmt den Versuch, das zu verhindern.

»Na ja«, sagt die erste nach einer Weile, »wir müssen dann die nächste raus.«

Darauf die andere: »Okay, dann noch mal viel Glück.«

Viel Glück?! Was hat Erziehung mit Glück zu tun? Was diesen beiden Müttern fehlt, sind Nerven: Sie haben keinen Nerv, und zwar im Sinne von »keine Lust« auf Erziehung. Anstatt sich mal zusammenzureißen und mit einem Ratgeber für moderne Kinderhaltung statt mit dem genervten Ehegatten ins Bett zu gehen, wählen sie den Weg des geringsten Widerstands.

So wächst eine Generation von Orientierungslosen und verzogenen Einzelkindern mit unsäglichen Ansprüchen und unaussprechlichen Syndromen heran. Nicht grundlos stand Bernhard Buebs Buch *Lob der Disziplin* wochenlang auf der Bestsellerliste, denn es bot eine Orientierungshilfe, die uns sonst fehlt. Der ehemalige Leiter der renommierten Internatsschule Schloss Salem stellt in seinem Essay über den Schliff, den uns Erziehung verpassen sollte, fest: Es ist die Spaßgesellschaft, die einen Teil der Probleme verursacht. Bueb moniert die narzisstische Anspruchshaltung vieler Kinder und Jugendlicher. Diese seien nicht bereit, sich anzustrengen, hätten nur Sinn für das eigene Vergnügen und besäßen eine unstillbare Gier nach Konsumgütern. Dasselbe lässt sich allerdings auch über die Eltern sagen, die der Generation Doof entstammen. Denn nicht die Kinder sind das Problem, sondern wir, die wir Einfluss auf sie nehmen und sie prägen.

»Es gibt kein problematisches Kind, es gibt nur problematische Eltern«, sagte schon der britische Pädagoge A. S. Neill. Er hatte recht: Wenn Eltern in einer Umfrage des Gewis-Instituts vermuten, dass die Medien an vielem schuld seien, bleibt die Frage offen, wer denn das Computerchen gekauft und die Playstation angeschleppt hat? Jedes zweite Kind darf fernsehen und Videospiele spielen, wann und so lange es will.

Nach dem Modell eines beliebten Werbespots könnte eine typische Konversation zwischen Vater und Tochter dann folgendermaßen ablaufen:

Kind: »Ich kenn da ein Mädchen aus meiner Klasse. Und der Vater von der, der hat eine Playstation und ganz viele Ballerspiele!«
Papa: »Das sind doch Gewalttäter.«
Kind: »Und Bernd hat ein Spiel mit einem ganz coolen MG, damit kann man um sich ballern, wie man will!«
Papa: »Gewalttäter.«
Kind: »Papa, wenn ich groß bin, dann will ich auch mal Gewalttäter werden.«

Ohne die hypnotische Wirkung von Film und Fernsehen kommen uns unsere Kinder oft arg anstrengend vor. Woran auch immer es liegt – deutsche Eltern fühlen sich durch die Geburt eines Kindes stärker überfordert als Eltern in anderen Ländern. Kein Wunder, dass aus kleinen Nervensägen schließlich große werden.

Natürlich darf man als Mutter oder Vater auch mal die Faxen dicke haben und die Füße hochlegen. Aber die Generation Doof treibt es auf die Spitze. Wir könnten ja wenigstens ein gesundes Interesse für den eigenen Wurf aufbringen. Schließlich sind es die Menschen von morgen, die hier nicht erzogen werden.

STEFAN ERZÄHLT:

Letzten Sommer in einem Park, gleich bei mir um die Ecke: Ich sitze auf der Bank und lese ein Jerry-Cotton-Heftchen. Nach kurzer Zeit nimmt auf der Bank gegenüber eine junge Mutter mit einem Dreijährigen Platz. Zunächst nehme ich das gar nicht richtig wahr, denn die Mutter schält für ihr Kind einen Apfel. Dann jedoch beginnt sie mit einer Freundin zu telefonieren. Bei dem kleinen Kind ist große Langeweile angesagt. Der Junge kommt zu mir herüber und klettert auf die Bank.

In der folgenden halben Stunde habe ich viel damit zu tun, den Kleinen von meiner Tasche, meinem Heft und meinen Ohrmuscheln und Haaren fernzuhalten. Ich bin eigentlich kein Kinderfeind, aber nach einer Weile habe ich keine Lust mehr, mich von dem Stöpsel belästigen zu lassen.

Schließlich klappe ich das Heftchen zu und stehe auf.

Die Mutter schaut herüber und erwacht aus ihrer Telefon-Trance. »Ach, nervt er Sie schon?«

Um den Nachwuchs ruhigzustellen, wird bei Quengelsüßigkeiten und Quengel-Nintendo-DS eher mal nachgegeben: Mein Kind ist doch so süß! Das bisschen Verwöhnen schadet doch nicht.

Wie soll allerdings unsere Zukunft aussehen, wenn alle Kinder ständig im Mittelpunkt stehen und zu kleinen Konsummonstern erzogen werden?

Jeden Wunsch sofort zu erfüllen ist auf die Dauer schadhaft. »Verwöhnen ist immer eine primitive Lösung«, warnte der Psychoanalytiker Wolfgang Schmidbauer im SPIEGEL. Letztendlich ist es nur für uns als Eltern eine bequeme Lösung. Für die Kinder führt es zur Gewöhnung an die Befriedigung durch sofortigen Konsum oder sofortige Zuwendung. Später, als Erwachsene, werden sie nicht damit klarkommen, wenn etwas nicht gleich ihren Wünschen entspricht. Frust wird einsetzen, wenn der verpäppelte Nachwuchs den Ernst des Lebens kennenlernt.

Der niedliche kleine Leon Tyler, der sich heute heulend im Laden auf den Boden schmeißt, weil er sein Videospiel nicht bekommt, geht morgen für Sonntagsshopping auf die Straße und weigert sich, für das lächerliche Anfangsgehalt zu arbeiten, das vorne und hinten nicht ausreicht, um davon ein Auto und eine Penthousewohnung zu finanzieren. Schon in der Schule konnte er sich nicht an den strengen Unterricht gewöhnen und fehlte häufig, weil er die Auffassung vertrat, dass er sich niemandem unterzuordnen habe und dass seine Lehrer keine besonders guten Unterhalter seien. Ob er überhaupt mal einen Job bekommt?

Die süße kleine Fabienne-Chantal, die es gewohnt ist, stets ihren Willen durchzusetzen, wird sich in zehn Jahren vor einem inzwischen zahnlosen Dieter Bohlen lächerlich machen, weil sie bei *Deutschland sucht den Superstar – Das Revival* mit dem Song *Ich hab die Haare schön, Old-Hippie-at-the-Fireplace-Mix* nicht in den Recall gekommen ist. Warum hätte sie sich in ihrer Ausbildung als Bürokauffrau auch anstrengen sollen? Schließlich muss nur jemand das Starpotenzial entdecken, das sie zweifelsohne besitzt! Sie glaubt an sich. Das ist gut. Aber vielleicht sollte sie wenigstens mal ein paar Stunden Gesangsunterricht nehmen.

Wenn wir unsere Kinder durch Verwöhnen zu Egozentrikern und Wichtigtuern erziehen, kommt der Bumerang irgendwann zurück. Eine neue Generation wächst heran, die alles will, aber nichts kann, und, ohne es zu wissen, nach Nietzsches Prinzip »Licht wird alles, was ich fasse« agiert.

Es würde nicht schaden, den Stumpen ein wenig mehr Bescheidenheit und Lebenstüchtigkeit mit auf den Weg zu geben. Doch ähnlich wie beim zwanglos-antiautoritären Erziehungsstil der blumigen Siebziger lassen wir die Kinder ihre Welt heutzutage weitgehend selbst gestalten. Dies hat jedoch nichts mit der liberalen Geisteshaltung zu tun, die wir uns so gerne andichten. Wir haben nur keine Lust, vernünftig zu sein und Verantwortung zu übernehmen. Wie würde das auch ins Konzept einer Generation passen, die von sich selbst sagt: »Ich will doch nur spielen«? Die anstrengende Arbeit am Kind überlassen wir lieber jemand anderem, am besten den vermeintlichen Experten auf diesem Gebiet.

Wer will noch mal, wer hat noch nicht? Wie die Verantwortung für die Erziehung abgeschoben wird

Mit Erziehungsautoritäten hat die Generation Doof ihre Probleme. Denn irgendwie haben die uns schon in der eigenen Jugend genug genervt. Es ist ein bisschen wie mit der Kirche: Eigentlich glauben wir nicht an den ganzen Krempel oder sind nur Hobby-Gläubige, die lediglich wegen der Hochzeit in Weiß und der Geschenkeflut an christlichen Feiertagen noch in der Kirche sind. Wenn uns jedoch etwas Schlimmes widerfährt und der Beistand einer höheren Macht gefragt ist, fangen wir plötzlich an zu beten wie wild.

So geht es uns auch mit Erziehungsprofis, über die wir gerne lästern, deren Hilfe wir aber einfordern, sobald es brenzlig wird und wir selbst nicht weiterkommen. Dann besinnen wir uns plötzlich auf Sprichwörter wie das aus Afrika stammende: »Für die Erziehung eines einzigen Kindes braucht es ein ganzes Dorf.« Das heißt ins Doofe übersetzt: Soll sich doch das Dorf um meine Blagen kümmern, ich komm nicht mehr klar.

Ein Beispiel dafür ist *Das Lehrerhasser-Buch*. Die Bekenntnisse einer leidgeprüften Mutter, der Journalistin Gerlinde Unverzagt, trafen die richtige Leserschaft zur richtigen Zeit. Die Generation Doof sprach darauf an wie ein Geigerzähler auf radioaktives Material. Wussten wir's doch schon immer, dass unsere Kinder überall ungerecht behandelt werden, vor allem in Kita und Schule! Es ist schon seltsam, dass eine ganze Eltern-Nation gerade auf jener Spezies rumhackt, die sich maßgeblich um die Aufzucht ihrer Lendenfrüchte kümmert.

Kindergärten und Schulen sind heute nämlich häufig die letzten Bastionen von Benimm, Anstand und Wertvorstellungen. Was in den Familien versäumt wird, kann oft nur hier nachgeholt werden. Vollkommen fair, finden die Eltern der Generation Doof, denn schließlich werden die Lehrer und Erzieher ja genau für diesen Job bezahlt.

Wenn also bei Grubes zu Hause abends mit den Fingern Pizza vor dem Fernseher gegessen wird, dann hat die Kindergärtnerin am nächsten Tag allerhand zu tun. Sie muss Nicole-Claire erst mal beibringen, dass man sich bei einem gemeinsamen Mittagessen mit den anderen Kindern an einem großen viereckigen Brett mit vier Beinen, auch Tisch genannt, versammelt. Klein-Cedrik versteht derweil die Funktionsweise eines Stuhls nicht so ganz, Chiara-Anna erzählt lautstark vom Frühstücksfernsehprogramm, und Noelle-Kassandra probiert, ob die Gabel nicht auch ins Auge ihres Tischnachbarn passt. Schaut unsere Erziehtante mal nicht hin, wirft Laura dem Lukas-Alexander flugs den Suppenteller an den

Kopf – alles kein Problem, das Kind soll sich schließlich entfalten. Niklas ist derweil mit dem Nachtisch, der eigentlich für alle da war, klammheimlich in eine ruhige Ecke verschwunden. Das kennt er so von zu Hause, da ist er nämlich das einzige Kind und bekommt immer alles, was er will.

So viel Verziehung wieder zu reparieren ist auf Deutsch gesagt ein Scheißjob und manchmal schwieriger, als auf einer Aktionärsversammlung alle Bedürfnisse der Kleinanleger zu befriedigen. Die Eltern gehen jedoch lieber mit ihrem Unmut über die Erzieher aufs Parkett, als Verständnis für deren Situation zu signalisieren.

»Meinen Kindern habe ich beigebracht, selbstständig zu denken. Wenn dann in der Schule einer kommt, der meint, ihnen etwas sagen zu können, dann sollen sie ruhig zurückschlagen«, meint die zweifache Mutter Sabine Arndt, neununddreißig. Sich nichts gefallen zu lassen ist ja schön und gut, aber wenn Sabines Kinder Ernst machen, erkennen wir deren Kindergartentante demnächst an ihrem schillernden Veilchen.

Ein wenig mehr Beherrschung und Manieren wären manchmal schon angebracht. Wo kämen wir hin, wenn Kindergärtnerinnen beim Elternsprechtag sagen müssten: »Also irgendwie ist das nicht okay, wenn Noah in meine Tasche uriniert, nur weil ich ihm mal die Meinung gesagt habe.« (Vielleicht würde sie auch nicht »urinieren« sagen, sondern ganz ungezwungen »pinkeln«.) Und wenn eine aufgeklärte Mutter darauf antworten würde: »Er hat aber einen guten Grund gehabt.« (Noah hat zu Hause zu hören bekommen, er solle ruhig weiter in ihre Tasche pissen, denn die Erzieherin sei ja nur eine minderbezahlte, schlecht ausgebildete, besserwisserische Zicke.)

Im günstigsten Fall führt ein solches Verhalten der Eltern zur Respektlosigkeit des Nachwuchses gegenüber Pädagogen, im schlechtesten Fall zu Übergriffen wie dem, der im Mai 2007 in Stuttgart für Fassungslosigkeit sorgte: Ein Junge ging mit einem Messer auf seine Erzieherin los.

Für die Generation Doof gilt: Lehrkörper und Lehrkörperinnen sind immer an allem schuld, sie sind für alles verantwortlich, und jeder meint, über ihren Job bestens Bescheid zu wissen – schließlich ist jeder von uns mal selbst zur Schule gegangen. Gleichzeitig haben wir ständig den Eindruck, dass alle Welt unser Kind falsch behandelt. »Sie wollen Ihr Thermometer meinem Adrian in den *Po* stecken, Sie perverses Schwein?!«, fuhr eine Mutter den Arzt im Krankenhaus an, der bei ihrem Kind Fieber messen wollte.

Wenn Erzieherinnen es wagen, Besorgnis über unsere Sprösslinge zu äußern, dann empfinden wir das gar als Übergriff auf unser Privatleben und als persönliche Beleidigung: Sabrina Fuhl beispielsweise arbeitet nachmittags als Halbtagskraft in einem Kölner Kinderhort. Als ein Kind drei Tage hintereinander nach der Schule nicht im Hort erschien, rief sie die Eltern an und wies diese darauf hin, dass sie ihr Kind hätten entschuldigen müssen. Der Junge kam auch an den darauffolgenden Tagen nicht. Da die Eltern mittlerweile nicht mehr ans Telefon gingen, suchte Sabrina sie persönlich auf. Die Mutter kam wie eine Furie aus der Haustür geschossen und trug dabei einen Gesichtsausdruck zur Schau, als wolle sie Sabrina am liebsten mit der Fußmatte einen Scheitel ziehen. Was sie sich denn erlaube, einen solchen Telefonterror zu veranstalten, bekam Sabrina zu hören. Und nun würde sie die Eltern auch noch persönlich bedrängen. Das sei ja Hausfriedensbruch! »Mein Junge will nicht mehr in Ihren blöden Hort. Er will nachmittags lieber Computer spielen!«, schrie die Mutter. »Ich hab ihm gesagt, dass er zu Hause bleiben kann. Wozu brauchen Sie denn eine schriftliche Entschuldigung? Sie haben doch Augen im Kopf und sehen, dass das Kind nicht da ist!«

Gerne möchte man daran glauben, dass hinter solchen Ausfällen ein ernsthaftes und hart durchdachtes Erziehungskonzept steckt, das durch jahrelange Erfahrung ausgeklügelt und daher auf den ersten Blick nicht verständlich sein mag. Doch das fällt schwer, denn Souveränität ist etwas anderes. Man kann sich gut vorstellen, dass jemand, der schon als Kind nur auf Eigenbedürfnisbefriedigung getrimmt wird, auch später im Beruf ähnliche Allüren an den Tag legen wird. Sich beim Meister abmelden, um den ganzen Tag Computerspiele zu spielen? Denkste, Alter!

Die Erziehung, so beklagen die beruflich zur Nettigkeit verpflichteten Kindergartentanten vielerorts, werde ganz und gar ihnen übertragen. Und ihre Arbeit wird oft unterschätzt. In Internetforen ärgern Kindergärtnerinnen sich über den allgemein vorherrschenden Irrglauben, dass man als Erzieherin doch nur spielen müsse. Und das ist noch das harmloseste Vorurteil. Weniger harmlos ist das Schicksal, das dieser ausgesprochene Frauenberuf mit dem der Krankenschwester teilt: Das Klischee der Kindergärtnerin ist eine Mischung aus Hausfrauenseele und naivem Dummchen. Daher eignen sich Kindergärtnerinnen wie die dreiundzwanzigjährige Jenny aus Chemnitz auch als Seite-eins-Mädchen in BILD. Ob Jenny wirklich Kindergärtnerin ist? Wir wissen es nicht. Sie besitzt jedenfalls andere Entertainerqualitäten als die, die eine Erzieherin für ihren Job benötigt.

Denn in diesem Beruf muss man vor allen Dingen Alleinunterhalter spielen können. Den Kindern werden inzwischen oft schon keine Spiele mehr vorgegeben, sondern mehrere Spielangebote gemacht, die sie annehmen oder ablehnen können. Dann sitzt die eine Erzieherin allein in ihrem Raum, während sich die Kinder samt und sonders bei der Kollegin tummeln.

Nicole Kraft, zweiunddreißig, hat den Job der Erzieherin inzwischen aufgegeben. Einer der Gründe: Sie hatte keine Lust mehr, ständig gegen die Spielangebote der Multimedia-Unterhalterin im Nebenzimmer zu konkurrieren. Weitere Gründe: zu wenig Geld, zu krasse Kinder und zu krasse Eltern. Sie hat stattdessen einen gut verdienenden Mann geheiratet und selbst Nachwuchs bekommen. Jetzt sitzt sie bei den Elternsprechtagen auf der anderen Seite und hat genauso viel am Erziehungsstil der ehemaligen Kolleginnen zu bemängeln wie die übrigen Mütter und Väter.

Nina Markwitz, neunundzwanzig, ist hingegen erst gar nicht eingestellt worden. Denn bei jedem Vorstellungsgespräch auf eine befristete Stelle als Erzieherin mutmaßte man, dass sie selbst sicher bald Kinder kriegen wolle, oder? Man wolle ihr aber gerne ein sechsmonatiges unbezahltes Praktikum anbieten. Die fast zehn Jahre Berufserfahrung, die Nina bereits besaß, nehme man dabei gern in Kauf.

Trotz der Mäkelei an der Erziehungsarbeit der Kindergärtnerinnen: Wir brauchen den Hort, je früher, desto besser, denn erst dann haben wir wieder Zeit für uns selbst. Doch so gut die Fachkräfte dort auch sein mögen – Erziehung kann nicht nur fern von zu Hause stattfinden. »Die Eltern dürfen nicht glauben, dass sie ihr Kind einfach abgeben können«, meinte Fee Czisch, die Autorin des Buches *Kinder können mehr*, bei einem Interview mit der *Süddeutschen Zeitung*. Doch genau das scheinen viele Eltern der Generation Doof zu glauben.

Kinder selber zu erziehen erscheint vielen als uncoole Zeitverschwendung. Dafür bezahlt einen ja keiner. »Was meinen Sie, was ich pro Stunde koste – da ist es doch unrentabel, wenn ich meine Kinder selbst erziehe!« So lautet die einfache Kosten-Nutzen-Rechnung des zweifachen Vaters und Controllers Bert Mannheim, achtunddreißig. Bert scherzt natürlich nur ...

> *»Es ist harte Arbeit, sie beansprucht nur andere Körperteile.«*
> Eine Erzieherin in einem
> Internet-Forum über ihren Job

Wenn man sich das Gewicht der Verantwortung anschaut, die hier leichten Herzens von den Eltern abgegeben wird, ist das Personal in unseren Kinderkrippen und Schulen nicht nur überfordert, sondern zudem krass unterbezahlt: Nach dreijähriger unbezahlter Ausbildung und einem Anerkennungsjahr bekommt eine Kinderpflegerin zwischen 1500 und 2100 Euro brutto, eine Erzieherin verdient etwa 2200 bis 2600 Euro brutto. Und das sind dann schon Top-Gehälter. Viele müssen sich mit weniger zufriedengeben. So wie Alexa Gräber, achtundzwanzig, die in einem Bonner Kindergarten eine Vollzeitstelle als Erzieherin antreten sollte. Für schlappe 800 Euro netto.

Aus dem Gehalt kann man in den Erziehungsberufen seine Motivation also nicht beziehen. Für Menschen wie Alexa, die den Job mangels Alternativen zähneknirschend angenommen hat, zählt letztendlich nur die Freude an der Arbeit mit Kindern. Ist es nicht schön, dass unser Nachwuchs von Idealisten angeleitet wird? Die Eltern der Generation Doof sollten sich also gut überlegen, ob sie diesen Leuten die Freude am Job vollends vermiesen wollen. Denn wenn die letzten tapferen Erzieher und Lehrer innerlich kündigen, dann gibt es bald gar keinen mehr, der unsere Kinder ordentlich erziehen kann.

Aber halt, das stimmt so nicht ganz: Wenn es keine Hoffnung auf gut erzogene Kinder mehr gibt, dann kommt von irgendwo ein Lichtlein her. Jemand hat den Fernseher angemacht – Bühne frei für die *Super Nanny!*

Erziehungsk(l)ick mit der Fernbedienung – die Fernsehnanny macht Kinder froh und deren Eltern ebenso

Neulich im Supermarkt konnten wir eine possierliche Szene beobachten: Ein Achtjähriger rammte im Beisein seiner Mutter den Einkaufswagen ungebremst einer älteren Dame in die Hacken, die an der Kasse wartete.

Ältere Dame zur Mutter des Jungen: »Wollen Sie denn nichts sagen?«

Mutter: »Wie?«

Ältere Dame: »Ihr Kind ist mir gerade kräftig mit dem Wagen in die Hacke gefahren!«

Mutter: »Da kann das Kind doch nichts für.«

Ältere Dame zu dem Kind: »Hör mal, das tut man nicht. Du hast mir wehgetan.«

Kind: »Halt die Klappe!«

Aha.

Das schreit nach einem Lösungsansatz mit Superlativ. Die Privatsender haben das Problem erkannt und wissen auch schon, wie man damit Quoten ergattert. Zwischen drei und fünf Millionen Menschen schalten jede Woche die umstrittene Erziehungs-Unterhaltung *Die Super Nanny* ein. Die Diplom-Pädagogin Katharina Saalfrank war in ihrer Rolle so gut, dass RTL II gleich ein paar andere Superhelden ins Rennen schickte: *Die Superhausfrau* (Tipps von Profis), *Die Putzteufel* (Deutschland macht sauber) und *Die Superfrauchen* (Einsatz auf vier Pfoten). Da bleibt kein Problem im deutschen Haushalt unberührt.

Eigentlich müsste man sich über *Die Super Nanny* wundern. Eine Fernsehsendung soll den Bürgern beim Lösen ihrer eigenen erziehungstechnischen Probleme helfen? Eine abstruse Vorstellung. Dann könnte man auch glauben, das Regal würde sich von allein an die Wand schrauben, nur weil ich in der Flimmerkiste einer langbeinigen Blondine im Blaumann dabei zugeschaut habe, wie sie die Bohrmaschine ansetzt.

Nein, *Die Super Nanny* bedient eine Art Erlösungsfantasie. Die Show, die das Elend des Einzelnen für eine breite Öffentlichkeit zur Schau stellt, beruhigt das Gewissen: »Schau mal einer an – wenn diese Deppen ihre Kinder nicht erzogen kriegen, dann kann es ja nicht so schlimm sein, wenn unser Max die Wände mit seinen Exkrementen verziert – auch wenn er schon sechzehn ist.«

Außerdem macht die TV-Erziehungshilfe gegen Selbstkritik immun: »Ja, wenn ich jemanden hätte wie die Super Nanny, dann wäre Dana bestimmt nicht mit dreizehn auf dem Kinderstrich gelandet. Aber ich bin eben beim Telefon-Casting nicht durchgekommen.«

Coaching-TV für Familien hat sich zu einem echten Trend entwickelt. In der RTL II-Doku-Soap *Liebling, wir bringen die Kinder um!* werden dem Volk so spritzige und neuartige Thesen präsentiert wie »Falsches Essen ist schlecht für Ihre Kinder!« oder »In der Gegenwart Ihrer Sprösslinge sollten Sie nicht rauchen!« Wo bleiben da auch die Umgangsformen: Bieten Sie Ihren Kindern dann wenigstens eine Kippe an!

Die Generation Doof lässt sich vom Familien-Coaching im Fernsehen zu einer handlungsunfähigen, unmündigen und faulen Masse degradieren. Das ist schlimm, das ist Bügelfernsehen! Und damit die kommende Generation das auch schön fortsetzt, wird ihnen das Fernsehen schon früh schmackhaft gemacht. Als ob das nicht genug wäre, kommen dazu noch die Stunden, die man vom öffentlich-rechtlichen und privaten Netz abgekapselt vor der X-Box und dem Videorekorder verbringt.

Das, worüber sich die Familie meiner Freundin Dora an Weihnachten am meisten gefreut hat, war die sehnlichst erwartete neue Spielekonsole namens Wii. Das gesamte Weihnachtsfest waren Dora, ihr Mann und mein Patenkind Marie nicht vom Fernseher wegzubewegen. Selbst das Essen wurde vor dem Kasten eingenommen.

Als ich zu Neujahr mit Marie telefoniere, behält diese offenbar immer wachsam den Fernseher im Auge, um zu schauen, wie sich das Spiel in ihrer telefonisch bedingten Abwesenheit entwickelt. Ihre Konzentration kann sich gar nicht entscheiden, wo sie hin will.

»Was macht ihr denn gerade?«, frage ich.

»Och«, antwortet Marie, fünf Jahre, geistesabwesend.

»Spielt ihr gerade was?«, bohre ich weiter und seufze innerlich bei der Erinnerung an gute alte Brettspielabende. Das gibt es in Doras Familie gar nicht mehr, so scheint es jedenfalls.

»Jaaaa«, kommt es gedehnt zurück.

»Und was?«, will ich ein wenig ungeduldig wissen.

»Och, Papa und Mama spielen mit der …« Sie bricht ab.

»Womit?«

»… mit der Wii.«

Ich seufze nun auch laut. »Und, willst du mitspielen?«

»Jaa«, kommt es nach einer Pause zurück.

»Wollen wir dann ein andermal telefonieren?«, frage ich resigniert.

»Nö«, erwidert Marie einsilbig.

»Dann erzähl mir doch mal, was ihr heute Schönes gemacht habt.«

»Nichts Besonderes.«

»Habt ihr was gebastelt?«

»Hm ...«, erwidert sie.

»Marie?«, frage ich. Dann etwas lauter: »Marie???«

Ich höre minutenlang nichts. Irgendwann erklingt von ferne Doras Stimme: »Marie, wenn du nicht mehr mit Tante Anne telefonieren willst, dann leg bitte auf!«

»Ich kann nicht!«, schreit mein Patenkind, das den Hörer offenbar schon lange beiseitegelegt hat. »Ich spiel doch grad mit Papa mit der Wii ...!«

Der Fernseher ist inzwischen einer unserer wichtigsten Bildungspartner. Es ist bequem, die Kinder einfach der Obhut der Glotze oder des Gamepads anzuvertrauen. Zudem lernen sie aus dem Fernsehen wichtige Dinge für das Überleben in unserer Zivilisation. Jagen und Sammeln war gestern. Heute lernen wir Shoppen. Laut einer Untersuchung der Zeitschrift *Eltern* ist dies die Lieblingsbeschäftigung der Zwölfjährigen in Deutschland. Glücklicherweise müssen Kinder heutzutage nicht mehr in der Wildnis überleben. Sie würden sich vermutlich auch nicht mehr mit der Welt arrangieren können, in der wir älteren Angehörigen der Generation Doof aufgewachsen sind. Die meisten würden vermutlich glauben, sie befänden sich in einer Art medialer Steinzeit. Es gab nur drei Programme und in den meisten Haushalten nur Schwarz-Weiß-Fernseher. Das Zeitalter des Kabelfernsehens begann erst im Jahr 1983, Sat.1 war 1984 der erste deutsche Privatsender, und der TELECLUB aus der Schweiz hatte 1986 als erster Pay-TV-Sender auch in Deutschland Premiere. Geradezu ausgehungert nach Entertainment und sich bewegenden Bildchen stürzten sich die Babys der Siebziger und Kinder der Achtziger nach Jahren der harten Entbehrungen auf die neuen Errungenschaften VHS-Videorekorder und C 64. Die Simpel-Grafik aus herumflitzenden Pixeln bei so einfachen Spielen wie *Pong* von Atari-Gründer Nolan Bushnell oder *Summer Games* bewegte die Computerfans damals noch dazu, Stunden vor den flimmernden Kisten zu verbringen.

Vielleicht wollen wir darum jetzt unseren Kindern den Spaß an der schönen neuen DVD- und Videospielewelt mit immer bunteren und realistischeren Bildern nicht verderben. Denn viele von uns sind, was Fernsehen und Computerspiele angeht, von den eigenen Eltern an der kurzen Leine gehalten worden. Die Beschränkung auf »eine Stunde pro Woche« klingt uns noch in den Ohren, wenn es um den eigenen Fernsehkonsum in der Kindheit geht. Genauso wie die Aussage: »Ein Videorekorder?! So ein Mist kommt mir nicht ins Haus, dann hängt ihr ja nur noch vor der Glotze!«

Die Generation Doof dankt es den Großeltern von heute, indem sie ihr gesamtes Geld in technische Spielereien für den Nachwuchs steckt: Kindercomputer für Dreijährige, Nintendogs zum vierten Geburtstag, die neue Spielekonsole ab fünf, das allerneueste tragbare DVD-Gerät ab sechs, weil es für die lange Autofahrt zur Oma nach Süddeutschland so praktisch ist, und zum siebten Geburtstag ein eigener Fernseher fürs Kinderzimmer.

Da Eltern aller Generationen ihren Kindern das ermöglichen wollen, was sie selbst nicht hatten, ist es kein Wunder, dass deutsche Kinder heute so angestrengt fernsehen, als würde ihr Taschengeld dafür erhöht. Die Eltern erheben keine Einwände. Nach der Studie *Kinder und Medien* von ARD und ZDF steht Fernsehen als Freizeitbeschäftigung der Sechs- bis Dreizehnjährigen einsam an der Spitze. Vierzig Prozent der Kinder in diesem Alter haben ein Fernsehgerät in ihrem Zimmer. Sie verbringen durchschnittlich siebenundneunzig Minuten täglich vor dem Flimmerkasten.

Das Ganze hat jedoch einen entscheidenden Haken: vermehrter Fernsehkonsum und der Genuss von Ballerspielen wirken wie ein Dämpfer auf das schulische Leistungsvermögen, wie eine Studie des Kriminologischen Forschungsinstituts Niedersachsen (KFN) beweist. Die Generation Doof erreicht damit für ihren Nachwuchs noch eine Steigerung der eigenen Dummheit.

Und dies ist mit Sicherheit einer der Gründe dafür, dass deutsche Kinder dem internationalen Bildungsdurchschnitt hinterherhinken. Das Dumme ist, dass es nur eine einzige Lösung für dieses Problem gibt: abschalten. Und genau das wollen die Eltern der Generation Doof weder von der Super Nanny noch von irgendwem sonst hören. Die eigenen Kinder müssen jedoch gezielt an Medien wie Fernsehen und Computer herangeführt werden, um eine gesunde Einstellung zum Medienkonsum zu bekommen. Wir müssten uns dafür allerdings ein ernsthaftes Erziehungskonzept zurechtlegen. Für jemanden, der sich in nichts festlegen möchte und am liebsten mit den Kindern Trickfilmchen guckt, ist das ein hartes Los. Man kann es nämlich nicht aus der Flimmerkiste lernen, selbst wenn man noch so viele Erziehungsshows sieht. Zwischen Fernseherziehung und Erziehung aus dem Fernsehen besteht ein großer Unterschied. Da kann die Nanny noch so super sein.

Sind Menschen, die ihre Kinder nur mit Holzspielzeug vom politisch korrekten Spielzugladen um die Ecke großziehen, darum die besseren Eltern? Bestimmt nicht. Auch wer sich für einen bewussten Erziehungsberechtigten hält, dessen Methoden von Nachhaltigkeit geprägt sind, stolpert bisweilen in die gleichen Fallen wie die dummen Eltern von gegenüber, die den ganzen Tag vor der Glotze hängen. Zu den Eigenschaften der Dummheit gehören die Selbstüberschätzung und die Eitelkeit, sich für schlauer zu halten, als man ist. Und darum gehören auch solche Eltern zur Generation Doof, die von anderen (und sich selbst) für schlau gehalten werden. Sie haben Kinder nicht, weil sie Kinder gernhaben, sondern um ihr eigenes Geltungsbedürfnis auszuleben. Dumm sind sie trotz ihres bildungsbürgerlichen Hintergrunds, weil sie fantasielos und unselbstständig Trends nachjagen und ihr Kind damit in einem System von oberflächlichen Werten großziehen.

Ei, gucci, gucci, gucci – Kinder als Statussymbole

Ein Kind ist heute etwas zum Vorzeigen. Es soll sich hübsch ausnehmen neben dem Plasmafernseher und der Perverserkatze, deren Schwanz das liebe Kleine so lange malträtieren kann, bis sie zur Kamikatze wird. Vielleicht wird es sogar bei einem Probe-Fotoshooting einer Kindermodelagentur entdeckt und kann den Traum von der Modelkarriere seiner Mutter verwirklichen, indem es seinen Brausepöter in die Kamera hält. »Wie süß unsere Felicitas-Alexa ist!«, ruft die entzückte Mama dann und geht mit der Tochter shoppen. Erst im Teenager-Alter wird Felicitas-Alexa genervt sein, weil ihre Mutter auch mit Ende vierzig noch die gleichen Hüftjeans anprobiert wie sie selbst. Die Gedanken der Frau Mama drehen sich eben hauptsächlich um die eigene Person, das Kind ist nur Accessoire.

Um sich ein possierliches und adrettes Vorzeigekind heranzuziehen, sind daher von Anfang an das richtige Modell des Kinderwagens und Urlaube ebenso nötig wie die modernste Unterhaltungselektronik und die richtige Markenkleidung (»Meine Schwiegereltern waren in Italien«, seufzt da eine siebenunddreißigjährige Mutter verzückt, »und sie haben unserer Süßen echte Baby-Graziella-Sachen mitgebracht!«). Die weniger Betuchten von uns Doofen nehmen Kredite auf, damit ihre Kinder eine Playstation oder ein Handy auf Raten haben können.

Seinem Kind alles kaufen zu können und es auch kaufen zu wollen, heißt jedoch nicht, es mit den überlebenswichtigen Grundlagen fürs Leben auszustatten. Denn wenn es seine Videospiele in die Ecke gepfeffert hat und mit dem elterngesponserten Cabrio ins Erwachsenenleben donnert, sollte es mehr im Gepäck haben als die Erinnerung an eine sorgenfreie Kindheit mit Kindergeburtstagen bei McDonald's, bei denen es elektronische Spielzeuge hagelte.

Die Schere klafft immer weiter auf. Da sind auf der einen Seite die Eltern mit wenig Zeit und geringer Barschaft, die glücklich sind, wenn sie die Erziehung den überforderten Lehrern überlassen können, um in Ruhe ihren Zweitjobs oder einer erfüllenden Tätigkeit mit einer Flasche Pils am Büdchen nachzugehen. Sie sind schon froh, wenn sie ihrem Nachwuchs ab und zu mal was für die Disco zustecken können. Auf der anderen Seite stehen die Eltern, deren Kinder von Montag bis Freitag mit der Familienkutsche herumgefahren werden: zum Wasserballett, zum Karate nach den Kung-Fu-Filmen der Siebziger und zur Seidenmalerei nach ayurvedischer Farbenlehre.

Seinen Kindern einen vollen Freizeitstundenplan zu ermöglichen ist jedoch nicht unbedingt die bessere Art, sie zu erziehen.

Hier meint man es gelegentlich zu gut. Yvonne, achtundzwanzig, erzählt, wie ihr Nachhilfeschüler ihr mit dem Handy in der Hand die Tür öffnete und noch hineinquakte: »Heute Abend kann ich nicht, da hab ich Golf. Simse dich morgen mal in der Schule an, der Rest der Woche ist echt ausgebucht, und am Wochenende fahren wir zu Oma nach Sylt. Muss jetzt mal Schluss machen, meine Individualtrainerin steht vor der Tür …«

Wenigstens können es sich die Eltern solcher Lendenprodukte meistens leisten, ihren Nachkommen im Anschluss an die kräftezehrende außerschulische Bildung neben einem Karibik-Urlaub auch noch den Aufenthalt im Schweigekloster und die studienbegleitende Psychotherapie zu bezahlen. Schlauer werden sie dadurch nicht unbedingt – und für die Probleme anderer bekommen sie auch keinen Blick.

Immerhin wachsen diese Kinder mit einem gesunden Konsumbewusstsein heran: Uns gefällt, was teuer ist. Es macht sicherlich Spaß, sein Kind auszustaffieren und damit bei denjenigen Neid zu erregen, die sich das nicht leisten können. Das Herz einer jeden Münchner Schickimicki-Mutter mit gewaltigem Sprung in der Designerschüssel schlägt bei Überschriften wie »Pimp your kid« höher. »Warum soll nicht auch Kindern vergönnt sein, was sich Mama und Papa leisten?«, hieß es in dem dazugehörigen Artikel im Magazin der *Süddeutschen Zeitung.*

Beschrieben wurden die wohltuenden Effekte von Fußmassage und Schoko-Shampoo sowie der Segen von aufpolierten Fingernägeln für Sohnemann und Töchterlein. Frühe Gewöhnung an solcherlei Luxus macht aus den Kindern später willige Käufer von Schönheitsprodukten.

Das denken sich wohl auch viele Wellness-Hotels und bieten inzwischen Aufenthalte für ihre kleinen Kunden an. Wobei das, was früher ein Besuch auf dem idyllischen Bauernhof war, im Hochglanz-Prospekt als schickes »Rendez-vous mit der Kuh« beworben wird. Auch eine Aromaöl-Behandlung darf natürlich nicht fehlen. Was aber müssen wir uns unter dem Programm-punkt »Gegenseitiges Massieren« vorstellen?!

> *»Das konnten meine Kinder immer schon sehr gut:*
> *Werbesprüche zitieren.«*   Eine stolze Mutter

Wer seinen Kindern etwas Besonderes gönnen will, der muss sich schon ins Zeug legen. Hier ist eine Menge Geld im Spiel, und so ist es nur verständlich, dass die Werbebranche Kinder als Zielgruppe malzbiererernst nimmt. Und dabei geht es nicht nur um reine Kinderaccessoires, Urlaube oder Spielzeuge. Die Meinung von Junior spielt auch bei den Kaufentscheidungen der Eltern eine immer größere Rolle – so stark wie heute konnten Kinder noch nie mitbestimmen, wofür das Geld ihrer Erziehungsberechtigten ausgegeben wird.

Laut der Zeitschrift FOCUS gaben 89 Prozent der Sechs- bis Vierzehnjährigen an, bei Süßigkeiten die Kaufentscheidung der Eltern beeinflussen zu können, bei Computern, Möbeln und Fernsehern fühlten sich noch um die 20 Prozent der Kinder als Mitbestimmer. Als guter Freund ihrer Kinder muss die Generation Doof ihren Nachwuchs eben ernst nehmen, und Mitbestimmung prägt den Alltag.

Und dies betrifft nicht nur Süßigkeiten und Bücher, sondern durchaus größere Ausgaben. Peter Sichert, Leiter einer kleinen Werbeagentur in München, bekam dies beim Autokauf zu spüren. In seiner engeren Wahl: ein Audi oder ein Mercedes. Peters Sohn ist aber großer Formel-1-Fan. Sein Lieblingsteam: BMW. »Er hat so lange gequengelt, bis ich schließlich nachgegeben habe«, sagt Peter schmunzelnd. Seitdem parkt ein bayrischer Kombi in seiner Garage. Und dabei hat er noch Glück gehabt, denn es hätte ja auch sein können, dass der Sprössling auf das Formel-1-Team mit den teuren roten Autos steht.

Leider geben die meisten Eltern auch in anderen Punkten

dem Drängen ihrer Kinder viel zu schnell nach. Solange es sich dabei nur um erbettelte Spielzeugfiguren oder Videospiele handelt, beschränkt sich der Schaden noch auf materielle Dinge und damit die spätere Lebenseinstellung des verwöhnten Nachwuchses. Wenn es allerdings ums Essen geht, steht die Gesundheit der Mini-Bürger auf dem Spiel. Eltern der Generation Doof, die es mit der Erziehung nicht so genau nehmen, sind mit ihrer Null-Bock-Einstellung eher geneigt, den nöligen Kleinen eine Pizza oder eine Tüte Chips vorzusetzen, damit die Quengelei ein Ende hat. Die Überraschung ist dann groß, wenn Paulchen im zarten Alter von sechs im Freibad in der Röhre der Wasserrutsche stecken bleibt.

McDoof – Vom Zusammenhang zwischen Ernährung und Intelligenz

Bei der Generation Doof beruht die unsachgemäße Fütterung der eigenen Brut nicht nur auf Nachgiebigkeit, sondern auf einer gehörigen Portion Unvermögen. In Supermärkten kann man bisweilen Mütter beobachten, die zehn Päckchen Kinder-Milchschnitten auf einmal in den Einkaufswagen legen. Vermutlich, weil sie glauben, der Süßkram sei ein gesunder Snack für die Schulpause. Das verspricht zumindest die Werbung. Und wo kämen wir denn hin, wenn man jetzt auch schon beim Fernsehen nachdenken müsste?

Andere Mütter packen ihren Kindern die Fritten vom Vortag in die Butterbrotdose, wenn im Kindergarten ein gemeinsames Frühstück angesagt ist. Wenn die Kindergärtnerin nachfragt, antworten sie entrüstet: »Aber ich gebe meinem Kind nur die guten – von McDonald's!«

Die Werbetricks des Fastfood-Giganten schlagen ein: Kinderpartys bei McDonald's lassen gute Erinnerungen wach werden, die für langfristige Kundenbindung sorgen. Bei Tests hat man herausgefunden, dass Kinder Produkte besser beurteilen, wenn sie in den Verpackungen von McDonald's daherkommen, auch wenn ihnen in neutralen Verpackungen das Gleiche gereicht wird.

Falls Sie es bislang nicht geglaubt haben: Das Essverhalten ist der Beweis, dass es eine Welt jenseits von Sinn und Verstand gibt. Eigentlich müsste es den Eltern nämlich längst aufgefallen sein, dass das Kindergroßziehen in Deutschland zu einer Art Mastbetrieb verkommt. Immerhin ist jedes fünfte Kind hierzulande übergewichtig. McDonald's reagiert in Amerika bereits auf die kleinen dicken Kunden mit Fitnesscentern in den Restaurants. Dort gibt es Sportgeräte, an denen sich die Kinder die überflüssigen Kalorien gleich wieder abtrainieren können. Bleibt zu hoffen, dass diese segensreiche Erfindung möglichst bald über den Großen Teich schwappt: Es ist nämlich ungefähr so nett und freundlich, wie wenn jemand vorhat, uns eins überzubraten, und vorher schon mal mit dem Eisbeutel wedelt.

> *»Der Apfel ist das beste Pausenbrot.«*
>
> Ursula von der Leyen

Der Schaden, der Kindern mit schlechter Ernährung zugefügt wird, ist immens: Nach neuesten Studien wirkt sich mangelhafte Ernährung auch auf die Gehirnleistung aus. Abgesehen von der schlechten Haut, die in späteren Jahren verhindert, dass wir attraktive Sexualpartner finden, sinkt auch die intellektuelle Leistungsfähigkeit. Ernährung ist somit mehr als das genussvolle Aaah und Oooh des Restauranttesters – sie entscheidet mit darüber, was wir erreichen können.

Die Generation Doof ernährt ihre Kinder trotzdem lieber »praktisch« als gesund. Wenn wir als Eltern abends nach der Arbeit heimkommen, warten meistens eines oder mehrere hungrige Mäuler auf uns. In diesem Fall ist es egal, ob man alleinerziehend ist oder Doppelverdiener – man hat dann einfach keine Lust mehr, sich noch lange an den Herd zu stellen. Fastfood ist in der Regel die pragmatischere Lösung, und das wird häufig auch noch vor dem Fernseher eingenommen. Gemüse gibt es dann höchstens aus dem Tiefkühler, und der »Frische Kindersalat« kommt aus der Tüte. Dabei ist erwiesen, dass frisches Obst und Gemüse, das nicht in einer Plastiktüte daherkommt, am ehesten Lust auf gesunde Ernährung machen. Mit unserem Tiefkühl- und Tütenwahn bieten wir unseren Kindern ein schlechtes Vorbild für den Verzehr von ungesunden Speisen. Erlaubt ist, was schmeckt. Ein typisches Fastfood-Essen hat etwa 1400 Kalorien und enthält 85 Prozent der empfohlenen Fettmenge für einen Tag, aber weniger als 40 Prozent der nötigen Ballaststoffe. Das ist der Grund, weshalb Fastfood nicht so lange satt macht.

Ist der Schaden erst einmal angerichtet, hält er jedoch für ein ganzes Leben. Das erlernte Verhalten wird fortgesetzt und verstärkt: Je älter die Kinder werden, desto häufiger verzehren sie BigMac und Co. und platzen irgendwann aus allen Jeansnähten.

Wenn Sie Ihr Kind vor einem bösen Essfehler schützen wollen, sollten Sie ihm frühzeitig eine kleine Überlebenshilfe mit auf den Weg geben.

Weil guter Rat jedoch bei der Generation Doof in vielen Fällen auf mit MP3-Playern verstopfte Ohren stößt, hält Adipositas in deutschen Kinderarztpraxen immer häufiger Einzug, wie die *Ärztezeitung* berichtet. Und Adipositas ist keine Turnschuhmarke. Es handelt sich vielmehr um Fettleibigkeit.

> *»Dicke Kinder sind schwerer zu kidnappen.«*
> Postkartenspruch

Seit 1982 ist die Quote dicker Kinder um 5 Prozent gestiegen. Den dicken Kids Schuldgefühle einzureden, wie es manche doofen Eltern gerne tun (»Du isst zu viel! Guck dir mal an, wie fett du bist!«) ist vollkommen sinnlos und führt nur zu Essstörungen. Das Geld für den späteren Therapeuten oder die Beerdigung sollte man deswegen früher investieren: in gesunde Nahrung und einen Sportkurs.

Denn zusätzlich zum kalorienreichen und hastig heruntergeschlungenen Essen werden immer weniger Kinder und Jugendliche von ihren Eltern angehalten, sich zu bewegen. Egal, was man von Videospielen und manchen Filmen hinsichtlich ihres Gewaltpotenzials denken mag – sie verhindern auf jeden Fall erfolgreich, dass Kinder sich bewegen. Dabei sind Kinder aus ärmeren Familien benachteiligt, wie eine Studie des Robert-Koch-Instituts zeigt: Sie treiben weniger Sport, laufen eher Gefahr, Zigaretten zu konsumieren und hocken länger vor dem Fernseher. Der Nachwuchs geht auf wie Hefeteig, und das setzt sich in vielen Fällen bis ins Erwachsenenalter fort.

Doch auch für sozial bessergestellte Familien gilt oft: Draußen spielen ist out, und keiner sagt was gegen die Stubenhockerei. Aber wer nicht geschmeidig bleibt, der hat schlechte Karten im Gesundheitspoker. Die Couchsitzerei sorgt unter anderem dafür, dass Kinder für ihr Alter normale Bewegungsabläufe nicht mehr beherrschen. Eine Lehrerin berichtet, dass nur wenige Erstklässler rückwärtslaufen können, und eine Kindergärtnerin beklagt sich darüber, dass die Kleinen immer umfallen, wenn sie auf einem Bein stehen sollen.

Bewegung spielt sich heute mit den Fingern ab: Sie konzentriert sich auf Einschaltknöpfe, Handytastaturen, Joysticks und Computer. Und das ist schlecht für das Gehirn, denn es muss Glucose aufnehmen können, um sich fit zu halten. Die Aufnahmefähigkeit wird durch Bewegung erhöht. Wenn dieses sinnvolle Organ, das bei Licht betrachtet keine Schönheit ist, die Glucose nicht aufnehmen kann, wird es nicht hinreichend durchblutet, und die Gehirnzellen sterben ab. Prominente Hotelerbinnen zeigen deutlich, was uns dann blüht.

Computerspiele oder Fernsehen sind daher außer für Übergewicht, Ungelenkigkeit und Kurzatmigkeit im Zusammenspiel mit der falschen Ernährung für so manche Lernschwäche verantwortlich.

An der geringen geistigen Leistungsfähigkeit der Generation Doof und deren Nachkommen scheint außerdem der Botenstoff Dopamin nicht ganz unschuldig zu sein. Der Erfolg bei Lernprozessen wird mit einer Ausschüttung von Dopamin belohnt – ein Aha-Effekt wird spürbar. Doch unsere Kinder sind durch Computerspiele und den schnellen Kick beim Fernsehen reizüberflutet. Dopamin wird zu häufig bei nebensächlichen Tätigkeiten ausgeschüttet, und damit leidet die Erinnerungsfähigkeit – denn Dopamin sorgt unter anderem dafür, das Wissen vom Kurzzeit- ins Langzeitgedächtnis zu übertragen.

Die Gehirnareale, in denen Gelerntes gespeichert wird, werden beim Computerspielen und Fernsehen von dem Botenstoff überschwemmt. Gelerntes konkurriert so mit einem Brei aus tausend anderen Reizen. Je mehr Medienkonsum und somit schnelle Reize vorhanden sind, desto eher zieht das Wissen den Kürzeren. Und so trennt Kinder eben immer nur ein Mausklick von der Dummheit.

Ihre Eltern trennt nur die Lustlosigkeit von der Einflussnahme. Die Generation Doof hat keinen Sinn für die Kontrolle, die wir als Kinder selbst erfahren haben.

»Ich habe es früher gehasst, wenn meine Mutter mich nach draußen geschickt hat«, gesteht Alissa Wohlfahrt, fünfundzwanzig. »Mindestens eine Stunde an der frischen Luft, hieß es dann immer.« Vielleicht kauft Adriana später ihrem Nachwuchs so ein praktisches Gerät wie das »Trimmrad mit Videospiel«, das ein Discounter im August 2007 für knapp 100 Euro anpries. »Verkehrserziehung und Rennspiele im Wohnzimmer« – damit hob der Prospekt die Vorzüge des Geräts hervor, das bereits für Vierjährige geeignet sei. Sohnemann oder Töchterlein müssen dann gar nicht mehr nach draußen und können weitere Stunden vor einer Flimmerkiste verbringen, während ihnen auf dem Kindertrimmrad die Füße einschlafen.

Solche Problemlösungsansätze und eine solche Einstellung zu Fitness gehen auf Kosten der fetten Kinder. Die Gründe für die Bewegungslegasthenie der heutigen Kids sind somit bei ihren Eltern zu finden. Wenn man beispielsweise auf einer Party das Thema Bundesjugendspiele anspricht, gibt das in den meisten Fällen ein großes Juchhe: »Ich hab den Ball beim Werfen immer hinter mich geschmissen«, gesteht der eine oder andere unter Lachen. »Sieger-Urkunde – so ein Quatsch! Es hätte Verlierer-Urkunde heißen müssen«, kichert man fröhlich.

Dennoch liegen hier die Wurzeln einer weit verbreiteten Sportphobie unter jungen Erwachsenen. Viele von uns wünschen sich zur Aufarbeitung dieses Traumas eine erneute Chance, die sportliche Demütigung wettzumachen. Und weil ProSieben das auch schon mitbekommen hat, haben sie 2006 gleich eine Show daraus gemacht: Moderiert wurden *Die großen ProSieben Bundesjugendspiele* von Oliver Pocher.

All das hat uns Doofe gelehrt: Sport ist keine Lösung. Aber kein Sport ist auch keine Lösung. Kinder müssen sich bewegen – und auch wenn die Eltern Bewegung in ihrer eigenen Jugend nur widerwillig ertragen haben, ist das kein Grund, die Kids vor dem Fernseher versauern zu lassen. Wir tun ihnen keinen Gefallen, wenn wir ihnen die Muskelmühe ersparen. Sich zu bewegen, kann Freude machen. Und das eigene Blag fällt auch nicht so unangenehm auf, wenn der Sportwissenschaftler mit dem Fernsehteam eines Privatsenders in die Sportstunde kommt und feststellt, dass die Kleinen schon an der Sprossenwand versagen.

Unsere Kinder müssen endlich wieder das Toben lernen. Schon zu Hause, und nicht erst mit Notfallprogrammen wie der Aktion »Bewegte Schule«, wie es sie zum Beispiel in Niedersachsen oder Bayern gibt. Hier werden Coachs für Ernährung und Bewegung an Schulen eingesetzt.

Aber vor allem muss die Generation Doof die Bewegung und den gesunden Lebensstil vorleben, denn Kinder brauchen Vorbilder. Und wenn Mama und Papa zu doof sind, die richtige Vorbildfunktion zu übernehmen, dann leisten sie sich damit den größten Patzer in der Erziehung.

Neue Kinder braucht das Land, oder: Gut erzogen ist halb gewonnen

Dass es immer weniger Kinder in Deutschland gibt, ist eine Tatsache. Das wird sich in absehbarer Zeit auch durch die neuen Gesetze der Bundesregierung nicht wesentlich ändern. Damit Doof nicht doof bleibt, müssen wir daher etwas für die Erhaltung der Art tun. Oder vielmehr für deren geistige und körperliche Fitness. Oft sind wir allerdings zu doof oder zu selbstverliebt dazu.

> *»In einer Familie, die nicht nur aus Mumien besteht, gehören Konflikte dazu.«* Reinhard Mey

Damit Kinder zu starken Persönlichkeiten werden, müssen sie erzogen werden. Aus falsch verstandener Fürsorge, aus Gleichgültigkeit oder Bequemlichkeit versuchen wir jedoch, diesen wichtigen Personen das Leben so leicht wie möglich zu machen. Dabei müssen wir uns alle darüber im Klaren sein, dass wir hier entweder die künftige Generation Doof 2.0 oder das bessere, bildungsfreundliche Nachfolgermodell von morgen aufziehen. Und wir müssen endlich bereit sein, Verantwortung zu tragen.

»Kinder werden als asoziale und egoistische Wesen geboren«, sagt Ulrich Wickert in seinem Buch *Zeit zu handeln*. »Die Werte der Zivilisation, die des Menschen Gemeinschaft von der Horde unterscheidet, müssen ihnen erst nach und nach vermittelt werden. Das ist Aufgabe der Erziehung.« Und diese Erziehung kann nur von Eltern kommen, die wissen, wie's geht. Aber wenn wir selbst keine Umgangsformen haben, wird es uns schwerfallen, unserem Nachwuchs Pünktlichkeit, Fleiß, Anstand, Höflichkeit und Tischmanieren beizubringen. Aber wie sollen Kinder sonst lernen, dass man mit »Bitte«, »Danke« und »Entschuldigung« auch im späteren Leben oft mehr erreicht?

In Bremen gibt es aufgrund des familiären Erziehungsmangels seit Mitte 2003 verzweiflungshalber das Schulfach UBV, in dem Umgang, Benehmen und Verhalten trainiert werden. Auch das Saarland bemüht sich redlich und hält an Schulen Benimmunterricht ab. Dies gefällt nicht nur den vielen Lehrern, die mit Bücherstapeln auf dem Arm keuchend vor der Klassenzimmertür stehen, ohne dass die umstehenden Schüler auch nur einen Finger rühren. Laut einer Forsa-Umfrage für RTL sind sich mehr als die Hälfte der Deutschen einig, dass mehr Erziehung keinem schaden würde. Das ist gut, aber noch nicht gut genug.

Unsere Kinder kommen in den seltensten Fällen erziehungsresistent und doof auf die Welt. Wenn man einer neuseeländischen Studie glaubt, werden Kinder immer klüger und sind in der Lage, immer früher immer komplexere Zusammenhänge zu begreifen. Aber Neuseeland ist weit weg. Vielleicht ist in Deutschland das Gegenteil der Fall, und die Bewerber um die raren Ausbildungsplätze des Jahres 2020 werden an der folgenden Aufgabe im Bewerbungstest scheitern:

»Eine Henne braucht einen Tag, um zwei Eier auszubrüten. Wie viele Tage brauchen drei Hühner, um zwei Eier auszubrüten?«

Da der hoffnungsfrohe Azubi-Anwärter in seiner Kindheit nie Hühner beim Brüten beobachtet hat, wird er dann vielleicht sagen: »Na ja, also Dreisatz war noch nie meine Stärke« – oder er wird glückstrahlend antworten: »Anderthalb Tage!« Vielleicht wird er auch einfach die Ohrstöpsel von seinem iPod drinbehalten und sich später wundern, warum er den Job nicht bekommen hat.

»Zwar man zeuget viele Kinder,
Doch man denket nichts dabei,
Und die Kinder werden Sünder,
Wenn's den Eltern einerlei.«   Wilhelm Busch

Das könnte passieren. Aber es gibt auch den schlauen Nachwuchs. Es sind die Kinder, deren Eltern den Jugendwahn abgelegt haben und selbst so erwachsen geworden sind, dass sie bei der Erziehung kein Blatt vor den Mund nehmen. Die Kinder der Eltern, die auf gesunde Ernährung und ausreichend Bewegung achten. Die Kinder, die von ihren Eltern zwar mit den Medien vertraut gemacht werden, aber die auch ausreichend fernsehfrei haben. Die nicht nur Konsum gelernt haben, sondern auch mal eine Niederlage einstecken können.

Wenn diese Kinder erst einmal die Klippen moderner Namensgebung umschifft haben, sind sie aus dem Gröbsten schon raus. Die Babys Philip Morris und Kylie Cashew haben Pech gehabt. Und ob die Idee von Nick Heidfeld, seinen Sohn Joda und seine Tochter Juni zu nennen, so glorios war, sei dahingestellt. Heidfeld ist ein Promi. Und Promis dürfen das. In anderen Fällen ist staatliche Kontrolle vonnöten und sinnvoll. Denn Doofe, die für ihre Sprösslinge dumme Namen aussuchen, wird es immer geben.

Nur für den Fall, dass Kinder heute tatsächlich tendenziell immer schlauer werden, müssen wir als ihre Eltern so schlau sein, dieses Potenzial nicht vor dem Fernseher oder der Playstation verkümmern zu lassen, sondern die Fähigkeiten unserer Kids zu fördern. Im besten Fall können sie dann eines Tages die Welt retten. Im schlechtesten Fall können sie uns wenigstens helfen, endlich den DVD-Rekorder zu programmieren.

Der Kid-O-Mat – zehn Tipps, wie Sie Ihr Kind so verziehen, dass es ein Yuppie-Arschloch oder ein totaler Freak wird

Zeugung: Es ließ sich wohl nicht vermeiden, Sie waren bestimmt zu blöd, ein Kondom abzurollen. Oder wollten Sie etwa Nachwuchs?! Selbst schuld. Nutzen Sie die folgenden neun Monate dazu, sich auf Ihre neue Rolle vorzubereiten. Und denken Sie immer daran: Nur ein doofes Kind ist ein gutes Kind!

Namensgebung: Geben Sie Ihrem Kind einen klangvollen Namen. Sie können dabei ruhig fantasievoll zu Werke gehen – die Standesbeamten sind einiges gewöhnt. Und Ashley-Savanna, Jason-Anthony, Colleen-Maxime und Fabienne-Drosophila sind noch zu klein, um sich zu wehren. Auch bei Peter Alexander, Timotheus Bartholomäus Lothar Matthäus und James Bond ist keiner eingeschritten. Nur Mut!

Aufzucht in den ersten Jahren: Sprechen Sie so wenig wie möglich mit Ihrem Kind. Bei Schuleingangsprüfungen hat sich erwiesen, dass Kinder heute sprachärmer sind. Wir wollen doch nicht gleich die Statistik verderben. Wie soll sich Ihr Kind auch verständlich machen, wenn es zu viele Wörter kennt? Das behindert die Kommunikation mit den Usern von Grunzlauten und Handzeichen. Sie wollen Ihrem Blag doch nicht die Zukunft vermasseln.

Ernährung: Um das Kampfgewicht zu erreichen, stopfen Sie Ihrem Purzelchen so viele Kalorien rein, dass es aufrecht sitzen kann, ohne sich abstützen zu müssen. Tiefkühlpizza, Chips und Süßigkeiten sind bei dieser Diät unsere Freunde.

Selbstinszenierung: Kaufen Sie Ihrem Kind modische Klamotten, genehmigen Sie das Arschgeweih-Tattoo und setzen Sie Ihren Liebling wirkungsvoll in Szene, indem Sie ihm einen eigenen Jingle entwerfen lassen, den er oder sie beim Eintritt ins Klassenzimmer oder bei jeder Wortmeldung abspielen kann. Orientieren Sie sich dabei zum Beispiel an der Telekom-Wiedererkennungsmelodie. So werden die Popstars von morgen gemacht!

Fernsehen: Sie wollen, dass Ihre Kinder zu mündigen Bürgern erzogen werden? Das Fernsehen kann dabei Ihr Pate sein! Vielleicht haben Sie ja auch mal Lust, die Auswirkungen von Gewaltvideos und Ballerspielen im Heimversuch zu erproben? Treten Sie für dieses Experiment unbedingt einem Schützenverein bei und sorgen Sie dafür, dass der heimische Waffenschrank niemals abgeschlossen ist!

Konsum: Nur ein von den Eltern konsequent vorgelebtes Selbstbelohnungssystem macht Ihr Kind startklar für ein Leben im Luxus! Statt bei der Geburt einen Ansparplan fürs Studium einzurichten, sollten Sie schon mal ein Sümmchen zurücklegen, damit später die Schulden getilgt werden können. Wenn eine Konversation mit dem Kaufhausweihnachtsmann wie folgt abläuft, haben Sie den Test bestanden:

Weihnachtsmann: »Was wünschst du dir denn zu Weihnachten, mein Kleiner?«
Junge: »Eine Shiatsu-Rückenmassage, eine Brustvergrößerung für mein Kindermädchen und den neuen Klingelton mit dem *Sesamstraßen*-Medley.«
Weihnachtsmann: »Du glaubst doch nicht wirklich, dass du das kriegst?«

Junge (lacht): »Nee, ich weiß schon, dass es keinen Klingelton von der Sesamstraße gibt. Wollt nur sehen, ob du aufgepasst hast.«

Selbstbewusstsein: Schärfen Sie Ihrem Sprössling ein, dass nur die Kernfamilie recht hat. Alles, was sich außerhalb dieser bewegt, hat grundsätzlich eine schlechte Ausbildung, schlechte Manieren oder schlechte Absichten. Dazu gehören vor allem die Mitarbeiter der diversen Bildungsinstitutionen, aber auch Nachbarn, die sich in der Mittagspause ein wenig Ruhe erbitten.

Wenn Sie all diese Ratschläge bereits beachtet haben: Herzlichen Glückwunsch! Sie haben mit Ihrer Familie Ihren ganz persönlichen Beitrag zum Untergang der Zivilisation geleistet. Ihr Kind wird wahrscheinlich so sehr unter Langeweile und Selbstüberschätzung leiden, dass ihm auch die eigene Intelligenz nichts anhaben kann.

Was kann uns und unsere Kinder und Kindeskinder und Kindeskinderkinder vor künftiger Dummheit bewahren? Wenn Sie wissen möchten, was wir Autoren darüber denken, lesen Sie unsere Gedanken auf den folgenden Seiten.

Wie blöd sind wir denn nun wirklich?

*»Zwei Dinge sind unendlich: das Universum
und die menschliche Dummheit. Aber beim
Universum bin ich noch nicht sicher.«*
Albert Einstein

Es war ein geiles Gefühl, als wir den letzten Punkt hinter den letzten Satz von *Generation Doof* gesetzt hatten und unserem Lektor das Manuskript auf den Schreibtisch legten. Nach monatelanger Nacht- und Wochenendarbeit rückten endlich wieder heiße Club-Abende, sinnloses Betrinken und lethargische Fernsehmarathons in greifbare Nähe. Nachdem wir so viel über Flatratesaufen geschrieben hatten, beschlossen wir, diesen Moment gebührend zu feiern – mit einer Pulle Sekt aus dem Supermarkt.

Dort holte uns das Thema, das uns über ein Jahr beschäftigt hatte, allerdings sofort wieder ein.

Von der Warteschlange an der Kasse aus hatten wir freien Blick auf den Pfandautomaten. Normalerweise eine eher unspektakuläre Aussicht, nur stand just in diesem Moment ein junger Mann an dem Hightech-Gerät. Er drückte bei jeder Flasche, die er in den Automaten schob, den grünen Knopf für den Pfandrückgabebon. Das Resultat: zwölf einzelne Bons und acht verärgerte Kunden hinter ihm. Auf den geduldigen Hinweis einer älteren Dame: »Man kann die Flaschen auch alle nacheinander reinschieben und erst am Ende die grüne Taste drücken«, murmelte der junge Man: »Laber nich so'n shit, Alte« und trollte sich mit dem frisch gedruckten Pfand-Scheckbuch.

Unwillkürlich stellte sich uns die Frage: Wenn *der* Deutschland ist – was wird dann aus Deutschland?

Wer erinnert sich nicht an die Werbekampagne »Du bist Deutschland«? In Werbespots oder von Plakatwänden lächelten uns Prominente und Ausnahmetalente wie Rosenbäckchen Kati Witt an, flankiert von einst erfolgreichen deutschen Boxern und bereits verstorbenen Geistesgrößen. Die Absicht der Kampagne war, wie so oft, eine gute. Der Einzelne sei gefordert, wollte man uns sagen. Es komme auf individuelle Fähigkeiten, Wagemut und Initiative an. Habt Mut, suggerierten uns die prominenten Köpfe, wenn jeder von euch sich verantwortlich fühlt, dann schaffen wir das schon.

Bei der Generation Doof dürfte diese Aufforderung zum Arschhochwuchten auf taube Ohren gestoßen sein. Verantwortung und Eigeninitiative sind für unsere Generation schlimmer als ein Betriebsausflug mit dem Finanzamt. Wir sind zwar mit vielem unzufrieden, aber letztendlich sind wir froh, wenn sich ein anderer um die Probleme unseres Landes kümmert. Denn nur dann können wir die Nachmittage vor der Playstation wirklich genießen.

Eine BRAVO-Umfrage ergab: Jeder zweite Jugendliche hat keine klare Vorstellung davon, wo es in Zukunft mit ihm hingehen soll. Die Orientierungslosigkeit treibt komische Blüten. Viele haben das Gefühl, dass sie nur noch zwischen Extremen wählen können. So antwortete eine Talkshow-Teilnehmerin auf die Frage nach ihrem Berufswunsch: »Entweder hier, wie heißt es noch, Hartz oder so oder Superstar.«

Beispielsweise dümpeln viele von uns in eine ungewisse Zukunft, wenn sich in den Lebensbereichen, die wir untersucht haben, nicht bald etwas ändert: Was sich die junge Dame aus der Talkshow in Wirklichkeit wünscht, ist kein Job, sondern automatischer Geldfluss und möglichst viel Freizeit. Von Letzterem besitzen wir mehr als frühere Generationen, die von morgens bis abends ackern mussten. Inzwischen gibt es sogar schon Studiengänge zum Thema »Freizeitwissenschaft«. Nicht ohne Grund: Rund 120 Milliarden

Euro gaben die Deutschen im Jahr 2006 für Freizeit, Unterhaltung und Kultur aus, wie das Statistische Bundesamt ermittelte. Und das war rund eine Milliarde mehr als im Vorjahr. Freizeit nimmt also einen beträchtlichen Teil unseres Lebens ein und saugt das Geld aus unserem Portemonnaie.

Trotzdem verbringen wir unsere Mußestunden überwiegend passiv, ohne wirklich von ihnen zu profitieren. So ist Fernsehen ungebrochen Freizeitbeschäftigung Nummer eins. Die Generation Doof könnte die viele freie Zeit jedoch sinnvoller nutzen als für ein Date mit Dr. McDreamy aus *Grey's Anatomy*. Um unser eigenes Leben aktiv zu gestalten, müssen wir schon von der Couch aufstehen, auf der es so kuschelig und bequem ist. Damit wir uns dann aber auch in der Welt außerhalb der Seifenopern zurechtfinden, müssen wir vielfach noch eine Menge dazulernen.

Vor allem ihre Bildung vernachlässigt die Generation Doof oft sträflich. Die allseits beliebte Popkultur hat die Beschäftigung mit »ernsten« und »anstrengenden« Inhalten unattraktiv werden lassen. Dennoch ist Bildung für unsere Generation und unser Land wichtig. Wollen wir den Lebensstandard halten, den wir haben, und uns unsere Wünsche erfüllen, ist Bildung die einzige Chance und Fernsehen der tote Gaul, der uns nirgendwohin bringt. Wissen ist die wichtigste Ressource Deutschlands, ohne Experten und echtes Talent fallen wir international zurück.

> *»Jeder Job ist zumutbar. So bin ich auch an*
> *meinen gekommen.«* Harald Schmidt

Wenn Sie uns Autoren fragen, was wir anders machen müssen, müssten wir eigentlich anworten: Woher sollen wir das wissen? Wir zählen uns immerhin auch zur Generation Doof.

Dennoch können wir mit an Sicherheit grenzender Wahrscheinlichkeit sagen: Hirnlosigkeit, Ignoranz, Naivität, Leichtgläubigkeit und Torheit hat es immer gegeben und wird es immer geben.

Dummheit ist ein weites Feld, und sie ist universal. Der Tag, an dem es keine Doofen mehr gibt, wird vermutlich der sein, an dem Straßentauben unter Naturschutz gestellt werden.

In Deutschland gibt es derzeit die besten Voraussetzungen fürs Gedeihen der Schädelpest. Wir leben in einer absurden Welt. Beweis Nummer eins: In unserem schönen Land gibt es mehr Handys als Menschen. Fast jeder zweite Mensch auf der Welt hat eines. So viel Geschwalle erträgt kein Außerirdischer, weswegen die sich vermutlich schön fernhalten. Beweis Nummer zwei: Ein ganzes Land gerät in helle Aufruhr über Eisbären, Braunbären und Daniel Küblböck. Wenn hingegen der Liter Super drei Euro kostet, rührt sich niemand in seinem bequemen Relaxsessel. Beweis Nummer drei: Die Deutschen geben ihren Kindern Namen, die gleich den Filmfreak verraten: Nemo, Galadriel, Anakin und Arwen. Wen interessiert es schon, dass Nemo später am Freischwimmer-Abzeichen scheitert und Arwens Pfunde wenig Elfenhaftes an sich haben?

> *Meine Lieblingsweisheit: Auch wenn ich etwas überhaupt nicht kann, versuch ich's erst einmal.«*
> Hugo Egon Balder

Aber was wäre die Menschheit ohne Dummheit? Man hätte weniger zu lachen. Und schließlich benehmen sich auch schlaue Leute mal dumm: Man kann nicht alles wissen und kennen. Außerdem wird es immer Situationen geben, in denen man wie die Kuh vorm Fladen steht, anstatt einfach das Naheliegende zu tun. Das ist normal.

Deswegen sollte man sich nicht lustig machen, sondern die Doofen an die Hand nehmen – auch wenn die sich manchmal ein bisschen wehren. Dies gilt für uns alle: Lassen wir uns bei akuter Unwissenheit lieber helfen, anstatt auf Nimmerwiedersehen in der eigenen Bildungslücke zu verschwinden.

Ein wichtiger Schritt auf dem Weg zur Lösung: Die Probleme der Generation Doof ernst nehmen, erkennen, was schiefläuft, und nach sinnvollen Auswegen suchen.

Wo die zentralen Brennpunkte sind, haben wir gezeigt:

Eltern, die nicht mit ihren Kindern zurechtkommen, sind nicht doof – sie wissen es nur oft nicht besser. Sie brauchen keine Super-Nanny, die sie zum Gespött der Nation macht, sondern jemanden, der ihnen sagt, wie es richtig geht. Das Problem lässt sich besser in der Kinderstube lösen statt auf dem Bildschirm.

Schüler, die ein Brett vor dem Kopf haben, sind nicht zwangsläufig mit der Holzverschalung zur Welt gekommen. Sie brauchen nur besseren Unterricht. Was sie nicht brauchen, ist eine teure Studie, deren Methoden oft fragwürdig sind und die sie alle paar Jahre vor der Welt als doof brandmarkt.

Auszubildende oder Studenten, die nach dem Abschluss auf der Straße stehen oder in der Praktikumsschleife geparkt werden, sind nicht zu blöd fürs Bezahltwerden und auch nicht zu dumm für einen eigenen Bürostuhl. Sie brauchen ein Bildungssystem, das sie gezielt auf die Anforderungen des Berufs vorbereitet, und eine faire Chance.

Junge Paare, die sich auch mit Mitte dreißig noch nicht trauen, ein Kind in die Welt zu setzen, warten nicht auf Almosen vom Staat, sondern auf ein Land, das sich über Kinder freut und diese nicht als notwendiges Übel abtut.

Wer das wahre Leben nur noch aus dem Reality-TV kennt und die aufregendsten Abende seines Daseins vor dem Fernseher erlebt, der hat ein Problem. Wer seine freie Zeit überwiegend mit dem Computer oder der Spielkonsole verbringt und die Belegschaft eines Online-Wunderlandes besser kennt als die seiner Eckkneipe, der hat ein ernstes Problem. Glauben Sie das auch? Dann sollten Sie umdenken. Was wir nicht brauchen, ist ein geistiges Abstellgleis für Medienjunkies, bekennende Ballerspieler und Marathon-Fernsehgucker. Gefragt sind Lehrer und Eltern, die Medienkompetenz vermitteln und zur multimedialen Selbstständigkeit erziehen: Stecker raus, Leben rein.

Es gibt also viel zu tun, und eine Patentlösung gibt es dabei nicht. Wir alle sind gefragt, etwas zu ändern, auch wenn wir doof sind. Schauen Sie also genau hin, lieber Personalchef, lieber Kollege, lieber Lehrer, liebe Friseurin, lieber Automechaniker, lieber Punk, lieber Sozialarbeiter. Dummheit ist zwar universell, aber kein Grund zum Aufgeben.

Danke, dass Sie dieses Buch gelesen und uns damit ein Stück über die Straße begleitet haben. *Thank you for travelling with* Generation Doof. *Good bye!*

Möchten Sie noch weiterreisen?
Besuchen Sie die Kolumne der beiden Autoren unter
www.luebbe.de

LITERATUR

Bueb, Bernhard: *Lob der Disziplin. Eine Streitschrift.* Berlin: List Verlag 2006

Czisch, Fee: *Kinder können mehr. Anders lernen in der Grundschule.* München: Kunstmann 2005

Dinklake, Maike: *Der Zeugungsstreik. Warum die Kinderfrage Männersache ist.* München: Heyne 2006

Franck, Georg: *Ökonomie der Aufmerksamkeit. Ein Entwurf.* München: Carl Hanser 1998

Goosen, Frank: *Liegen Lernen.* Frankfurt: Eichborn 2000

Gross, Johannes: *Die Deutschen.* München: dtv 1982

Hansen, Eric T.: *Planet Germany. Eine Expedition in die Heimat des Hawaii-Toasts.* Frankfurt: Fischer 2006

Herman, Eva: *Das Eva-Prinzip. Für eine neue Weiblichkeit.* München/Zürich: Pendo 2006

Kühn, Lotte: *Das Lehrerhasser-Buch. Eine Mutter rechnet ab.* München: Droemer/Knaur 2005

Reutterer, Alois: *Die globale Verdummung. Zum Untergang verurteilt?* Wien: Springer-Verlag 2005

Schirrmacher, Frank: *Das Methusalem-Komplott.* München: Heyne 2005

Wicker, Ulrich: *Zeit zu handeln. Den Werten einen Wert geben.* München: Heyne 2003

ZITATE

Die Zitate auf den angeführten Seiten sind folgenden musikalischen Meisterwerken entnommen:

S. 7: Wir sind Helden: *Von hier an blind*, Album: Von hier an blind, Musik: M. Tavassol, J. Holofernes, J.-M. Tourette, Text: Holofernes, © 2005 Reklamation Records/Labels Germany (EMI)

S. 17: Die Doofen: *Lach doch mal*, Album: Melodien für Melonen, Musik/Text: Oliver Dittrich, Wigald Boning, © 1996 Hansa Sing (bmg)

S. 19: Die Ärzte: *Schopenhauer*, Album: Die Bestie in Menschengestalt, Musik/Text: Farin Urlaub, © 1993 Metronome (Universal)

S. 25: Wise Guys: *Total egal*, Album: Haarige Zeiten, Musik/Text: Daniel „Dän" Dickopf, Arrangement: Edzard Hüneke, © 1996 Entchen Records

S. 40: Die Ärzte: *Junge*, Album: Jazz ist anders, Text: Farin Urlaub, © 2007 Phonag

S. 43: Jan Delay: *Plastik*, Album: Mercedes-Dance, Text: J. Eißfeld, Musik: J. Eißfeld/ Lieven Brunckhorst, © 2006 Hamburg City Im & Export Musikproduktionen (Universal)

S. 48: Die Fantastischen Vier: *Einfach sein*, Album: Fornica, Musik/Text: Andreas Rieke, Michael B. Schmidt, Thomas Dürr, Michael DJ Beck, © 2007 Columbia (Sony BMG)

S. 88: Limp Bizkit, *Hot Dog*, Album: Chocolate, Starfish And The Hot Dog Flavored Water, Musik/Text: Limp Bizkit, © 2000 Interscope (Universal)

S. 143: Sportfreunde Stiller: *Alles Roger!*, Album: La Bum, Text: Rüdiger Linhof, Florian Weber, Peter Brugger, © 2007 Vertigo B (Universal)

S. 153: Die Toten Hosen: *Hier kommt Alex*, Album: Ein kleines bisschen Horrorschau, Text: Andreas Frege, Andreas Meurer, © 2000 jkp (Warner)

S. 222: Sido: *Mein Block*, Album: Maske X, Musik/Text: Sido Gold, Roman Preylowski, © 2005 Aggro Berlin (Groove Attack)

S. 223: Die Sterne: *Was hat dich bloß so ruiniert*, Album: Posen, Text: Frank Spilker, Musik: Julius Block, Christoph Leich, Frank Spilker, Frank Will, © 1996 Epc (Sony BMG)

S. 242: MIA: *Tanz der Moleküle*, Album: Zirkus, Text/Musik: H. Flug, Mieze Katz, © 2006 Columbia d (Sony BMG)

S. 269: Höhner: *Die Karawane zieht weiter*, Musik/Text: M. Neschen, Peter Werner-Jates, Henning Krautmacher, Jan-Peter Fröhlich, Franz-Martin Willizil, © 1970 Electrola (EMI)

S. 273: Annett Louisan: *Vielleicht*, Album: Unausgesprochen, Text/Musik: Frank Ramond, Annett Louisan, © 2005 Sony BMG

DANKSAGUNG

Ein Dank an alle verrückten und liebenswürdigen Leute, die dieses Buch unterstützt haben: Nicola Bartels und Marco Schneiders, die wir erstaunlicherweise von unserer absurden Idee überzeugen konnten; Ruggero Leò, weil er so viel mehr ist als nur ein Lektor, nämlich ein großartiges Stimmendouble; Rolf Woschei, der das Buch sozusagen als Hersteller betreut hat; die Espressorunde, die uns Halt und Stütze in der schweren Zeit war; die Coverabteilung, insbesondere Bianca Schönfeld und Beate Stefer, die uns das weltschönste Cover fabriziert haben; der Presseabteilung, allen voran Barbara Fischer und Momke Zamhöfer, die nicht müde wurden, uns bei Vorlesewettbewerben anzumelden; unserem geliebten Vertrieb und den Kollegen vom Außendienst, die wild entschlossen waren, dieses Werk an die Buchhändlerin und den Buchhändler zu bringen; der Marketingabteilung, besonders Mathias Siebel, der eine optimale Seite für die Vorschau gebastelt hat; Martin Zensheim für das äußerst erquickliche Innenlayout; Lothar Pietsch – Medium, Engel von Hitdorf und Bergisch Gladbach, Heiliger von Enkhuizen und Modeberater – für die sensible Autorenbetreuung; Isabelle Schwarz und Juliane Müller für schmucke Tipps, Entspannung und Beistand – ihr seid echt die Besten! Lars Niehaus für das Gegenlesen unübersichtlicher Textpassagen und beruhigende Gespräche. Stefan Bauer und Helmut Feller für Erste Hilfe. David Erdmann und Stefan Bornhorst für Rat und Tat; Petra Düker und Astrid Frerichs für Toleranz und Frohsinn. Rolf Hörner tausend Dank für die tollen Fotos! Außerdem herzlichen Dank an Jürgen und Jan-Tim Jacobs für die freundliche Unterstützung – das gibt Fleißpunkte! Dank an Deutschland für die vielen Ideen und Anregungen. Ein dreifaches Hoch auf unsere Eltern, denn sie haben uns die Ausbildung angedeihen lassen, die uns befähigt hat, dieses Buch überhaupt zu schreiben. Ein Gruß an Rainer Schumacher, der leider ohne Eigenverschulden von diesem Buch verschont blieb. Ganz persönlicher Dank gilt Marion Gottschlich, die viel schlechte Laune ertragen hat und trotzdem immer noch über Pizza auf dem Küchenboden lachen kann – mit dir Riesenrad in Wien fahren? Jederzeit wieder!